5 DAYS
BEAUTIFUL
TRIP GUIDE
PRESENTED BY A-WORKS

5日間の休みで行けちゃう！美しい街・絶景の街への旅

初心者でも大丈夫！手頃な値段で絵本のような別世界へ！

JN238985

世界一美しい海岸線。断崖絶壁が囲む港街
アマルフィ | イタリア

P070 ベルギーの水の都。天井のない博物館
ブルージュ | ベルギー

P034 アドリア海の真珠。真っ青な海と空を抱く街
ドブロブニク | クロアチア

柔らかく幻想的な青が広がる別世界。山の中腹に築かれたブルータウン
シェフシャウエン | モロッコ

南イタリアの童話世界。円錐形のとんがり屋根が連なる町
アルベロベッロ | イタリア

直線美と曲線美の融合。アートとエンターテイメントの街
バルセロナ | スペイン | P196

文明の十字路。東西の文化が融合した街
イスタンブール | トルコ | P154

P142 青と白、風車が織り成す風景。エーゲ海に浮かぶ白い宝石
ミコノス島 | ギリシャ

P238 幾多の言葉が捧げられた街。世界有数のロマンチックタウン
プラハ | チェコ

湖と町が織り成す景色。世界で最も美しい湖岸の町
ハルシュタット | オーストリア | P118

神秘に満ちた古代湖。水上に浮かぶ集落
ウロス島 | ペルー | P288

P124 伝統が創造した自然美。ニューメキシコに現存する別世界
タオスプエブロ ｜ 米国

はじめに

絵本のような世界が広がる可愛らしい街、
タイムスリップしたかのような錯覚を抱く、歴史情緒溢れる街、
爽やかな風が頬をなでる海辺の街、
目を疑うような不思議な世界を生み出す街、
周囲の景色と共に絶景を紡ぐ街…

そんな世界中の街を、一生に一度は歩きたい！ この目で見たい！
そして、おいしいものも食べたいし、買い物もしたい！

この本は、そんな憧れを抱く旅人へ贈る、
美しい街・絶景の街を楽しむためのガイドブックだ。

世界中に点在する、別世界のような素敵な街の中から、
『5日間の休み＆手頃な旅費があれば行ける場所』。
そんな素敵な旅先を選び、写真やガイド情報と共に、
ひとつひとつ、丁寧に紹介している。

これだけ便利な移動手段が発達し、格安航空券も溢れている現在、
地球上にある魅力的な街に、5日間の休み＆手頃な旅費で、
本当に行けてしまう時代に、僕らは生きている。

インターネットで見るだけじゃ満足できない人へ。
現地に行って、空気を、匂いを、風を感じたい人へ。

ヴァーチャルではなく、リアルを愛する人の旅を応援します。

LET'S PLAY THE EARTH!

FACTORY A-WORKS

「5日間の休みで行けちゃう！ 美しい街・絶景の街への旅」
CONTENTS

「サントリーニ島」
エーゲ海に浮かぶ三日月
断崖の上に連なる白き世界
▶P022

 ギリシャ／Greece

Santorini Island 01

「コルマール」
葡萄畑が包む絵本の世界
アルザスの文化が築いた街
▶P028

 フランス／France

Colmar 02

「ドブロブニク」
アドリア海の真珠
真っ青な海と空を抱く街
▶P034

 クロアチア／Croatia

Dubrovnik 03

「アルベロベッロ」
南イタリアの童話世界
円錐形のとんがり屋根が連なる町
▶P040

 イタリア／Italy

Alberobello 04

「コッツウォルズ」
はちみつ色に染まる村
英国の絵本世界
▶P046

 イングランド／England

Cotswolds 05

「サマルカンド」

文化の交差路
シルクロードの青の都

▶ P052

　ウズベキスタン / Uzbekistan

06

「福建土楼」

流れ着いた民が築いた町
中国山間部に佇む客家(ハッカ)建築

▶ P058

　中国 / China

07

「ミハス」

アンダルシアの小さな宝石
純白に輝く小さな村

▶ P064

　スペイン / Spain

08

「ブルージュ」

ベルギーの水の都
天井のない博物館

▶ P070

　ベルギー / Belgian

09

「ベルゲン」

北欧に漂う中世の薫り
三角屋根が建ち並ぶ世界遺産の町

▶ P076

　ノルウェー / Norway

10

「チェスキー・クルムロフ」

中世へタイムスリップ
おとぎの世界が広がる街

▶ P082

　チェコ / Czech Republic

11

「ケベックシティ」

異国の空気が満ちる
北米最古の繁華街

▶P088

 カナダ / Canada

12

「フロイデンベルク」

木組みの家が連なる
モノトーンの町

▶P094

 ドイツ / Germany

13

「ブラーノ島」

水上に浮かぶ芸術作品
カラフルに彩られた町

▶P100

 イタリア / Italy

14

「カルカッソンヌ」

二重の城壁が護る歴史
ヨーロッパ最大の城塞都市

▶P106

 フランス / France

15

「ラサ」

雄大なるチベット高原
信仰を集める聖地、天空の町

▶P112

 チベット / Tibet

16

「ハルシュタット」

湖と町が織り成す景色
世界で最も美しい湖岸の町

▶P118

 オーストリア / Austria

17

「タオスプエブロ」

伝統が創造した自然美
ニューメキシコに現存する別世界

▶P124

 米国/USA

Taos Pueblo **18**

「エルサレム」

35億人の聖地
歴史が築いた街

▶P130

 イスラエル/Israel

Jerusalem **19**

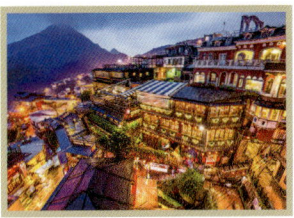

「九份」

漂うレトロな雰囲気
現代に残るノスタルジックな古き町並み

▶P136

 台湾/Taiwan

Jiufen **20**

「ミコノス島」

青と白、風車が織り成す風景
エーゲ海に浮かぶ白い宝石

▶P142

 ギリシャ/Greece

Mykonos Island **21**

「キャンドバーン」

連なる奇岩をくり抜いた家
圧倒的な存在感を放つ村

▶P148

 イラン/Iran

Kandovan **22**

「イスタンブール」

文明の十字路
東西の文化が融合した街

▶P154

 トルコ/Turkey

Istanbul **23**

「ベルン」

三方を囲む豊かな水
ヨーロッパで最も美しい緑と花の街
▶P160

 スイス/Switzerland

24

「カトマンズ」

南アジアに残る中世
神々の住まう街
▶P166

 ネパール/Nepal

25

「アマルフィ」

世界一美しい海岸線
断崖絶壁が囲む港街
▶P172

 イタリア/Italy

26

「サンクトペテルブルク」

世界遺産の宝庫
沼地から誕生した美しき都
▶P178

 ロシア/Russia

27

「ホイアン」

活気を取り戻した交易地
郷愁を覚える古い町並み
▶P184

 ベトナム/Vietnam

28

「ハバナ」

カリブ海に浮かぶ地上で一番美しい島
陽気なリズムが流れる世界遺産の街
▶P190

 キューバ/Cuba

29

「バルセロナ」
直線美と曲線美の融合
アートとエンターテイメントの街
▶P196

 スペイン / Spain

30

「パロ・ティンプー」
大切に護られてきた伝統文化
幸せの国のふたつの町
▶P202

 ブータン / Bhutan

31

「ローテンブルク」
ロマンチック街道に佇む
中世の宝石箱
▶P208

 ドイツ / Germany

32

「ストックホルム」
北欧の水の都
世界で最も美しい首都
▶P214

 スウェーデン / Sweden

33

「インレー湖」
湖の民が築いた水上世界
世界的にも珍しい水に浮かぶ町
▶P220

 ミャンマー / Myanmar

34

「コトル」
モンテネグロの秘宝
アドリア海最奥部の港湾都市
▶P226

 モンテネグロ / Montenegro

35

「シディブサイド」
白と青の小さな楽園
チュニジアンブルーが輝く街
▶P232

 チュニジア / Tunisia

36

「プラハ」
幾多の言葉が捧げられた街
世界有数のロマンチックタウン
▶P238

 チェコ / Czech Republic

37

「シエナ」
赤レンガが伝える中世の記憶
世界一美しい広場を抱く街
▶P244

 イタリア / Italy

38

「鳳凰古城」
山間に生きる鳳凰
中国で最も美しい町
▶P250

 中国 / China

39

「バラナシ」
生と死を見つめる
聖なる川に寄り添う街
▶P256

 インド / India

40

「日本」
日本ならではの風景
世界に誇る伝統美
▶P262

 日本 / Japan

41

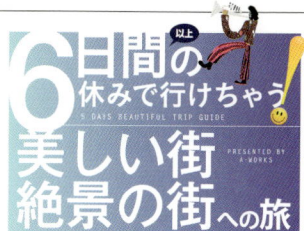

6日以上で行けちゃう、美しい街、絶景の街！
MORE THAN 6 DAYS BEAUTIFUL TRIP GUIDE
▶P268

42-45

「シェフシャウエン」
柔らかく幻想的な青が広がる別世界
山の中腹に築かれたブルータウン
▶P270

 モロッコ/Morocco

「ジャイサルメール」
中世インドのオアシス
夕陽に輝く黄金の街
▶P276

 インド/India

「ザンジバル」
インド洋に浮かぶ島
世界の文化が出会った街
▶P282

 タンザニア/Tanzania

「ウロス島」
神秘に満ちた古代湖
水上に浮かぶ集落
▶P288

 ペルー/Peru

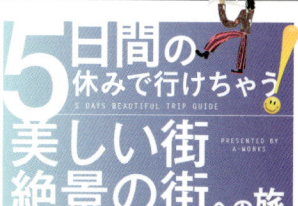

素敵な旅作りのヒント集
●旅行会社と相談する上で欠かせないポイント！
●旅をリーズナブルにするヒント！
●想い出を形に！
▶P294

5日間の休みで行けちゃう！
美しい街 絶景の街への旅

5 DAYS BEAUTIFUL TRIP GUIDE

PRESENTED BY A-WORKS

Greece
Santorini Island

ギリシャ 「サントリーニ島」

エーゲ海に浮かぶ三日月
断崖の上に連なる白き世界

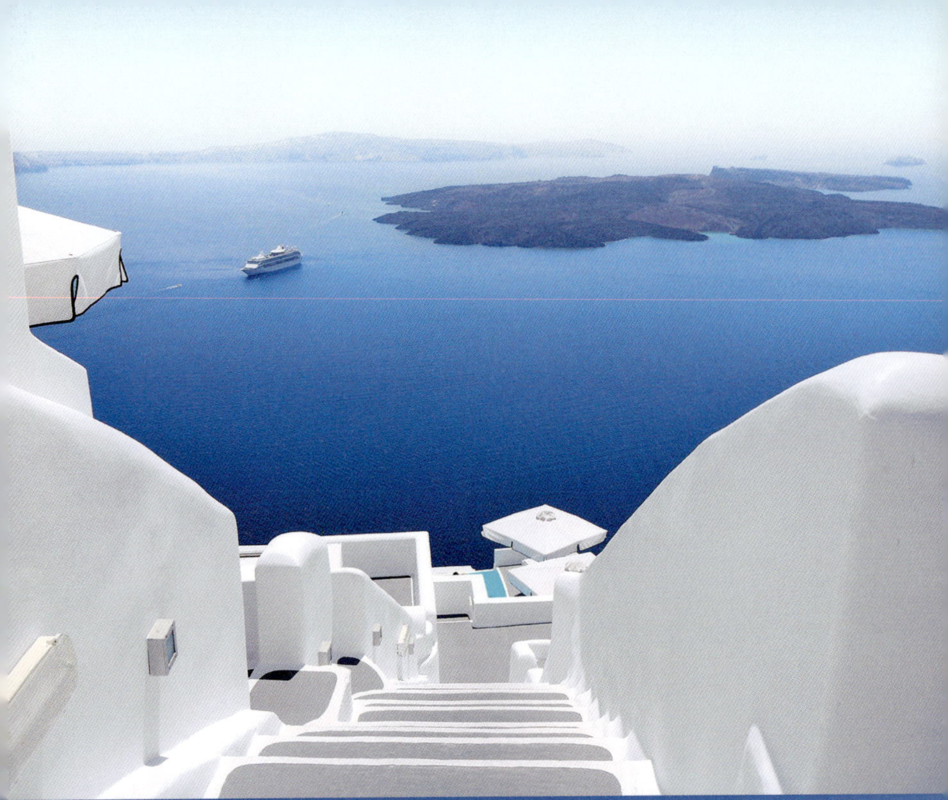

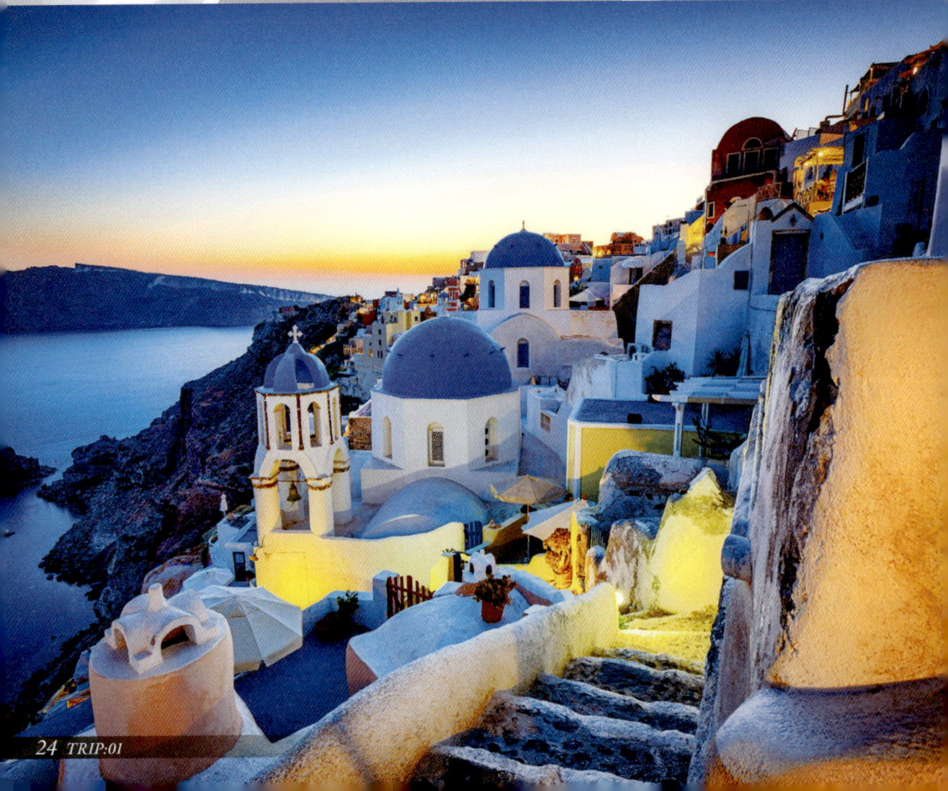

世界一の夕陽
「サントリーニ島」

ギリシャ本土より南東へ約200km。エーゲ海に囲まれた三日月形の島がある。火山活動によって形成されたサントリーニ島だ。紺碧の海に切り立つ断崖絶壁が続く島で、その頂上には、まるで雪が降り積もったかのように眩い輝きを放つ白い家々が建ち並ぶ。その唯一無二の絶景は「絵葉書の世界」とも呼ばれている。

島の中心となるのは、中央西部に位置する町フィラ。ホテルやカフェ、バー、レストラン、ギャラリー、土産屋が軒を連ね、眼下に広がる青い海との調和が絶妙で、非常に美しい。名物のロバタクシーも異国情緒の盛り上げに一役買っている。

フィラから車で約20分、島の北部には「世界で最も夕陽が美しい町」と呼ばれるイアがある。白い町並みが徐々に橙色に染まっていく光景には、息を呑むだろう。紺碧のエーゲ海、連なる白い建物、そして世界一の夕陽が奏でる景色は、まさしくアートの世界だ。フィラとイア、どちらにも共通するのは、類い希なる別世界が広がっているということ。世界のTVやCMのロケ地として多く使われるのも納得の、美しい島へ。

Travel Information:01

世界一の夕陽
サントリーニ島

Greece
／ギリシャ

MAP:

いくらかかる?
How much?
17万円〜
<大人1名分の総予算>

「旅の予算」は
右頁「PLAN」の目安料金です。
内訳:
● 飛行機代
● 宿泊費
● 現地送迎
● 食事(朝2回)
※燃油サーチャージ除く

どうやって行く?
How to get there
約17時間
<片道の移動時間>
※空港等での待機時間含ます

日本からギリシャの玄関口、アテネまでの直行便はない。アラブ首長国連邦のドバイやアブダビ、またはヨーロッパ1都市での乗り継ぎが必要になる。また、アテネからサントリーニ島までは国内線で移動する。成田〜ドバイは約11時間15分、ドバイ〜アテネは約5時間、アテネ〜サントリーニ島は約45分。

いつがオススメ?
Best Season
6月〜9月
<街歩きに適した時期>

6〜9月がハイシーズン、10〜5月はローシーズンとなる。一般的に6〜9月が海水浴に適した気候と言われているが、6月と9月は肌寒くなることも。夏場の気温は30℃を超えることもあるが、乾燥している為、快適に過ごすことができる。

この旅のヒント
Hint!
フィラとイアのどちらの街に宿泊するかは予算に応じて選択が可能。

● フィラとイアは、車で約20分の距離にある。どちらを宿泊場所にしても訪れることが可能だ。比較的フィラの方が安価に宿泊できるが、落ち着いた雰囲気の中で滞在したい人にはイアがオススメ。
● 移動手段はバスかタクシーとなる。バスは便数こそ多いが、遅れることも多いので、タイトなスケジュールの場合は、タクシーを利用しよう。

例えばこんな旅 PLAN この旅のプラン例／5日間

1日目	夜	成田発〜ドバイ、アテネ乗り継ぎ〜サントリーニ島へ【機内泊】
2日目	夕方	サントリーニ島着【サントリーニ島泊】
3日目	終日	サントリーニ島【サントリーニ島泊】
4日目	終日	サントリーニ島発〜アテネ、ドバイ乗り継ぎ〜成田へ【機内泊】
5日目	午後	成田着

この旅の要チェック！ CHECK!

✓ フィラ　　　チェックポイント
海抜300m、崖の上に立つ島の中心地だ。その為、カフェやレストラン、土産屋の他にも古代の出土品を展示している博物館などもある。すぐに海が見えるロケーションの為、白い町並みと相まって、どこもがフォトジェニック。猫が多いことでも有名だ。

✓ イア　　　チェックポイント
島の北部に位置する町。こちらも断崖に白い家々が建ち並び、またレストランや可愛らしい雑貨屋もあるので、フィラと同様に町散策を楽しめる。夕陽観賞を終えてから、ポツポツと町中に光が灯される様子も幻想的で美しい。

✓ ビーチ　　　チェックポイント
島には幾つかのビーチがあるが、最もポピュラーなのが「カマリビーチ」。火山の噴火によって出来ている島の為、"黒砂"が最大の特徴だ。ビーチ沿いには、多数のレストランやカフェが建ち並び、海に食事にと地中海バカンスを楽しむことができる。

+1 ドバイ　　　プラス1日あったら？
乗り継ぎ地点であるアラブ首長国連邦のドバイで一休みするのもオススメ。中東の中でも開放的な雰囲気を持ち、高級ホテルも多数。世界一高いビルとして知られるブルジュハリファドバイや、高級ブランド店が軒を連ねる巨大ショッピングモールなど見所満載。

+1 アテネ　　　プラス1日あったら？
西洋文明発祥の地ギリシャには世界遺産が17件もある。特に首都アテネのアクロポリスは有名。アクロポリスの丘には、女神アテーナーを祀るパルテノン神殿や美しい女神が並ぶエレクティオン神殿などがある。一生に一度は訪れたいアテネのスポットだ。

旅の相談と手配先は？　〔エス・ティー・ワールド〕　▶stworld.jp
日本を拠点としながらも、世界中にネットワークを持つ旅行会社。旅の日数や宿も含め、色々とアレンジできるので、まずは気軽に相談してみよう。豊富な種類のパッケージ旅行も魅力だ。

Greece

France
Colmar

 フランス 「コルマール」

葡萄畑が包む絵本の世界
アルザスの文化が築いた街

アルザスの文化が築いた街
「コルマール」

フランス東部、ドイツとの国境近くに広がるアルザス地方。現在はフランスの一部だが、ドイツに占領されていた歴史を持つことから、両国の文化が融合し根付いている。同地域最大の都市、ストラスブール南部に点在する美しい街や村。そのひとつがコルマールという街だ。ヴォージュ山脈の麓、広大な葡萄畑の間を縫うように170kmも続くアルザスワイン街道の中心に位置し、映画「ハウルの動く城」の世界観を描く時に参考にした街としても知られている。穏やかな表情を見せる運河、運河を航行する小さなゴンドラ、淡いパステルカラーで彩られたドイツ風の木骨造の家々、その軒先に飾られるゼラニウム…と、まさに絵本のような世界が広がっている。旧市街の一角にある、イタリアのベニスを彷彿させることからその名が付いたエリア、プティットベニスは特にその空気が色濃く、メルヘンという言葉がぴったりの街並みが続いている。またウンターリンデン美術館へと足を運べば、16世紀の代表的な画家グリューネヴァルトが描いた"イーゼンハイム祭壇画"など、中世末期からルネッサンス期の芸術を堪能することもできる。20世紀に勃発した幾度の戦渦を免れ、奇跡的に現代まで残った街、アルザスワインの首都コルマールへ。

Travel Information:02

アルザスの文化が築いた街
コルマール

 France／フランス

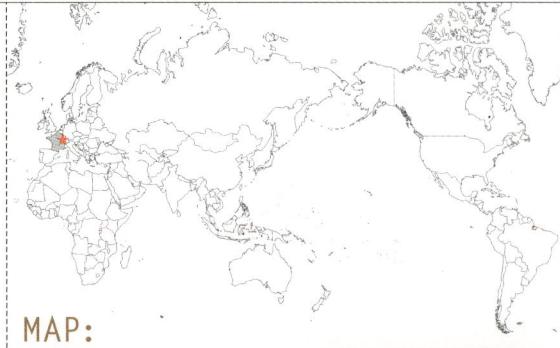

MAP：

いくらかかる？
How much?
11万円〜
<大人1名分の総予算>

「旅の予算」は右頁「PLAN」の目安料金です。
内訳：
- ●飛行機代
- ●宿泊費
- ●列車代
- ●食事(2回)

※燃油サーチャージ除く

どうやって行く？
How to get there
約13時間
<片道の移動時間>
※空港等での待機時間含みます

日本からコルマール最寄りのストラスブール空港までの直行便は運行していない。アムステルダムなどで乗り継ぐか、パリから列車で行くことが一般的だ。成田〜アムステルダムは約11時間30分、アムステルダム〜ストラスブールは約1時間。ストラスブールからコルマールは列車で約30分。

いつがオススメ？
Best Season
5月〜9月
<街歩きに適した時期>

家々の軒先に置かれた花々が鮮やかに色付く5〜9月がベストシーズン。その時期の気温は20℃前後と過ごし易いが、薄手の上着は必須。他の時期はとても冷え込むので、避けた方がいいだろう。

この旅のヒント
Hint!
スイスを経由して行けば、スイスとコルマールの両方を楽しむことも可能。

●コルマールへは、日本から直行便が運行しているスイスのチューリッヒからも、バーゼル経由で行くことができるし、フランスの玄関口パリから行くことも可能だ。本書ではアムステルダム乗り継ぎでストラスブールに入る最短ルートを紹介したが、スイスもしくはパリとコルマールという楽しみ方も可能だ。＋1日を追加できる場合なども含めて決めよう。

例えばこんな旅 PLAN　この旅のプラン例／5日間

1日目	終日	成田発〜アムステルダム乗り継ぎ〜ストラスブール着【ストラスブール泊】
2日目	午前	コルマールに移動
	午後	コルマール【コルマール泊】
3日目	終日	コルマール【コルマール泊】
4日目	午前	コルマール
	午後	ストラスブールに移動
		ストラスブール発〜アムステルダム乗り継ぎ〜
		成田へ【機内泊】
5日目	夜	成田着

この旅の要チェック！ CHECK!

✓ コルマール　　　　　　　　　　チェックポイント
歴史ある建物が建ち並ぶ旧市街には、可愛らしい看板を掲げたお店が至るところある。この街には細かな部分にもアートが詰まっているので、見逃さないように散策したい。また、プティットベニスエリアではゴンドラ（小舟）に乗って、運河から街並みを眺めることも可能だ。

✓ ルネッサンス建築　　　　　　　チェックポイント
コルマール経済の中心地として機能していた旧税関広場。1537年に建てられ、現存する最も美しい貴族の館プフィスタの家、1609年に建てられた111の顔彫刻を持つ頭の家など、ルネッサンス建築を堪能できるのもコルマールの魅力のひとつ。

✗ アルザスワイン　　　　　　　　食事
北のマーレンハイムから南のタンまで170km続くアルザスワイン街道。その中心地コルマールを訪れるのであれば、特産ワインを是非。ワインの他、ビールにもよく合う郷土料理シュークルート（塩漬けキャベツやソーセージなどを煮込んだもの）と共に味わおう。

+1 ストラスブール　　　　　　　プラス1日あったら？
パリからTGV（高速列車）が繋がったことで、多くの観光客が訪れるようになった国際都市。世界遺産に登録された旧市街の、特にプティットフランスと呼ばれる一角は古き良きフランスの風情を残している。壮大なカテドラル内部にあるからくり人形も見所のひとつだ。

+1 パリ　　　　　　　　　　　　プラス1日あったら？
ストラスブールから列車で約2時間15分の所に位置する"華の都"パリ。ヨーロッパの大都市でありながら、古くからの建物が多く残る、中世と現代が交差する唯一無二の街だ。世界的観光名所が各所に散らばり、数日滞在しても見所は尽きない。

【ファイブスタークラブ】　▶ www.fivestar-club.jp
世界中を手配範囲とする旅行会社。多種多様なテーマでのパッケージツアーに加え、オーダーメイドももちろん手配OK。ファイブスタークラブがプロデュースするこだわりの旅は、とても魅力的。まずは、気軽に相談するところから始めてみよう。

Croatia
Dubrovnik

 クロアチア 「ドブロブニク」

アドリア海の真珠
真っ青な海と空を抱く街

アドリア海の真珠
「ドブロブニク」

東ヨーロッパはバルカン半島西部の国クロアチア。その南部に、アドリア海に面した街、ドブロブニクはある。中心地には、約2kmにも渡る堅牢な城壁に囲まれた旧市街が広がり、オレンジ色の屋根が美しく並ぶ。15〜16世紀に隆盛を極めた石造りの建造物と、街中に敷かれた光沢を放つ大理石の石畳が相まって、物語の世界と見紛うような景観が広がっている。教会や宮殿、噴水、住宅、路地裏まで、どこを切り撮っても絵になる街だ。

さらに、本書でオススメしたいドブロブニクの必見スポットは街の外、裏手に位置するスルジ山にある。そこから望む旧市街全景とアドリア海の奏でる風景は、まさに絶景。思わず息を呑む美しさが広がっている。現在では、アドリア海の真珠と謳われるほど美しい街だが、1991年という遠くない過去に、戦争によって街の約70%もが壊された歴史も持つ。シンボルとなっている連なるオレンジ色の屋根に濃淡があるのはその証で、淡い色は戦争以前からの屋根、濃い色は復旧した屋根なのだ。再建するにあたって、すべて建築当時と同じ素材を用いた為に違和感はなく、悲しい歴史を感じることはない。しかし背景を知ることで、この街の美しさが、さらに心に沁みるだろう。

Travel Information:03

アドリア海の真珠
ドブロブニク
Croatia／クロアチア

MAP:

いくらかかる？
How much?
18万円～
<大人1名分の総予算>

「旅の予算」は右頁「PLAN」の目安料金です。
内訳：
- 飛行機代
- 宿泊費
- 食事(朝3回)

※現地送迎、燃油サーチャージ除く

どうやって行く？
How to get there
約14時間
<片道の移動時間>
※空港等での待機時間含ます

日本からクロアチアまで直行便は運行していない。ドブロブニクへはドイツのフランクフルトなどヨーロッパ1、2都市を乗り継いで行くことが一般的だ。羽田～フランクフルトは12時間15分、フランクフルト～ドブロブニクは約1時間50分。

いつがオススメ？
Best Season
5月～9月
<街歩きに適した時期>

1年中訪問は可能だが、海と空の青さが映える5～9月に訪れたい。夏の間(7、8月)は暑くなるが、日本とは異なり乾燥しているので過ごしやすい。またその時期は、多くの観光客で混雑するが、同時に海水浴が楽しめるシーズンでもある。海遊びしたい人はこの時期がオススメ。

この旅のヒント
Hint!
スルジ山へはロープウェーかタクシーを利用していくのがオススメ。

- 標高412mのスルジ山は徒歩でも行けるが、少々大変だ。あえて歩きたい人以外は、ピレ門の上から出ているロープウェーか、タクシーで山頂を目指そう。街中はこぢんまりとしている為、徒歩散策となるが、カフェやレストランも多い為、休憩できるスポットは多い。

例えばこんな旅 PLAN この旅のプラン例／5日間

1日目	終日	羽田発～フランクフルト乗り継ぎ～ドブロブニク着【ドブロブニク泊】
2日目	終日	ドブロブニク【ドブロブニク泊】
3日目	終日	ドブロブニク【ドブロブニク泊】
4日目	終日	ドブロブニク発～フランクフルト乗り継ぎ～羽田へ【機内泊】
5日目	朝	羽田着

この旅の要チェック！ CHECK!

✓ ドブロブニク
チェックポイント

映画『紅の豚』の舞台になったとも言われている街。旧市街を囲む城壁は遊歩道になっていて、景色を楽しみながら一周することができる。また街中はこぢんまりとしているが、無数に裏路地があるので、あえて迷いながら散策するのも様々な発見があって面白い。

✓ ドブロブニク旧市街
チェックポイント

様々なショップやカフェなどが軒を連ねるメインストリートのプラツァ通り、メインの入口となるピレ門、オノフリオの大噴水、ルジャ広場に建つ大聖堂などが見所。旧市街から徒歩10分に位置する白砂のバニェビーチでは海水浴が楽しめる。

✗ シーフード
食事

アドリア海の新鮮な魚介類を使ったシーフードがオススメ。白身魚をはじめ、イカやエビ、ムール貝など様々な味を堪能できるが、中でもオススメはオイスター。日本のものと比べると小ぶりだが、アドリア海ならではの風味が詰まっていて格別。白ワインと共にぜひ。

+1 コトル
プラス1日あったら？

ドブロブニクから南へ約60kmに位置する、隣国モンテネグロの街。街並みを形成しているバロック様式の建築物は歴史情緒に溢れ、世界遺産にも登録されている。世界一美しいと称されるコトル湾を抱くことでも知られている中世から続く港湾都市。

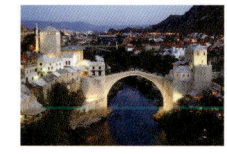

+1 モスタル
プラス1日あったら？

ドブロブニクから約3時間の所に位置する、隣国ボスニア・ヘルツェゴビナの街。モスタル旧市街に架かる古い橋周辺は世界遺産にも登録されている。オスマン帝国やオーストリア、ハンガリーなど東西文化の影響を受けた街並みは、エキゾチックな雰囲気に溢れている。

旅の相談と手配先は？ [H.I.S.]
▶www.his-j.com

広範囲に渡って世界中に支店を持つ旅行会社。その手配範囲の広さとリーズナブルな金額設定が魅力的だ。日本全国にあるH.I.S.の営業所にて旅の相談や手配が可能なので、まずは気軽に問い合わせしてみよう。

Italy
Alberobello

🇮🇹 イタリア 「アルベロベッロ」

南イタリアの童話世界
円錐形のとんがり屋根が連なる町

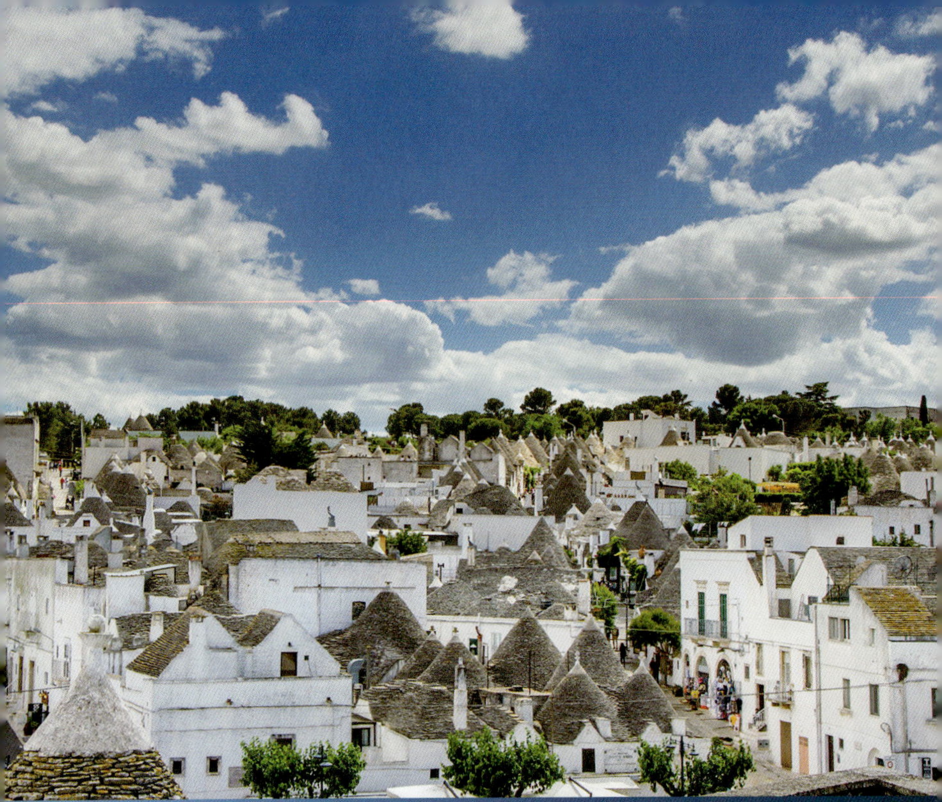

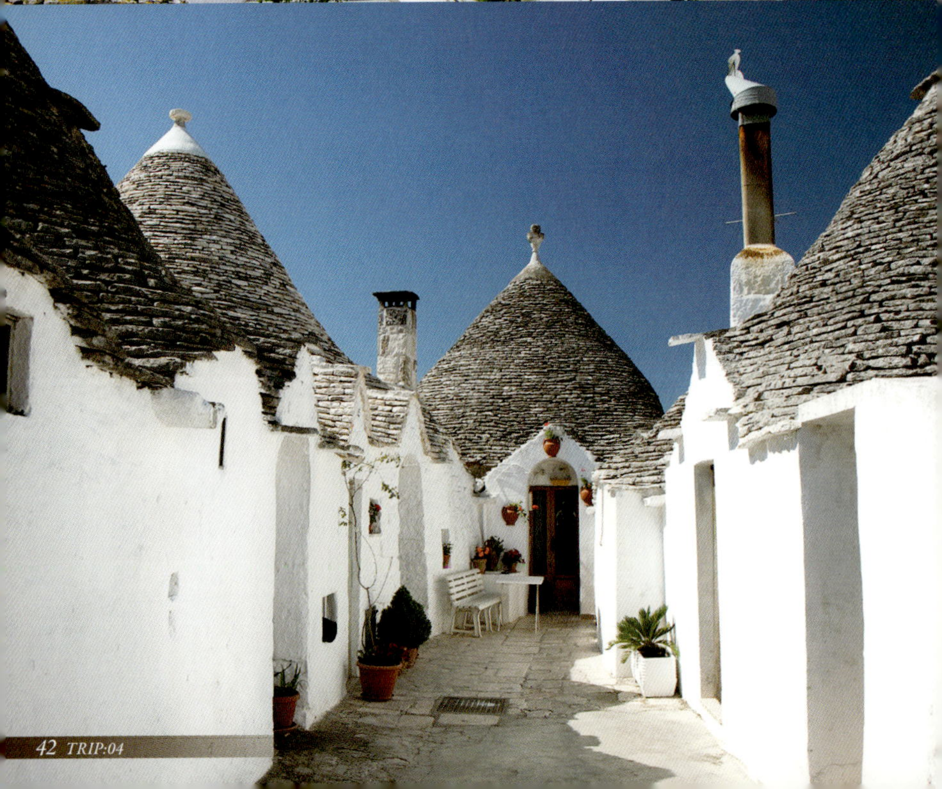

南イタリアの童話世界
「アルベロベッロ」

長靴の形をした国、イタリア。その南部のちょうど踵にあたる部分に、オリーブ畑が広がる町、アルベロベッロは位置している。この町にはトゥルッリと呼ばれる円錐形をしたかわいいトンガリ屋根が建ち並び、独特の光景が広がっている。トゥルッリとは、白い漆喰で塗られた石造りの家。"家"とは言っても、その屋根の下には1部屋だけしかなく、石を積み上げただけの簡易的なもの。

このような建物が並ぶ理由は15世紀に遡る。当時、地域の税額は家の数によって決まっていた。そこでこの地域の領主は、税金対策の為に、査察の度に家を壊すように市民に指示。何度も何度も壊しては作らねばならなかった市民は、考え抜いた末にこの建築方法に辿りついたのだ。

現在に伝承された独特な建築様式が紡ぐ光景は、まるで童話の世界。今でも1,000軒以上ものトゥルッリが残り、アイア・ピッコラ地区では人々が営みを続け、なだらかな斜面が続くモンティ地区では土産屋や飲食店として利用されている。

世界遺産に登録された童話世界、南イタリアに残る希有な町並みを歩く旅へ。

Italy 43

Travel Information:04

南イタリアの童話世界
アルベロベッロ

Italy /イタリア

MAP:

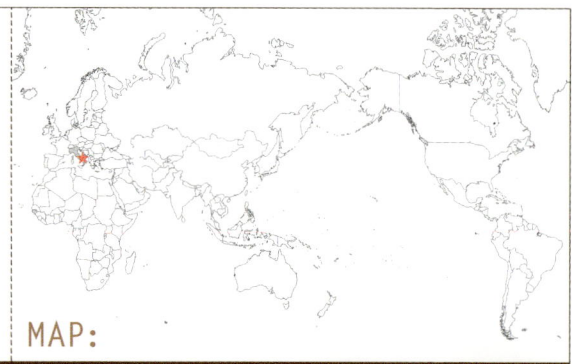

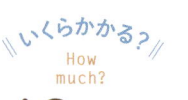

いくらかかる?
How much?
16万円〜
<大人1名分の総予算>

「旅の予算」は
右頁「PLAN」の目安料金です。
内訳：
- 飛行機代
- 宿泊費
- 現地送迎
- 食事(朝3回)

※燃油サーチャージ除く

どうやって行く?
How to get there
約15時間
<片道の移動時間>
※空港等での待機時間含みます

成田からイタリアの首都ローマまで直行便が運行している。そこからアルベロベッロ最寄りの空港バーリまでは国内線で移動することになる。成田〜ローマ約12時間50分、ローマ〜バーリは約1時間10分。到着するバーリからアルベロベッロまでは車で約1時間。

いつがオススメ?
Best Season
4月〜7月
9月〜10月
<街歩きに適した時期>

最高気温が40℃を超える夏や、雪の降る冬は避けた方が無難。4〜7月、9〜10月が、朝晩の気温差はあるものの、観光に適したシーズン。晴れると日射しが強くなるが、乾燥した気候の為、日陰に入れば涼しく快適だ。

この旅のヒント
Hint!
トゥルッリを改装したホテルもある。宿泊は旅行会社に相談してみよう。

- アルベロベッロは1日で巡ることができる規模の町。名物が点在している訳ではないので、基本は徒歩でまわろう。また、町にはトゥルッリを改装しているホテルもあるので、童話世界の中で眠りたい人は事前に旅行会社に希望を伝えよう。
- アルベロベッロでは料理教室や農業体験に参加することも可能だ。また、アルベロベッロの近くにはオストゥーニ、ロコロトンド、マルティーナフランカという小さな町がある。アルベロベッロから日帰りで行くことも可能なので、時間に余裕のある人は足を運んでみよう。

例えばこんな旅 PLAN　この旅のプラン例／5日間

1日目	終日	成田発〜ローマ乗り継ぎ〜バーリ着
		アルベロベッロに移動【アルベロベッロ泊】
2日目	終日	アルベロベッロ【アルベロベッロ泊】
3日目	午前	バーリに移動　バーリ発〜ローマ着
	午後	ローマ【ローマ泊】
4日目	終日	ローマ発〜成田へ【機内泊】
5日目	午前	成田着

この旅の要チェック! CHECK!

✓ トゥルッリ　　チェックポイント
玄関や廊下がなく1部屋のみの構造となっているトゥルッリ。石灰岩を積んで作ることから屋根の先端にできる穴を塞ぐ為、小さな尖塔がつけられている。家ごとに遊び心溢れる様々な形があるので、それぞれを見比べてみるのも面白い。

✓ ローマ　　チェックポイント
映画「ローマの休日」のロケ地としても知られるスペイン広場やトレビの泉、真実の口などの有名観光地は、半日あれば巡ることができる。名物のジェラートを片手にローマの石畳を歩こう。

✗ アルベロベッロの食事　　食事
ピザやパスタにワインと美味しい料理の宝庫、イタリア。アルベロベッロでは特産のチーズを味わおう。何種類もの中から選んだものをその場で食べることができる。また、ソーセージなどをバラ肉で巻いて串に刺して焼いた"ボンベッテ"もオススメだ。

+1 ローマ　　プラス1日あったら?
"永遠の都"と呼ばれるほど歴史豊かな町で、世界遺産の宝庫とも言われている。古代ローマ遺跡のフォロ・ロマーノ、円形闘技場コロッセオ、その全域が世界遺産の世界最小国家バチカン市国など、数日滞在しても見所は尽きない。

+1 ナポリ　　プラス1日あったら?
「ナポリを見てから死ね」という言葉があるほど、美しい街として称えられている。特に夜景の美しさは世界的にも有名だ。バーリからバスに乗って3時間ほどの距離にあるので、ローマへの帰路に立ち寄ってみるのもオススメ。

旅の相談と手配先は?　[エス・ティー・ワールド]　▶ stworld.jp
日本を拠点としながらも、世界中にネットワークを持つ旅行会社。旅の日数や宿も含め、色々とアレンジできるので、まずは気軽に相談してみよう。豊富な種類のパッケージ旅行も魅力だ。

England
Cotswolds

イングランド「コッツウォルズ」

はちみつ色に染まる村
英国の絵本世界

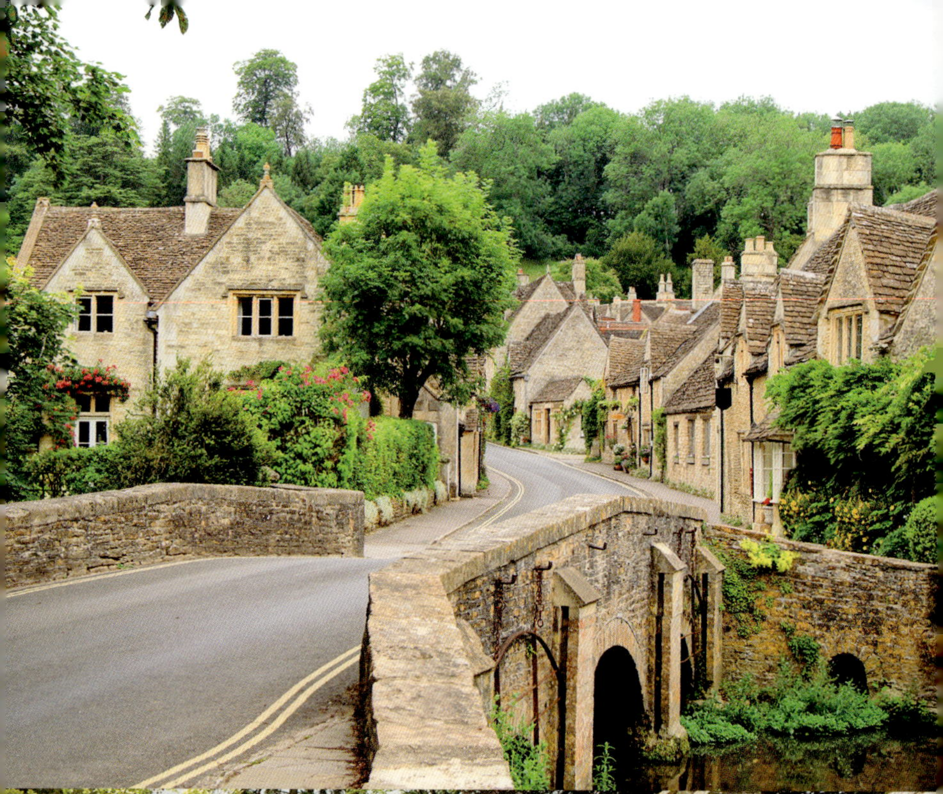

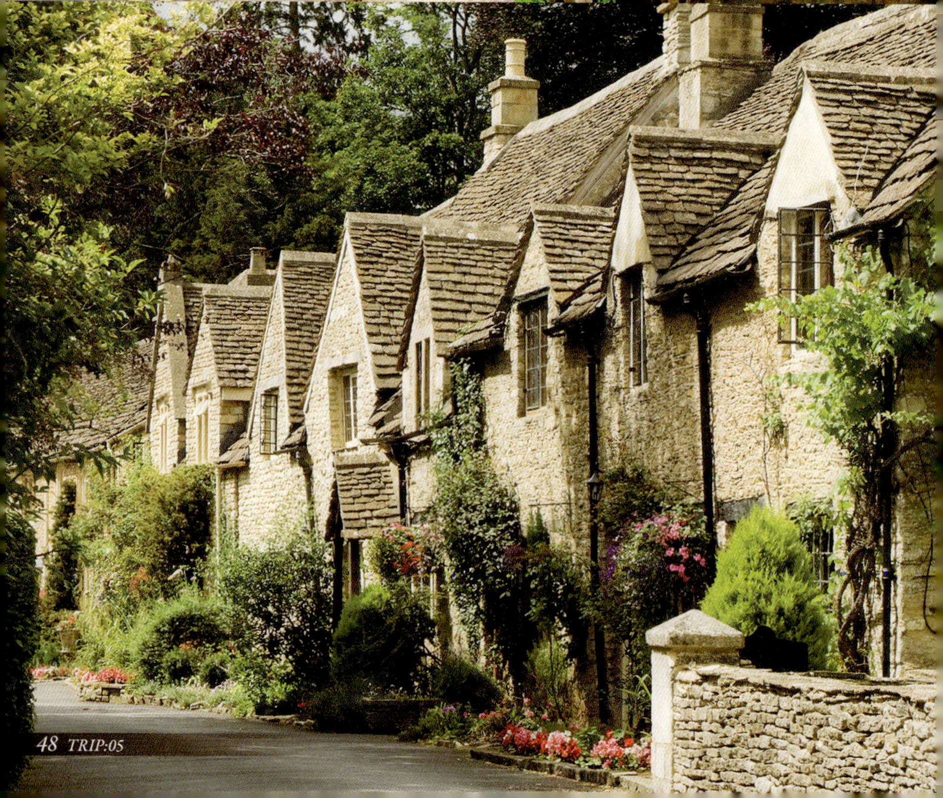

はちみつ色に染まる村
「コッツウォルズ」

イギリスを構成する4つの国のひとつ、イングランド。その中央部、160kmにも渡って南北に広がる丘陵地帯がコッツウォルズだ。

コッツウォルズに点在する可愛らしい村々は、それぞれに異なる表情を持つ。英国で最も美しい村と謳われるバイブリー、コッツウォルズを見渡せるタワーがあるブロードウェイ、石造りの家が並ぶバーフォード、英国で最も古い町並みが残るカッスル・クーム、町の中心に水深10cmのウィンドラッシュ川が流れるボートン・オン・ザ・ウォーター、シェイクスピアの生家が残るストラトフォード・アポン・エイヴォン…など素敵な村が多い。それら多くに共通する魅力が、はちみつ色の家々だ。この地で採れた黄色みを帯びた石灰岩で作られているもので、コッツウォルズの象徴でもある。また庭に彩りを加える四季の花々、村の小川に架かる小さな橋など、それらが共演することでまるで絵本のような世界を作り出している。

点在するメルヘンチックな村々を歩き、イングリッシュガーデンでアフタヌーンティーを楽しむ。歴史と風格が詰まったコッツウォルズで英国の休日を楽しもう。

England 49

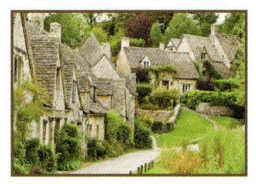

Travel Information:05

はちみつ色に染まる村
コッツウォルズ
England／イングランド

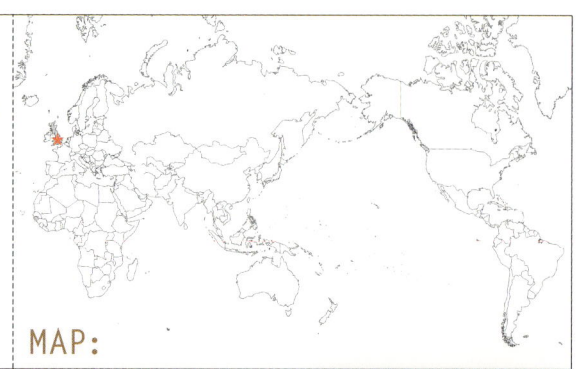

MAP:

いくらかかる？
How much?
16万円〜
〈大人1名分の総予算〉

「旅の予算」は右頁「PLAN」の目安料金です。
内訳：
- 飛行機代
- 宿泊費
- 食事（朝3回）

※現地送迎、燃油サーチャージ除く

どうやって行く？
How to get there
約14.5時間
〈片道の移動時間〉
※空港等での待機時間含まず

羽田からイギリスの首都ロンドンまで直行便が運行している。羽田〜ロンドンは約12時間30分。ロンドンからコッツウォルズへは車で約2時間、又は列車で約1時間30分。

いつがオススメ？
Best Season
5月〜9月
〈街歩きに適した時期〉

冬場は寒さが厳しいので、暖かくなる5〜9月がオススメのシーズン。また花々が鮮やかに咲き乱れ、町並みに彩りが加わる時期でもある。イギリスは「1日の中に四季がある」と言われるほど、天気が変わりやすいので、雨具や羽織れる物を持っていこう。

この旅のヒント
Hint!
街巡りには公共機関を使うよりもレンタカーを借りた方が効率的！

- コッツウォルズを巡るにはレンタカーが便利。村と村の間は距離があるので、それを公共交通機関で回るのは時間的にもあまりオススメできない。レンタカーは国際免許証とクレジットカードがあれば借りることが可能で、なにより日本同様左車線なので運転しやすい。しかしながら慣れない異国でのドライブなので充分に注意しよう。
- コッツウォルズには素敵な家が並んでいるので、たくさんシャッターを切りたくなるかもしれないが、実際に人が暮らしている町でもあるので、勝手に住民を撮ったり、庭に入ったりしないよう気をつけよう。

この旅のプラン例／5日間

1日目	終日	羽田発〜ロンドン着【ロンドン泊】
2日目	午前	コッツウォルズに移動
	午後	コッツウォルズ【コッツウォルズ泊】
3日目	終日	コッツウォルズ【コッツウォルズ泊】
4日目	午前	ロンドンに移動
	午後	ロンドン
	夜	ロンドン発〜羽田へ【機内泊】
5日目	午後	羽田着

CHECK!

✓ バイブリー
チェックポイント

コッツウォルズの中央に位置する、英国で最も美しいと謳われる村。14世紀に羊毛小屋として建てられ、17世紀からは機織職人が住む家となった歴史を持つ。村に流れるコルン川には白鳥が優雅に浮かび、穏やかな雰囲気に満ちている。

✓ カッスル・クーム
チェックポイント

機織職人たちの家が建ち並ぶイギリスで最も古い村。14世紀からほとんど姿を変えることなく、今もそのまま存在している。小川に架かる小さな橋とはちみつ色の町並み、そして周囲の自然との調和が素晴らしく、絵本のような世界が広がっている。

✓ ロンドン
チェックポイント

ロンドンを訪れたらまず見ておきたいのが、世界遺産ウェストミンスター寺院と、併設する時計塔ビッグ・ベン、そしてテムズ川に架かるタワーブリッジ。余裕があれば他の観光地に立ち寄るのもいいが、帰国前に地元民に交じって本場のパブで乾杯もオススメだ。

🛒 コッツウォルズの特産品
ショッピング

村を歩けば銀細工や陶器、ガラス、アンティーク雑貨などのショップが見つかるだろう。他にもウール製品やチーズ、はちみつなども人気の土産だ。ロンドンではイギリス土産の定番、紅茶やジャムなどがオススメ。

+1 湖水地方
プラス1日あったら？

ロンドンから列車で約3時間。ピーターラビットの作者、ビアトリクス・ポターが作品を世に送り続け、愛を注ぎ続けた地でもある。田園風景と穏やかな湖面、凛々しい山々が見せる風景がとても美しく、英国に残された豊かな自然を体感することができる。

[H.I.S.] ▶ www.his-j.com

旅の相談と手配先は●

広範囲に渡って世界中に支店を持つ旅行会社。その手配範囲の広さとリーズナブルな金額設定が魅力的だ。日本全国にあるH.I.S.の営業所にて旅の相談や手配が可能なので、まずは気軽に問い合わせしてみよう。

Uzbekistan
Samarkand

ウズベキスタン 「サマルカンド」

文化の交差路
シルクロードの青の都

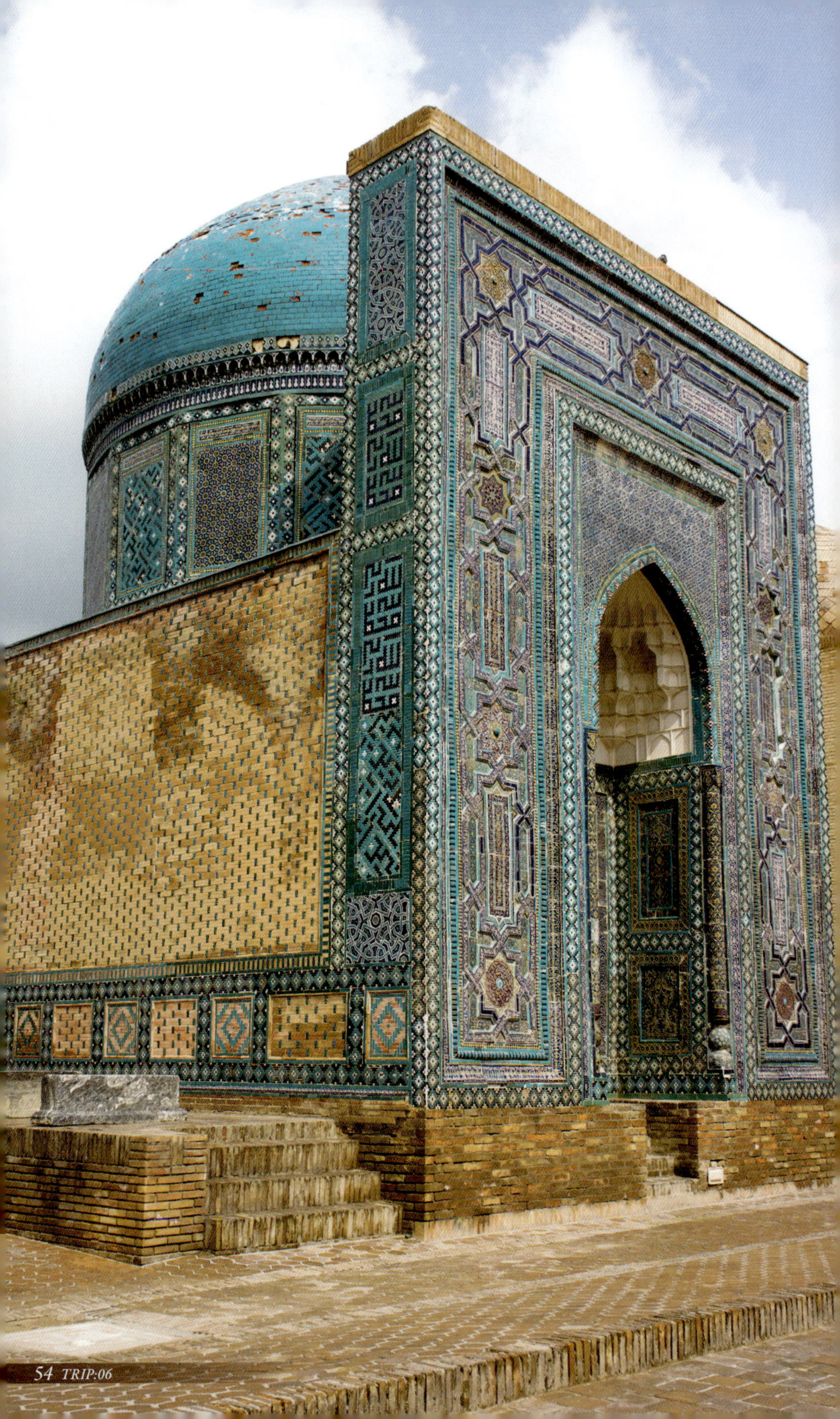

シルクロードの青の都
「サマルカンド」

中央アジアに位置するウズベキスタン。海に出るにはふたつの国境を越えないといけないという、世界でも希にみる二重内陸国だ。首都は北東部に位置する中央アジア最大の都市タシケント。中央アジアの玄関口として知られ、地下鉄が通るほどに近代化されている街だ。その南西、約300kmの所に位置するのが、ウズベキスタンの古都サマルカンド。シルクロード交易の中心地として栄枯盛衰を経て現在に至る、約2,000年もの歴史を持つ街だ。人々を魅了するこの街の最大の特徴は、青のタイルを使用した建築物群。かつてこの地に一代にして大帝国を築いたティムールが、東西から優秀な職人を呼び寄せ築かせたものだ。それは数百年経った今もなお、サマルカンドの象徴とも言えるレギスタン広場を中心に見ることができる。それらの建築物と抜けるような青空が相まって「青の都」とも呼ばれ、また東西の文化が交差した重要な場所であることから、世界遺産にも登録されている。壮麗な建築物が並ぶレギスタン広場を中心に、ティムールが眠るグル・エミル廟、古代の壁画や偶像などを展示しているサマルカンド歴史博物館、市民の台所バザール（市場）などを巡ってみよう。そこには、イスラム世界の宝石とも謳われる美しい街が広がっている。

Travel Information:06

シルクロードの青の都
サマルカンド
Uzbekistan／ウズベキスタン

MAP:

いくらかかる?
How much?
12万円〜
〈大人1名分の総予算〉

「旅の予算」は右頁「PLAN」の目安料金です。
内訳:
- 飛行機代
- 宿泊費
- 現地送迎
- 食事(朝3回)

※燃油サーチャージ除く

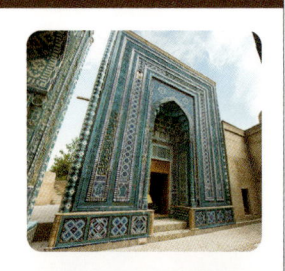

どうやって行く?
How to get there
約15.5時間
〈片道の移動時間〉
※空港等での待機時間含む

成田からウズベキスタンの首都タシケントまで直行便が運行しているが、便数が少なく選択肢が少ない。その為、韓国のソウルなどを乗り継いで行くことが一般的だ。成田〜ソウルは**約2時間40分**、ソウル〜タシケントは**約7時間40分**。タシケントからサマルカンドまでは車で**約5時間**の移動となる。

いつがオススメ?
Best Season
4月〜6月
9月〜10月
〈街歩きに適した時期〉

夏は暑く、冬は寒い。そのふたつの時期を外した4〜6、9、10月がベストシーズンと言える。どの時期も降水量が少なく乾燥した気候が特徴だ。

この旅のヒント
Hint!
日程に余裕がある人はサマルカンドの他にヒヴァ、ブハラにもアクセス可能！

- 本書ではタシケントからサマルカンドまでのアクセスを陸路で紹介したが、空路や列車を使う選択肢もある。スケジュールや費用などの兼ね合いによって決めよう。
- タシケントを拠点にサマルカンドや「+1日あったら？」で紹介しているヒヴァ、ブハラなどにアクセスすることができる。どの場所に訪れたいかによって周遊ルートは異なるので、6日以上かけて巡りたい場合は、旅行会社に相談して効率のいい行程を決めるのがベターだ。

例えばこんな旅 PLAN　この旅のプラン例／5日間

1日目	終日	成田発〜ソウル乗り継ぎ〜タシケント着【タシケント泊】
2日目	午前	サマルカンドに移動
	午後	サマルカンド【サマルカンド泊】
3日目	終日	サマルカンド【サマルカンド泊】
4日目	午前	タシケントに移動
	午後	タシケント
	夜	タシケント発〜ソウル乗り継ぎ〜成田へ【機内泊】
5日目	午前	成田着

この旅の要チェック！ CHECK！

✓ タシケント　　チェックポイント
ウズベキスタンの玄関口として発展を遂げ続けている街。高さ375mのタシケントタワーは登ることができ、展望や回転するレストランで食事を楽しむことができる。他にも博物館やバザール、ショッピングセンターなどがある。他都市への拠点となるこの街も、是非歩きたい。

✓ サマルカンド　　チェックポイント
レギスタン広場の3方に建つ精緻な装飾が施された3つの旧学校、新市街に位置するラスベットという小高い丘から一望するサマルカンドの街、中央アジア最大のビビハニム・モスク、食品から土産まで揃うシアブ・バザールなど見所を巡ろう。

🛒 サマルカンドペーパー　　ショッピング
陶器、刺繍が施された布製品、絨毯、絵画など様々なものが売られているが、中でも手にしたいのが、サマルカンドペーパー。8世紀に中国から伝わった製法を、サマルカンドで独自に発展させたものだ。一時は衰退してしまった伝統工芸だが、近年復興を遂げている。

+1 ブハラ　　プラス1日あったら？
16世紀頃に築かれた町並みが現在も残り、世界遺産に登録されているオアシスの町。高さ約45mのカラーンミナレットは登ることができるので、周囲の町並みを一望することが可能だ。ヨーロッパなどとはまた異なる中央アジアの中世の雰囲気を堪能しよう。

+1 ヒヴァ　　プラス1日あったら？
こちらもオアシスとして栄えた町。二重の城壁で囲まれている旧市街イチャン・カラが世界遺産に登録されていて、現在も約3,000人以上の人々が暮らしている。モスクやミナレット、廟など、美しいイスラム建築も見所だ。

旅の相談と手配先は？　【西遊旅行】　▶ www.saiyu.co.jp
シルクロード、ブータン、アフリカ、海外登山…と、幾つもの魅力的なツアーを扱う、秘境ツアーのパイオニア、西遊旅行。パッケージ旅行も魅力だが、オーダーメイドも手配OK。最新の現地の情報も教えてくれるので、気軽に連絡してみよう。

China
Fujian Tulou

中国「福建土楼」

流れ着いた民が築いた町
中国山間部に佇む客家(ハッカ)建築

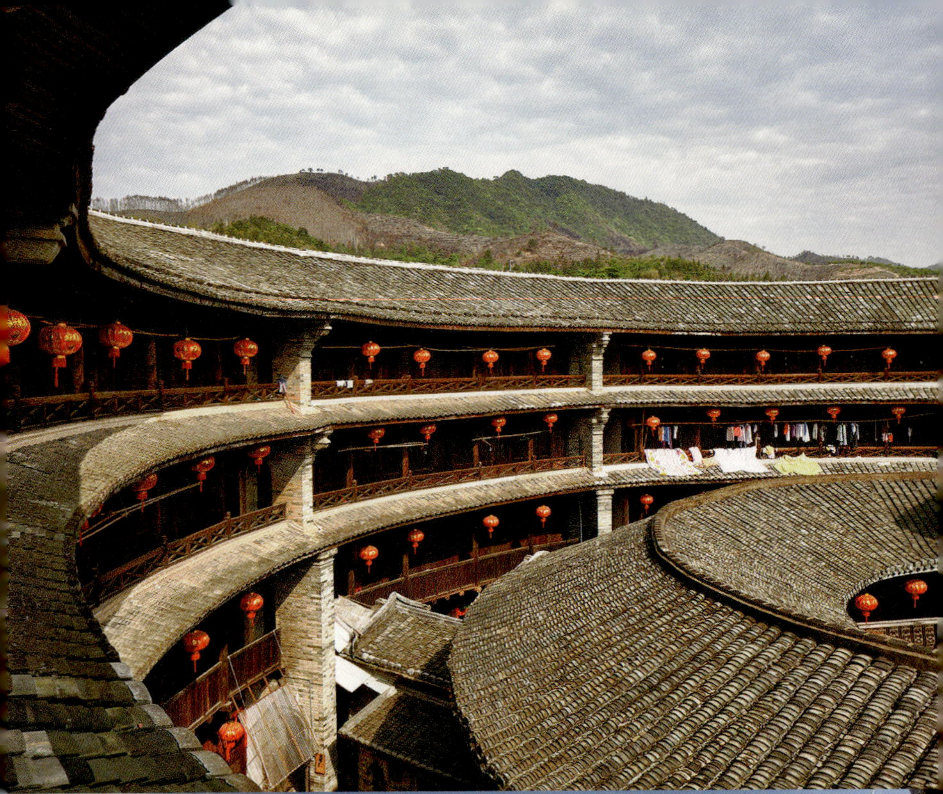

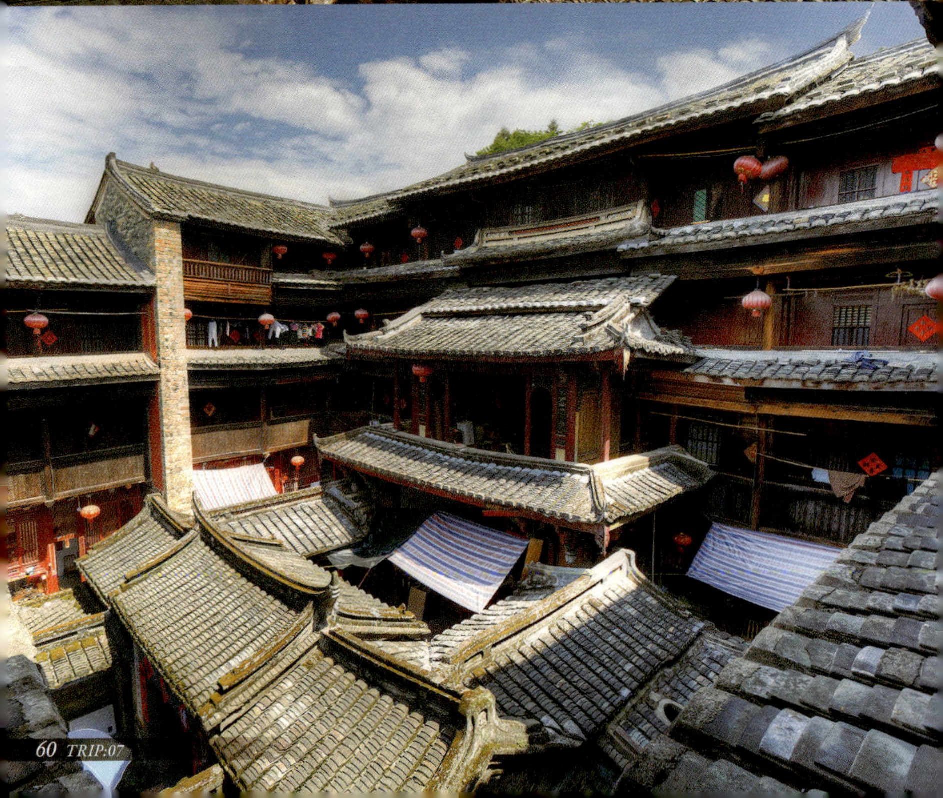

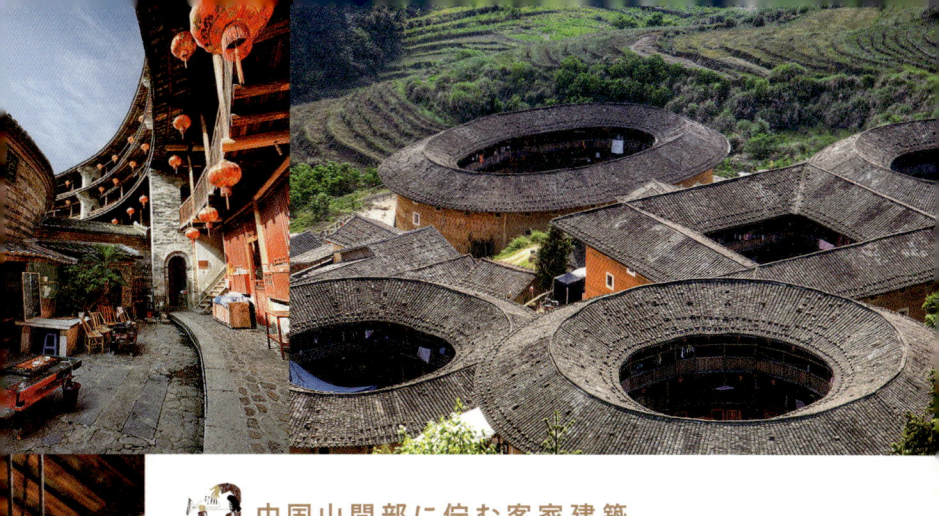

中国山間部に佇む客家建築
「福建土楼」(ふっけんどろう)

中国は福建省南部の山岳地帯に、土楼(どろう)と呼ばれる建築物が点在する。それらは戦乱を逃れる為に移住してきた客家(ハッカ)(よそ者を意味する)の人々が築いた集合住宅だ。外側に向くのは厚い外壁のみで、住居はすべて内側に向いているという特殊な構造。理由は先住の人々との軋轢から生じた争いに加え、山賊や獣から一族の身を護る為。土で固められた外壁、ひとつしかない出入口、攻撃用の開口部…、それらはすべて自己防衛を追求した結果生まれたものだ。内部には住居の他に家畜スペースや食料庫、井戸水なども揃い、1年でも2年でも籠城可能と言われていた。しかし現在ではそのユニークな建築様式によって、また世界遺産に登録された事も追い風となり、外敵ではなく旅人が訪れる建築物群になった。

最大の魅力は独特の建築様式が生んだ全景。四角形や五角形もある中で、ドーナツのような、またはUFOのようとも言える円形の土楼は特に異彩を放っている。集合住宅とも集落とも、または村とも呼べる福建の土楼群。今もなお営みを続ける人々にも出会える中国の不思議建築物へ。

Travel Information:07

中国山間部に佇む客家建築
福建土楼

China／中国

MAP:

いくらかかる？
How much?

17万円～
<大人1名分の総予算>

「旅の予算」は右頁「PLAN」の目安料金です。
内訳：
- 飛行機代
- 現地送迎
- 宿泊費
- 食事(朝4回)

※燃油サーチャージ除く

どうやって行く？
How to get there

約7時間
<片道の移動時間>
※空港等での待機時間含ます

成田から中国沿岸の大都市厦門（アモイ）まで直行便が運行している。成田〜厦門は**約4時間15分**。厦門から福建土楼までは車で**約2時間30分**。

いつがオススメ？
Best Season

4月～6月
10月～11月
<街歩きに適した時期>

福建省は中国の南部に位置している為、温暖な気候が特徴だ。1年を通じて訪問可能だが、最高気温が平均で30度を超える夏(7～9月)は避けた方が無難だ。また温暖とは言え、冬(12～3月)はやはり冷えるので、寒いのが苦手な人はこちらも避けよう。

この旅のヒント
Hint!

旅の好みに応じて、旅行会社と相談しながら宿泊先を決めるのがベスト！

●見応えのある土楼を幾つか紹介しているが、他にも大小様々な規模の土楼がある。「できるだけ多くの土楼を見たい」人や、「土楼を中心としながらも厦門も楽しみたい」人など、好みによって、宿泊場所を決めよう。本書では土楼のひとつである振成楼(しんせいろう)に宿泊することを前提としたが、他にも宿泊可能な土楼や施設があるので、旅行会社に相談しながら決めるのがベストだ。

例えばこんな旅 PLAN／この旅のプラン例／5日間

1日目	終日	成田発〜厦門着、福建土楼に移動【福建土楼泊】
2日目	終日	福建土楼(振成楼)【福建土楼泊】
3日目	終日	福建土楼(田螺杭土楼)【福建土楼泊】
4日目	午前	厦門に移動
	午後	厦門【厦門泊】
5日目	午前	厦門
	午後	厦門発〜成田着

この旅の要チェック！ CHECK!

☑ 田螺杭（でんらこう）土楼群　　チェックポイント

山の中腹、海抜800mの山間部にある土楼群。正方形の土楼を3つの円形と1つの楕円形の土楼が囲むという珍しい景観を誇っている。周囲に広がる棚田とのコラボレーションがとても美しく、見えがある。

☑ 振成楼　　チェックポイント

1,900年代初頭に、裕福なタバコ販売業者の子孫により建てられたもの。新しい土楼の為、内部に建つ祖廟(そびょう)には西洋の影響を見ることができる。4階建ての円形土楼で、旅行者が宿泊することも可能。ここを拠点として他の土楼を巡ろう。

☑ 厦門　　チェックポイント

沿岸部にある大都市。フェリーで約10分の沖合に浮かぶ東西建築が並ぶコロンス島や厦門市街と厦門湾を一望できる日光岩、1,000年の歴史を持つ南普陀寺(なんふだじ)など見所が多い。また中華料理はもちろん、ショッピングやマッサージなども楽しめる。

🛒 厦門の土産　　ショッピング

烏龍茶の名産地として知られる福建省。特に厦門近郊の安渓で採れる鉄観音茶は世界で最も美味しい烏龍茶とも言われている。本物の味を堪能してみよう。また、土産屋でも購入できるので、本場の味をお土産にするのもオススメだ。

+1 泉州（せんしゅう）　　プラス1日あったら？

厦門から車で約2時間。かのマルコポーロが口述した東方見聞録で第2のベネチアとしてその繁栄を称えた町。海のシルクロードの拠点だったことでも知られている。海上交易の中心地だった歴史ある町並みが残っている。

旅の相談と手配先は？　[日中平和観光]　▶www.nicchu.co.jp

50年の歴史を持ち、日中の友好に貢献してきた中国専門の旅行会社。経験豊富で、文化や歴史、経済など中国の最新情報にも詳しく、安心で安全な旅を提供している。

Spain
Mijas

 スペイン 「ミハス」

アンダルシアの小さな宝石
純白に輝く小さな村

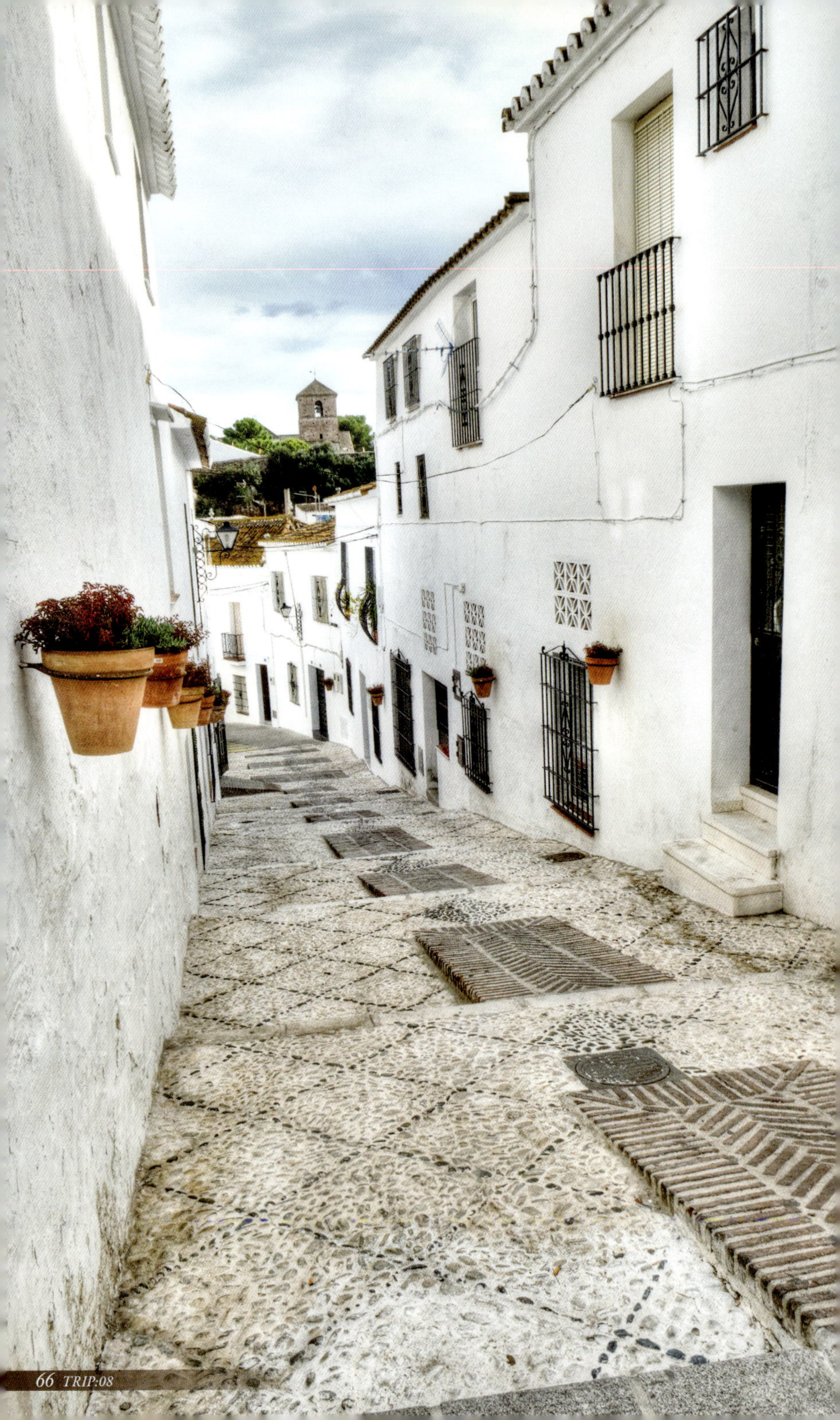

アンダルシアの小さな宝石
「ミハス」

スペイン南部、典型的な地中海性気候に属し、燦々と陽光が降り注ぐアンダルシア州。コスタ・デル・ソル（太陽の海岸）と呼ばれる約350kmも続く海岸線を抱き、一帯には「白い村」が点在している。

そのひとつが、漆喰で塗られた真っ白な外壁に淡いオレンジ色の屋根を載せた家が建ち並ぶ村、ミハスだ。山の中腹に位置し、展望台からは深い青を湛えた地中海、天気次第では遥かアフリカ大陸までをも一望できてしまうほどの好立地にある。こぢんまりとした村ながら、その美しさはスペイン1との呼び声も高い。村のシンボルともなっているサン・セバスチャン通りは特に美しい。空へと向かうように山の傾斜に沿って続く坂道と、両サイドに並ぶ白い家、軒先に飾られた鉢植えの花々…息を呑む程に美しい小道だ。また展望台や世界最小の闘牛場、村に溶け込むように存在するレストランやカフェ、アイスクリーム屋に陶器やアロマグッズなどの雑貨屋も、散策を盛り上げてくれる。

日射しを浴びて純白に輝く家々、突き抜ける青空、そして紺碧の地中海が紡ぐ、アンダルシアの小さな宝石の世界へ。

Travel Information:08

アンダルシアの小さな宝石
ミハス
Spain／スペイン

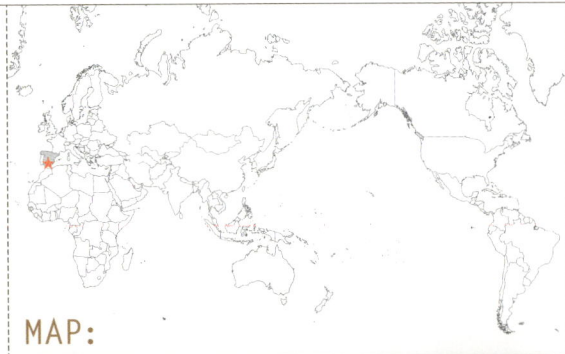

MAP:

いくらかかる?
How much?
17万円〜
〈大人1名分の総予算〉

「旅の予算」は右頁「PLAN」の目安料金です。
内訳：
- 飛行機代
- 宿泊費
- 現地送迎
- 食事(朝3回)
※燃油サーチャージ除く

どうやって行く?
How to get there
約15.5時間
〈片道の移動時間〉
※空港等での待機時間含ます

成田からスペインまで直行便は運行していない。ミハス最寄りの空港マラガへはパリなどヨーロッパ1都市を乗り継いで行くことが一般的だ。成田〜パリは**約12時間30分**、パリ〜マラガは**約2時間30分**。マラガからミハスまでは車で**約30分**。

いつがオススメ?
Best Season
4〜6月
9〜10月
〈街歩きに適した時期〉

年間の日照日数が300日を超えるほど天気がよく、1年を通して温暖な気候だ。その温暖な気候を求め、年中人々が訪れるが、真夏と冬は避けた方が無難。その為、ベストシーズンは4〜6月と9、10月となる。

この旅のヒント
Hint!
名物の馬車に乗って小さなミハスの村をのんびり散策してみよう。

●ミハスの村はこぢんまりとしている為、徒歩での散策が便利。名物にもなっている馬車やロバのタクシーもあるので、体験してみよう。

例えばこんな旅 PLAN この旅のプラン例／5日間

1日目	終日	成田発〜パリ乗り継ぎ〜マラガ着【マラガ泊】
2日目	終日	ミハス【ミハス泊】
3日目	終日	マラガ【マラガ泊】
4日目	終日	マラガ発〜パリ乗り継ぎ〜成田へ【機内泊】
5日目	午前	成田着

この旅の要チェック！ CHECK!

✓ マラガ   チェックポイント
コスタ・デル・ソルの中心地。ピカソ誕生の地でもあり、ピカソ美術館がある。他にも大教会や14〜15世紀に建造されたヒブラルファロ城などの見所もあるが、ヨーロッパ随一のリゾートでもあるので、海で地中海バカンスも楽しみたい。

✗ スペイン料理   食事
アンダルシア地方を訪れるからには、ガスパチョと呼ばれる野菜スープを味わいたい。トマトをベースにピーマン、きゅうり、タマネギなどをミキサーで回し、一口大のパンが入っているものだ。また、少々アルコール度数が高いがシェリー酒も名物のひとつなので是非。

+1 ロンダ   プラス1日あったら？
マラガから車で約1時間30分、切り立った崖の上に白い家が建ち並ぶ街。渓谷で分かれている新市街と旧市街に架かるヌエボ橋からの景色はまさに絶景。険しい岩山と白い街並みが織り成すミハスとはまた異なる「白い街」を楽しもう。

+1 アルハンブラ宮殿   プラス1日あったら？
マラガから車で約1時間30分走った所に位置するグラナダにある宮殿。スペインを代表する世界遺産で、イスラム建築の最高傑作と言われている。スペイン屈指の人気スポットだけに入場規制があるので、旅行会社などに問い合わせ、事前にチケット手配をしておこう。

+1 パリ   プラス1日あったら？
飛行機の乗り継ぎ地、"華の都"パリ。ヨーロッパの大都市でありながら、古くからの建物が多く残る、中世と現代が交差する唯一無二の街だ。エッフェル塔、ルーブル美術館など、世界的観光名所が各所に散らばっている。

旅の相談と手配先は♥　【エス・ティー・ワールド】　▶stworld.jp

日本を拠点としながらも、世界中にネットワークを持つ旅行会社。旅の日数や宿も含め、色々とアレンジできるので、まずは気軽に相談してみよう。豊富な種類のパッケージ旅行も魅力だ。

Belgian
Burges

ベルギー 「ブルージュ」

ベルギーの水の都
天井のない博物館

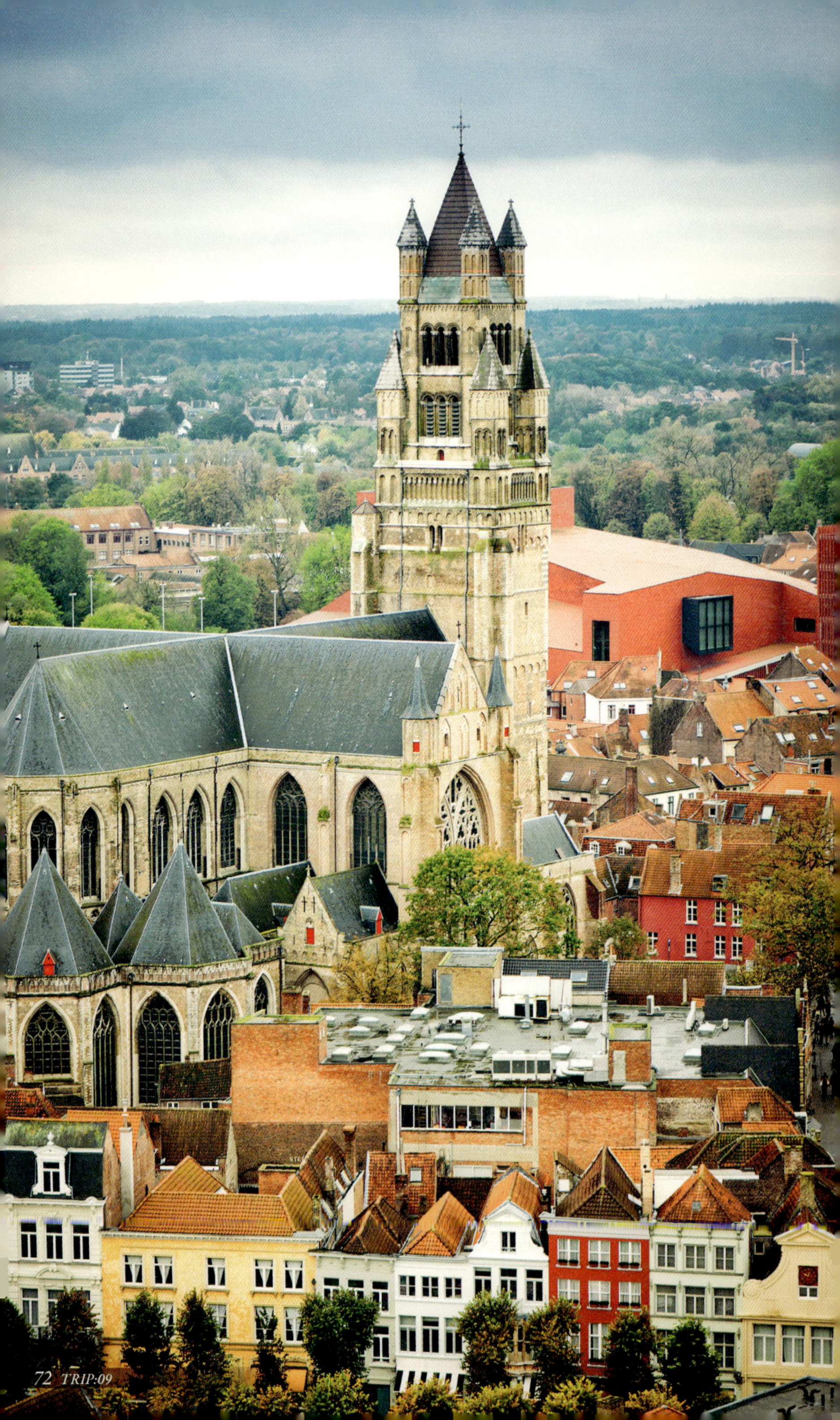

ベルギーの水の都
「ブルージュ」

ヨーロッパ西部に位置するベルギー。多くの世界遺産を抱く首都ブリュッセルは、EU（欧州連合）の諸機関が多く置かれていることからEUの首都とも言われている街だ。その北西約120kmの所に、「水の都」、「橋の街」、「北のベネチア」、「天井のない博物館」などと謳われている街、ブルージュはある。中世の趣そのままに華美な装飾が施された建築物群、縦横に街中を縫う運河、運河にアーチを描きながら架かる石造りの橋の数々、河岸で羽を休める白鳥、無数に建ち並ぶチョコレート屋など、まるで絵本のような世界が広がっている。マルクト広場を中心に広がる旧市街が世界遺産に登録されているが、更にふたつの世界遺産がこの街にある。ひとつは「フランドル地方のベギン修道院群」として登録されている、戦場へと旅立つ夫を見送った妻たちが共同で生活をしていたベギン会修道院。そしてもうひとつが「ベルギーとフランスの鐘楼群」として登録されている、マルクト広場のシンボルである鐘楼。ひとつの街で、3つの世界遺産を楽しむことができるのだ。また小舟に乗って運河を遊覧したり、50ほどもあるチョコレート屋を巡ってみたり、本場のベルギービールを味わったり。天井のない博物館というのも納得の歴史ある街並みを楽しもう。

Travel Information:09

ベルギーの水の都
ブルージュ

Belgian／ベルギー

MAP：

いくらかかる？
How much?
11万円〜
〈大人1名分の総予算〉

「旅の予算」は右頁「PLAN」の目安料金です。
内訳：
- ●飛行機代
- ●宿泊費
- ●列車代
- ●食事(朝2回)

※燃油サーチャージ除く

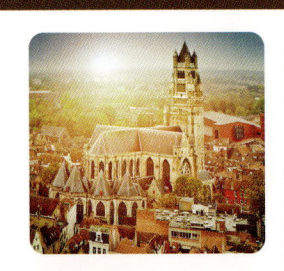

どうやって行く？
How to get there
約14時間
〈片道の移動時間〉
※空港等での待機時間含みます

成田からベルギーまで直行便は運行していない。ベルギーの玄関口ブリュッセルへはオランダのアムステルダムなどヨーロッパ1都市を乗り継いで行くことが一般的だ。成田〜アムステルダムは**約12時間**、アムステルダム〜ブリュッセルは**約50分**。ブリュッセルからブルージュまでは列車で**約1時間**。

いつがオススメ？
Best Season
4月〜10月
〈街歩きに適した時期〉

4〜10月が散策に適したシーズンだが、中でも日照時間が長く、カラっとしている6〜8月がベストシーズン。しかしいずれの時期も朝晩は冷えることがあるので、上着を持参しよう。逆に他の時期は厳しい寒さになることが多いので、避けた方が無難だ。

この旅のヒント
Hint!
飛行機ではなく電車をうまく利用すれば周辺地域を訪れることも可能。

- ●本書ではアムステルダム乗り継ぎで紹介したが、フランスのパリやドイツのフランクフルト、オランダのアムステルダムなどから電車で行くことも可能だ。前後に周辺地域を訪れたい場合は、それらを選択しよう。
- ●旧市街はこぢんまりとしているので、徒歩でも数時間あれば一巡りできるが、折角の機会なので、風情を感じさせる馬車にもトライしてみよう。

例えばこんな旅
PLAN
この旅のプラン例／5日間

1日目	終日	成田発〜アムステルダム乗り継ぎ〜ブリュッセル着【ブリュッセル泊】
2日目	午前	ブルージュに移動
	午後	ブルージュ【ブルージュ泊】
3日目	終日	ブルージュ【ブルージュ泊】
4日目	午前	ブリュッセルに移動
	午後	ブリュッセル発〜アムステルダム乗り継ぎ〜成田へ【機内泊】
5日目	午後	成田着

この旅の要チェック!
CHECK!

✓ ブルージュ
チェックポイント

13〜16世紀にかけて街中に張り巡らされた運河を利用して繁栄した街。チョコレートで有名な街で、至る所にチョコレート屋があるのも特徴だ。またキリストの血が収められている聖血礼拝堂、ミケランジェロが創作した「聖母子像」が佇む聖母教会なども見所だ。

🛒 レース製品
ショッピング

ベルギーを代表する手工芸品がレース編み製品。美しく気品のあるデザインが多いのが特徴で、その緻密さから貴族の間でも高級品として扱われてきた歴史を持つ。他にはブルージュ名物のチョコレートやアンティーク雑貨などもオススメだ。

✗ チョコレート
食事

チョコの首都とも呼ばれるほどに、チョコレートの製造が盛んなブルージュ。チョコレートの歴史や製造過程を見学できるチョコレート博物館があるほどだ。旧市街に50店舗とも言われる数のチョコレート屋がひしめくので、数店舗は巡って味比べを楽しんでみよう。

+1 ブリュッセル
プラス1日あったら?

ベルギーの玄関口となる街。世界的に有名な小便小僧から、世界遺産に登録されているアールヌーヴォー様式の4つの邸宅、ギルドハウスや市庁舎、王の家が囲むグラン・プラス広場など見所満載。おやつには本場のワッフルを味わおう。

+1 アムステルダム
プラス1日あったら?

17世紀の雰囲気を残すオランダの大都市。多くの博物館や美術館、アンネの日記が綴られたアンネ・フランク・ハウスなど見所が多い。また街中に流れる運河ではボートに乗って遊覧することもできる。運河から17世紀の街並みを眺めるのもオススメだ。

旅の相談と手配先は? 【ファイブスタークラブ】 ▶www.fivestar-club.jp

世界中を手配範囲とする旅行会社。多種多様なテーマでのパッケージツアーに加え、オーダーメイドももちろん手配OK。ファイブスタークラブがプロデュースするこだわりの旅は、とても魅力的。まずは、気軽に相談するところから始めてみよう。

Belgian

Norway
Bergen

ノルウェー「ベルゲン」

北欧に漂う中世の薫り
三角屋根が建ち並ぶ世界遺産の町

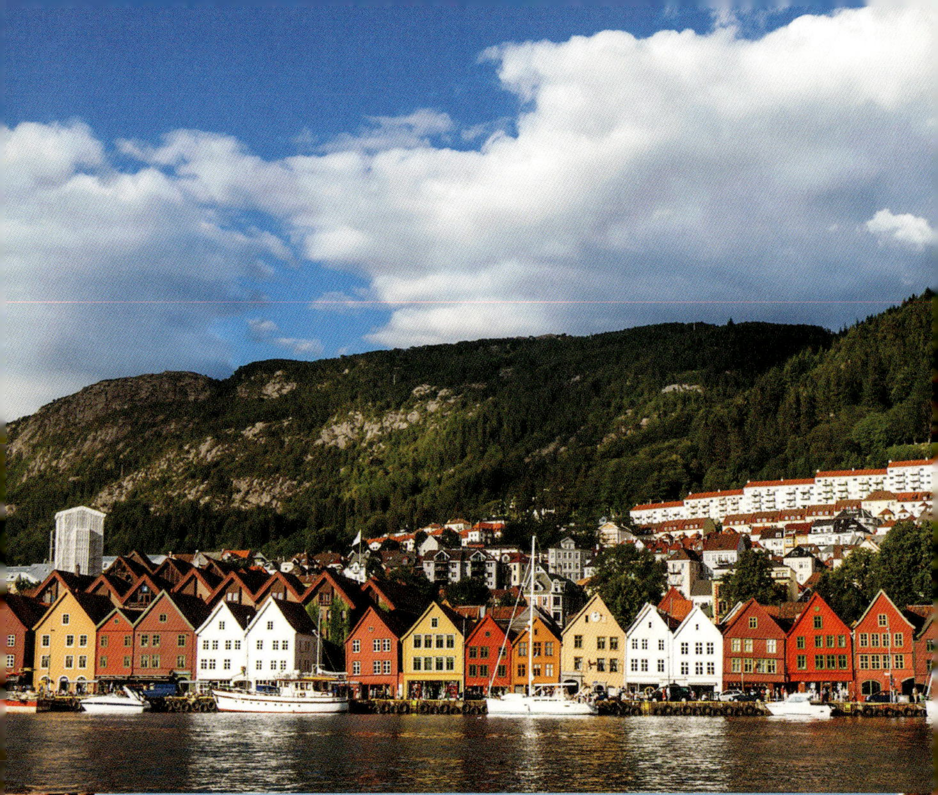

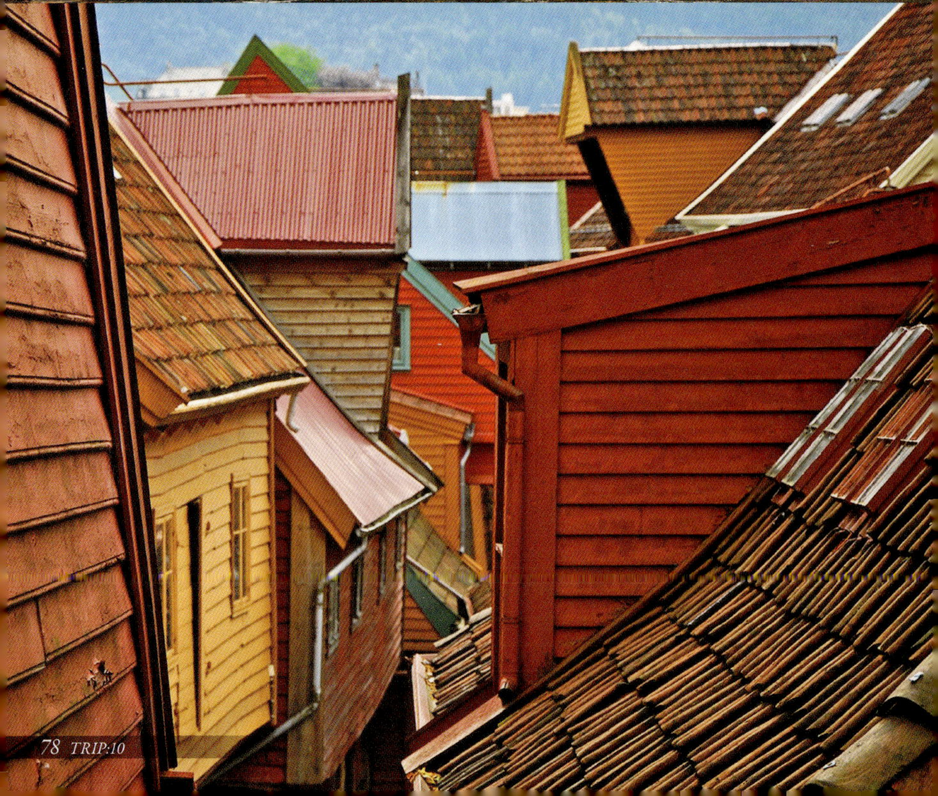

三角屋根が建ち並ぶ世界遺産の町
「ベルゲン」

北欧はスカンジナビア半島の西側に位置するノルウェー。南北に細長いこの国の南西部に首都オスロに次ぐ第二の都市ベルゲンはある。北ドイツを中心にバルト海沿岸の貿易を支配していたハンザ同盟の商館があった町だ。15世紀には200以上もの都市が参加し、最盛期を迎えていたハンザ同盟だったが、16世紀に入ると大航海時代の訪れと共に次第に衰退していった。この町のブリッゲン地区には、当時輸出していた干しダラなどを貯蔵していた倉庫群がそのままの姿で残っている。特徴的な三角屋根の木造家屋が建ち並ぶこのエリアは、その希少性から世界遺産に登録された。現在ではその多くがレストランや土産屋になっているが、ハンザ博物館を訪れれば当時の様子を伺い知ることができる。また隣り合う建物の間に通る路地にも当時の面影が強く残っているので、散策していると歴史を感じることができるだろう。ブリッゲン地区だけでなく、近郊にある雄大な大自然フィヨルドをゆくクルーズや"ペール・ギュント"などを作曲したエドヴァルト・グリーグの作曲小屋、町の背後に聳えるフロイエン山から町全体の眺望なども楽しめる町だ。北欧の中世に触れる旅へ。

Travel Information:10

三角屋根が建ち並ぶ世界遺産の町
ベルゲン

Norway／ノルウェー

MAP:

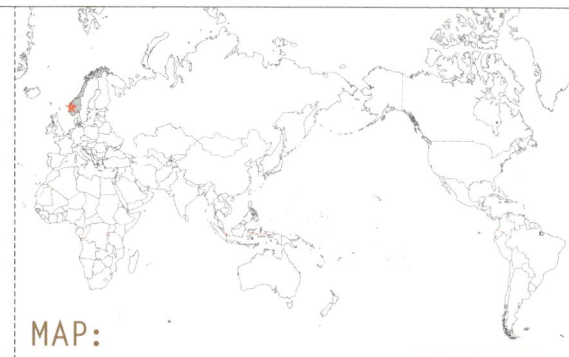

いくらかかる？
How much?

18万円〜
〈大人1名分の総予算〉

「旅の予算」は右頁「PLAN」の目安料金です。
内訳：
- 飛行機代
- 宿泊費
- 現地送迎
- 食事(朝2回)

※燃油サーチャージ除く

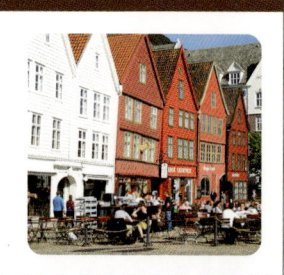

どうやって行く？
How to get there

約13時間
〈片道の移動時間〉
※空港等での待機時間含ます

日本からノルウェーまで直行便は運行していない。ノルウェーのベルゲンへはデンマークの首都コペンハーゲンなどで乗り継いで行くのが一般的だ。成田〜コペンハーゲンは約11時間30分、コペンハーゲン〜ベルゲンは約1時間30分。

いつがオススメ？
Best Season

7月〜9月
〈街歩きに適した時期〉

ベルゲンはノルウェーの中でも比較的暖かい気候が特徴。ベストシーズンは夏(7〜9月)で北欧らしい爽やかな天候が続く。その他の時期は冷えこみが激しい為、避けた方が無難だが、厳しい寒さが続く冬はオーロラ鑑賞に行くこともできる。

この旅のヒント
Hint!

日本とは違い夏でも朝晩は冷えることがあるので上着は必ず持参しよう。

●夏でも朝晩は冷えることがあるので、上着を持参しよう。また、フィヨルド観光時に山道を歩くこともあるので、スニーカーなどの履き慣れた靴での参加がオススメ。

例えばこんな旅 PLAN この旅のプラン例／5日間

1日目	終日	成田発～コペンハーゲン乗り継ぎ～ベルゲン着【ベルゲン泊】
2日目	終日	ベルゲン【ベルゲン泊】
3日目	終日	ベルゲン【ベルゲン泊】
4日目	終日	ベルゲン発～コペンハーゲン乗り継ぎ～成田へ【機内泊】
5日目	午前	成田着

この旅の要チェック！ CHECK!

✓ ベルゲン
チェックポイント

ブリッゲン地区をはじめ、ハンザ博物館や町の名物魚市場などを巡ったら、フロイエン山へ。町からケーブルカーで登ることができる。時間に余裕があれば近郊に位置するエドヴァルト・グリーグの作曲小屋へも訪れたい。

✓ フィヨルド
チェックポイント

素晴らしい町並みが広がるベルゲンは、フィヨルド観光の拠点でもある。幾つかのフィヨルドが周辺に存在するが、ヨーロッパ本土最長のソグネフィヨルド観光がオススメ。列車とバスを使うものやクルーズ船で行くものなど、選択肢がたくさんあるので好みに合わせて観光しよう。

🛒 トロール人形
ショッピング

ノルウェーの土産屋には必ず言っていいほど置いてある人形。トロールとは小人の妖精のこと。森や丘陵地に暮らし、日の光を浴びると石になってしまうと言われている。一見怖いが愛嬌ある顔をしているトロール人形を持っていれば、幸運が訪れるかも？

+1 ハダンゲルフィヨルド
プラス1日あったら？

ソグネフィヨルドと同様に、ベルゲンから日帰りで行くことのできるフィヨルド。ダイナミックさはソグネフィヨルドに譲るが、「フィヨルドの女王」と呼ばれ、沿岸に点在する可愛らしい家々や初夏には咲き乱れる花々を見ながらゆったりと観光することができる。

+1 コペンハーゲン
プラス1日あったら？

デンマークの首都で人魚姫やマッチ売りの少女、みにくいアヒルの子などを生んだ、童話作家アンデルセンゆかりの地だ。東西を通る歩行者天国ストロイエを歩いて、アマリエンボー宮殿の衛兵交代式を眺めたり、雰囲気抜群のカフェで休憩したり。北欧の大都会を巡ろう。

旅の相談と手配先は？

【フィンツアー】　▶ www.nordic.co.jp

北欧一筋30年以上もの歴史を持つ旅行会社。北欧のプロフェッショナルなので、パッケージツアーも個人手配も得意としている。現地滞在時には24時間日本語電話サポートを用意するなど、北欧に行く際はとても頼りになる存在だ。

Czech Republic
Česky Krumlov

チェコ 「チェスキー・クルムロフ」

中世へタイムスリップ
おとぎの世界が広がる街

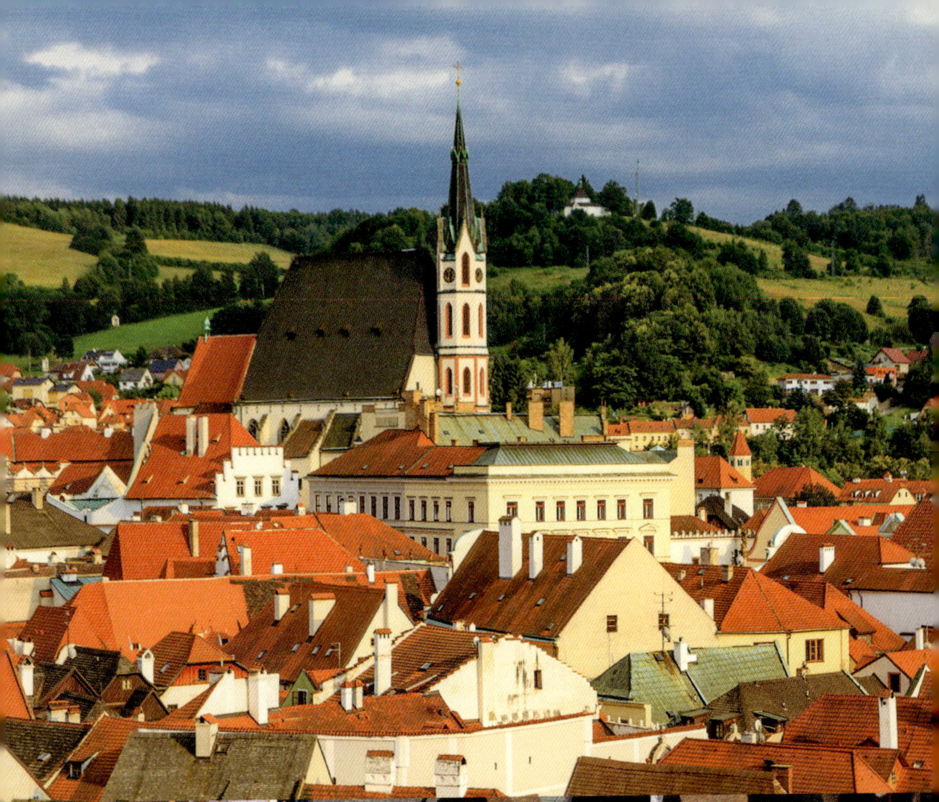

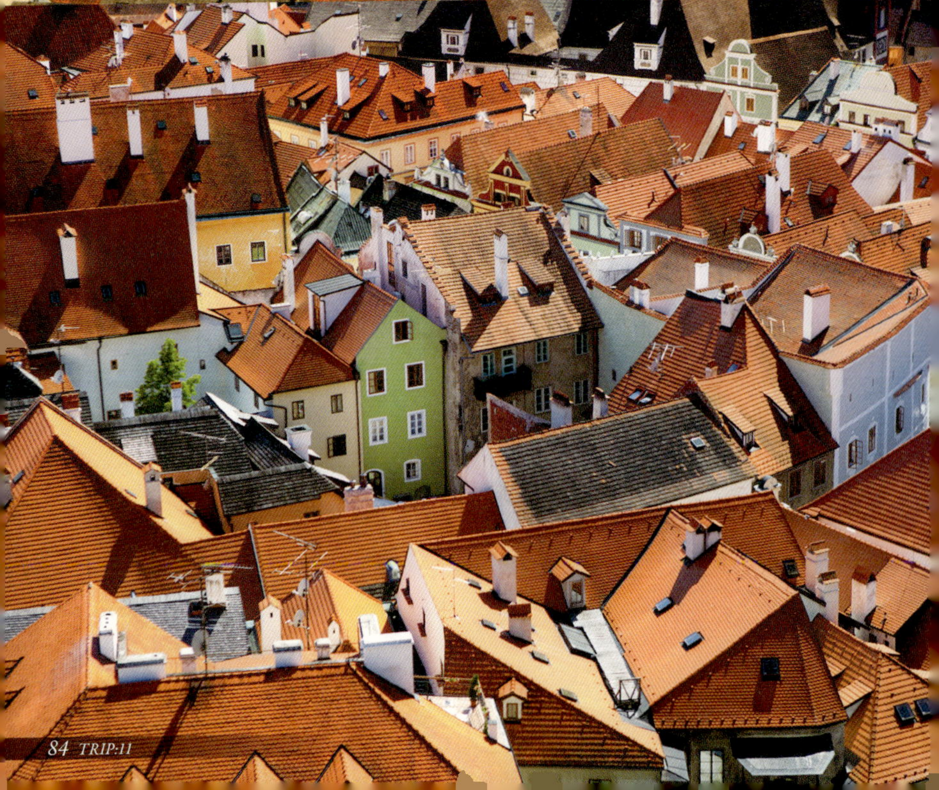

おとぎの世界が広がる街
「チェスキー・クルムロフ」

チェコの首都プラハから車で約3時間の場所に位置する、チェスキー・クルムロフ。中世そのままの街並みが現代に受け継がれている街だ。この街が誕生したのは13世紀。ブルタバ川沿いの一面を覆っていた森を開墾し、時を重ねる毎に様々な様式の建造物が築かれていった。その後15、16世紀に隆盛を極めたが、20世紀に入ると時代の移り変わりと共に次第に荒廃し、死の街となった。しかしそれが幸いし、その後の戦渦には巻き込まれず、また近代的な開発が行われなかったのだ。そして20世紀の後半になると、この街が持つ歴史的価値が急速に高まり、世界遺産に登録された。今では世界で最も美しい街とも称されている。小さな街に似つかわしくないほど立派なチェスキー・クルムロフ城、S字型に流れる穏やかな表情を見せるブルタバ川、一際目立つ尖塔が誇らしい聖ヴィート教会など、歴史情緒が溢れる街並みは、まるでおとぎの世界。どこを歩いてもフォトジェニックな光景が散在している。それは、「チェコにきたならば、ここはプラハに次いで来なければならない」と、この地に来た旅人が口を揃えて言うのも納得の美しさ。中世の世界にタイムスリップする旅へ。

Travel Information:11

おとぎの世界が広がる街
チェスキー・クルムロフ
Czech Republic／チェコ

MAP：

いくらかかる？
How much?
21万円〜
〈大人1名分の総予算〉

「旅の予算」は右頁「PLAN」の目安料金です。
内訳：
● 飛行機代
● 宿泊費
● 現地送迎
● 食事
※燃油サーチャージ除く

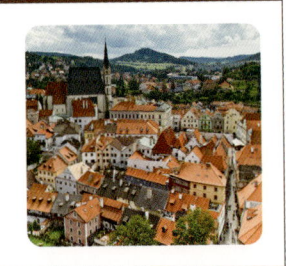

どうやって行く？
How to get there
約16時間
〈片道の移動時間〉
※空港等での待機時間含ます

成田からチェコまで直行便は運行していない。玄関口となるプラハへはフランクフルトなどヨーロッパ1都市を乗り継いで行くことが一般的だ。成田〜フランクフルトは**約11時間45分**、フランクフルト〜プラハは**約1時間**。プラハ〜チェスキー・クルムロフは車で**約3時間**。

いつがオススメ？
Best Season
4月〜9月
〈街歩きに適した時期〉

1年を通して楽しめる街だが、日が長くなる春、夏のハイシーズンに訪れるのがオススメ。冬は人気もまばらで、閉店している商店も多いので、避けた方が無難だ。

この旅のヒント
Hint!
日程を調整すればチェコのプラハを同時に訪れることも可能！

● 本書ではチェスキー・クルムロフを2日間かけて満喫するプランを紹介しているが、うち1日を、「+1日あったら」で紹介しているチェコの首都、プラハ散策するのもあり。ゆっくり1ヶ所滞在よりも2ヶ所を一気に巡りたい人はぜひ。

例えばこんな旅 PLAN　この旅のプラン例／5日間

1日目	終日	成田発〜フランクフルト乗り継ぎ〜プラハ着【プラハ泊】
2日目	午前	チェスキー・クルムロフに移動
	午後	チェスキー・クルムロフ【チェスキー・クルムロフ泊】
3日目	終日	チェスキー・クルムロフ【チェスキー・クルムロフ泊】
4日目	午前	プラハに移動
	午後	プラハ発〜フランクフルト着
	夜	フランクフルト発〜成田へ【機内泊】
5日目	午後	成田着

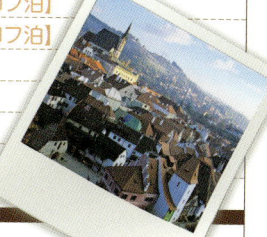

この旅の要チェック！ CHECK!

✓ チェスキー・クルムロフ　　チェックポイント
この街の楽しみは歩いて中世の雰囲気を感じることだが、チェスキー・クルムロフ城にある塔からの眺望は絶対に外せない。旧市街を一望できる絶景スポットだ。淡いオレンジ屋根の建物が連なる美しい風景を堪能しよう。

🛒 ボヘミアガラス　　ショッピング
ボヘミアと呼ばれる、チェコ西部。その名を冠したボヘミアガラスはチェコの伝統産業のひとつとして知られている。緻密で繊細なカッティングが施された食器は一生物になるだろう。ちょっとした土産用の小物なら安く購入できる。

✗ ビール　　食事
世界中で主流となっているピルスターと呼ばれる黄金色のビール。これは、19世紀にプラハ近郊の町プルゼニで誕生した。ホスポダ（ビアホール）を訪れ、地元の人々と共に元祖とも言うべきビール「ピルスター・ウルケル」を飲む。そんなチェコの夜を過ごそう。

+1 プラハ　　プラス1日あったら？
チェコの首都であり玄関口でもあるプラハ。街のシンボルとなるプラハ城、橋の欄干に30体の聖人の彫像が並ぶカレル橋、飲食店が集中する中世の空気が漂う旧市街広場など見所も多い。世界有数のロマンチックな雰囲気の街を歩こう。

+1 ウィーン　　プラス1日あったら？
プラハから車で約3時間30分の場所に位置する隣国オーストリアの首都。モーツァルトやベートーベンなど歴史的音楽家を輩出したアートが溢れる華麗なる都だ。オーストリア皇帝ハプスブルク家の夏の離宮「シェーンブルン宮殿」と「ウィーン歴史地区」は必見。

旅の相談と手配先は？　【株式会社ボイス】　▶ www.voice.ne.jp

TVの番組やCM、広告など広範囲に渡って海外手配を行ってきた。もちろん海外の撮影や取材でなく、一般の観光も手配可能だ。チェコも得意とする手配先のひとつなので、細かな質問も気軽にでき、とても頼りになる。

Canada
Quebec

🍁 カナダ「ケベックシティ」

異国の空気が満ちる
北米最古の繁華街

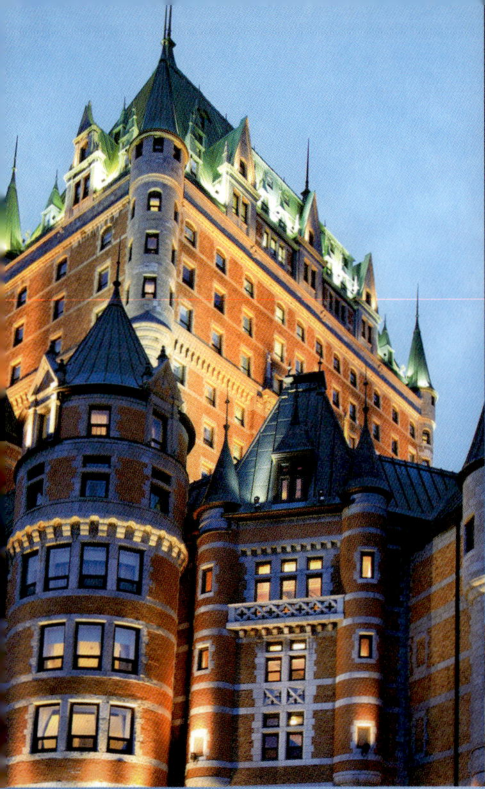

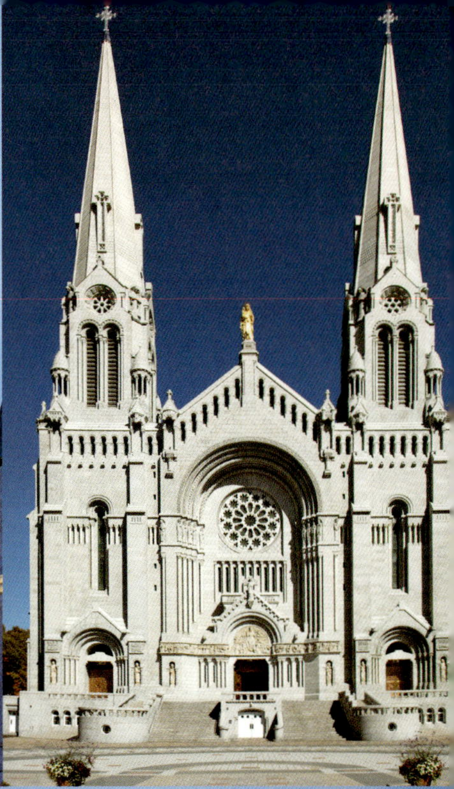

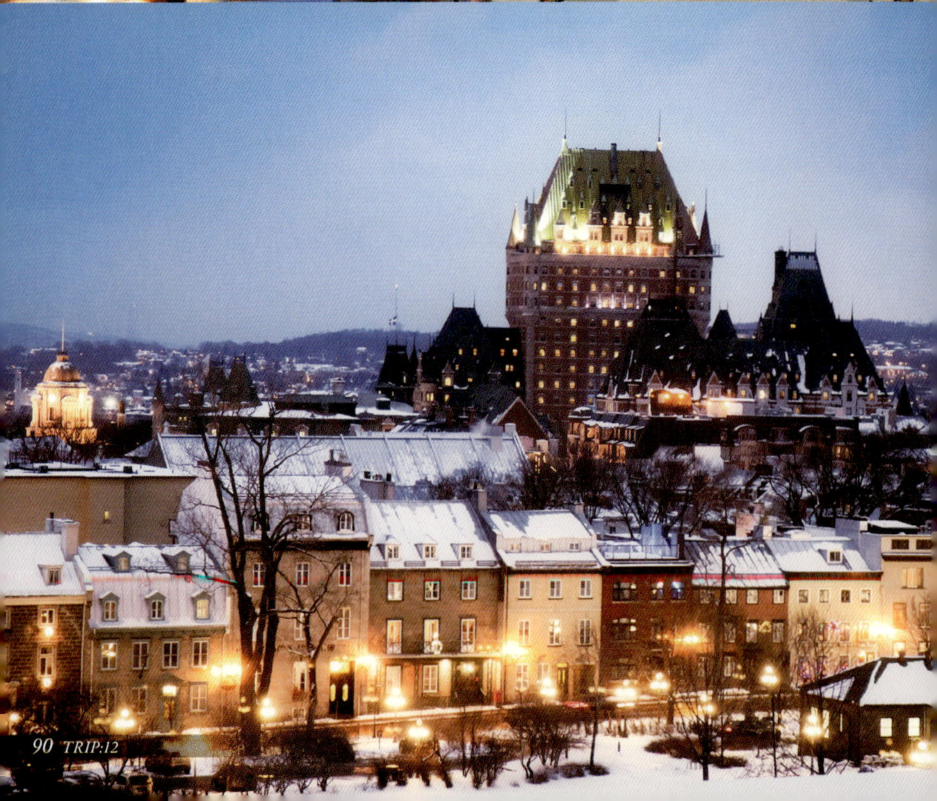

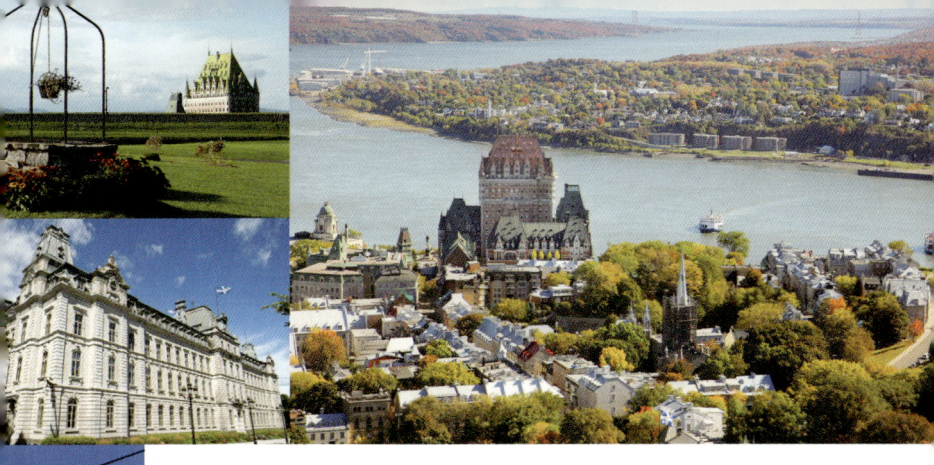

北米最古の繁華街
「ケベックシティ」

カナダ東部に位置する、広大な面積を擁すケベック州。他の州や準州と異なり、英語圏にあって公用語をフランス語としているほど、フランス文化が色濃く残っている州だ。それは17世紀に入植したフランス人の影響によるものが大きい。州都ケベックシティのセントローレンス川沿いに築かれた旧市街は、特に当時の歴史的景観が色濃く残る。そして、世界遺産に登録された街でもあり、「北米唯一の城塞都市」、「北米最古の都市」の名でも知られている。そこは、城壁に囲まれたアッパータウンと城壁と川の間のロウアータウンに分かれ、フニキュラーと呼ばれるケーブルカーや階段で繋がっている。アッパータウンは街のランドマークになっている古城のようなホテル「シャトー・フロントナック」を中心に多くの通りが交差し、ロウアータウンは入植時の拠点となったロワイヤル広場が中心地となる。この街最大の見所は、ロワイヤル広場に繋がるプチシャンプラン通り。北米最古の繁華街と言われ、カナダ人でさえも異国情緒を感じる程、古き良きフランスの空気に満ちていて、とても可愛らしい。また、対岸にある町レヴィへの渡し船に乗れば、旧市街を一望できる楽しみも。北米のイメージを覆すほどに歴史の薫りが漂う街へ。

Travel Information:12

北米最古の繁華街
ケベックシティ
Canada／カナダ

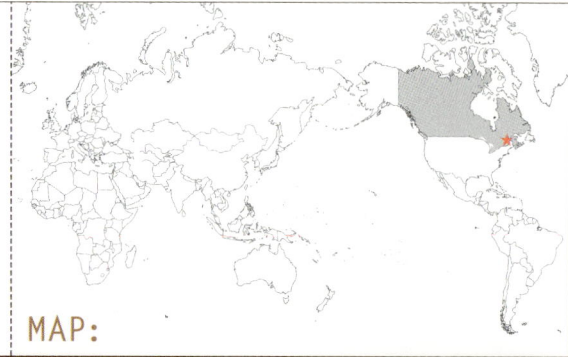

MAP：

いくらかかる？
How much?
20万円〜
＜大人1名分の総予算＞

「旅の予算」は右頁「PLAN」の目安料金です。
内訳：
- 飛行機代
- 宿泊費
- 現地送迎

※食事、燃油サーチャージ除く

どうやって行く？
How to get there
約14時間
＜片道の移動時間＞
※空港等での待機時間含ます

成田からカナダ東部の大都市トロントまで直行便が運行している。そこからケベックまでは国内線で移動することになる。成田〜トロントは**約11時間50分**、トロント〜ケベックは**約1時間30分**、ケベックの空港からケベックシティまでは車で**約30分**の移動時間となる。

いつがオススメ？
Best Season
6月〜8月
＜街歩きに適した時期＞

6〜8月が観光に最も適したシーズン。しかし、紅葉も目的とするなら**9月下旬〜10月上旬**に訪れたい。その時期は朝晩の気温がとても下がる為、防寒具を持参しよう。また冬もケベックウインターカーニバルなどのイベントを目的として観光客が集まるが、街歩きをメインとするなら避けた方が無難。

この旅のヒント
Hint!
ケベック州の公用語はフランス語なのでフランス語の辞書も持参しよう。

- ケベックを訪れるにはカナダ西部の玄関口バンクーバーでの乗り継ぎも可能だが、同日着ができない。トロント乗り継ぎがオススメだ。
- カナダは英語圏だが、ケベック州の公用語はフランス語。ケベックシティでは英語が通じることも多いが、郊外へ足を伸ばすとまったく通じないことも。フランス語の辞書等も持参すると便利だ。

例えばこんな旅 PLAN
この旅のプラン例／5日間

1日目	終日	成田発〜トロント乗り継ぎ〜ケベック着【ケベックシティ泊】
2日目	終日	ケベックシティ【ケベックシティ泊】
3日目	終日	ケベックシティ【ケベックシティ泊】
4日目	午前	ケベック発〜トロント乗り継ぎ〜成田へ【機内泊】
5日目	午後	成田着

この旅の要チェック! CHECK!

✓ アッパータウン　　　　　チェックポイント

小高い丘の上に築かれた城壁に囲まれたエリア。セントローレンス川やロウアータウンなどを望むことができる。板敷の歩道「テラス・デュフラン」は是非歩いて欲しい。夏場は多くの大道芸人が集まるので賑やかな雰囲気を楽しめる。

✓ ロウアータウン　　　　　チェックポイント

土産屋や雑貨屋、カフェ、アートショップなどが軒を連ねる、北米最古の繁華街プチシャンプランがある。街中の壁面にはトリックアートが描かれていたり、旧港を訪れればファーマーズマーケットが開催していたりと散策に最適だ。

✓ 新市街　　　　　チェックポイント

旧市街がメインだが、隣接する新市街もオススメ。総督の散歩道と呼ばれる板張りの階段からの眺めや、オープンカフェが建ち並ぶ夜まで賑やかなグランダレ通り、ケベック市内を一望できるキャピタル展望台、星形の要塞シタデルなども歩いてみよう。

🛒 カナダ土産　　　　　ショッピング

カナダの国旗にも描かれているメープル(楓)の葉。ケベック郊外に広がるメープルの森が本場で、樹液から作られるメープルシロップはあまりにも有名。他にもスモークサーモンやアイスワイン、カウチンセーターにドリームキャッチャーと、上質な土産が沢山ある。

+1 モントリオール　　　　　プラス1日あったら?

ケベックシティから車で約3時間。ケベック州最大の都市で、北米のパリと呼ばれている。新市街や旧市街、アンティーク街、カナダで最も歴史ある美術館、教会巡り、また郊外に豊かな自然が広がるローレンシャン高原など幅広く楽しむことができる。

[ism]　　▶ shogai-kando.com

旅の相談と手配先は?

北米、南米、オーストラリアなど多くの地域をカバーしている旅行会社ism。パッケージ旅行はもちろん、オーダーメイドにも対応している。一生に一度の感動の旅をプロデュースしてくれる頼れる存在。まずは気軽に問い合わせてみよう。

Germany
Freudenberg

🇩🇪 ドイツ「フロイデンベルク」

木組みの家が連なる
モノトーンの町

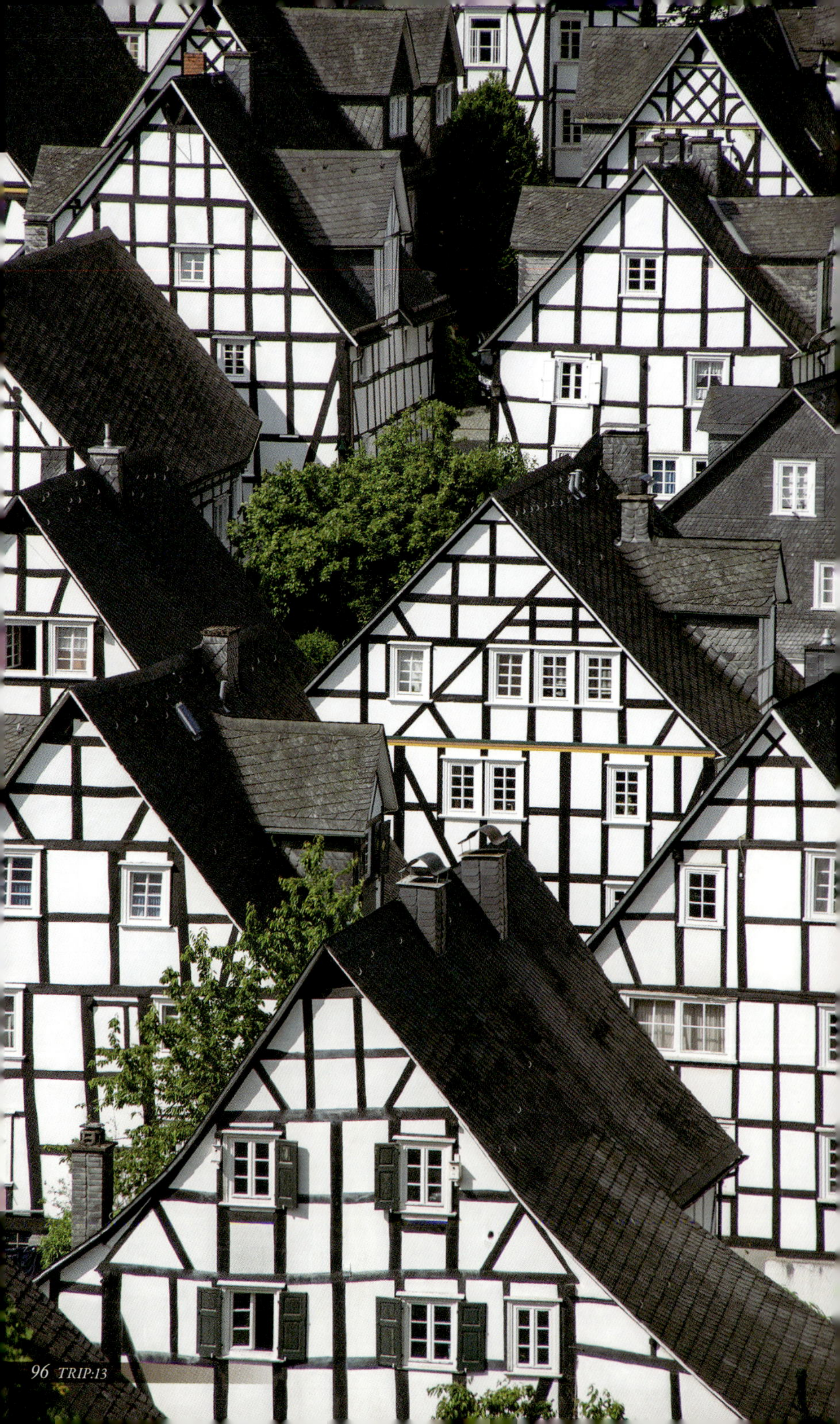

モノトーンの町
「フロイデンベルク」

ドイツ西部に流れるライン川沿いに築かれた古都ケルン。世界最大のゴシック様式の建築物として知られるケルン大聖堂がシンボルになっている街だ。その東約80kmの所に木組みの家が建ち並ぶフロイデンベルクがある。ドイツには古くから残る木組みの家が多く、それらは茶色や赤、オレンジなどを用いて作られている。しかし、フロイデンベルクに残る家はすべてがモノトーン。ストイックなまでに白と黒、グレーで統一された家々が不思議な世界を創り上げている。通りがたった3本しかない程、こぢんまりとした町だが、そこに広がっているのはまさしく別世界。所々にカラフルな花々や植木が飾られ、それらがアクセントとなり美しさに拍車をかけている。ホテルやレストラン、カフェ、木工細工などを扱う雑貨屋も揃う町並を抜けて、すぐ近くにある展望台に登れば、すべての家々が南を向く美しい姿を一望できる。世界遺産がある訳でも、目玉となる遺跡やスポットがあるわけでもないが、モノトーンで染められた町の潔さにただただ心を奪われるだろう。1666年に起きた火災によって大部分を消失してしまったが、修復を重ね、過去と同様の姿を今に残しているモノトーンの不思議な世界を歩こう。

Travel Information:13

モノトーンの町
フロイデンベルク
Germany／ドイツ

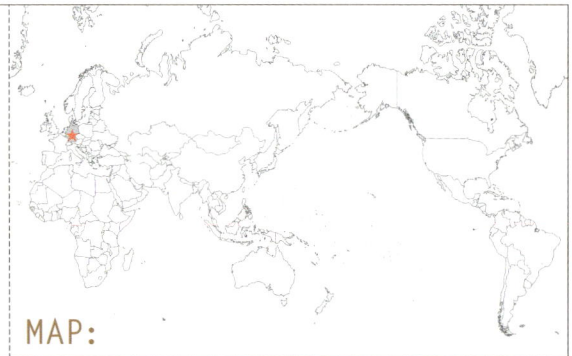

MAP:

いくらかかる？
How much?
14万円〜
＜大人1名分の総予算＞

「旅の予算」は右頁「PLAN」の目安料金です。
内訳：
- 飛行機代
- 宿泊費
- 食事(朝3回)

※現地送迎、燃油サーチャージ除く

どうやって行く？
How to get there
約15.5時間
＜片道の移動時間＞
※空港等での待機時間含みます

羽田からドイツのフランクフルトまで直行便が運行している。羽田〜フランクフルトは約12時間10分。フランクフルトからフロイデンベルク最寄りのジーゲン駅までは列車で移動。途中ケルンで乗り換え、合計約3時間。ジーゲン駅からは車で約20分。

いつがオススメ？
Best Season
5月〜9月
＜街歩きに適した時期＞

日本と同様に四季があるが、一年を通して湿度が低く夏でも快適に過ごすことができる。町歩きのベストシーズンは5〜9月。冬は積雪があり、初春や晩秋は肌寒くなることがあるので、この時期に訪れたい。

この旅のヒント
Hint!
フロイデンベルクの他にもケルンやフランクフルトに立ち寄るのもオススメ！

●本書ではフロイデンベルクに2泊するプランで紹介したが、1日目の移動時間が長い為、1泊減らしフランクフルトで1泊するのも選択肢のひとつだ。また、途中通過するケルンに立ち寄るのもオススメ。

PLAN
例えばこんな旅
この旅のプラン例／5日間

1日目	深夜	羽田発〜フランクフルトへ
	早朝	フランクフルト着
	午前	フロイデンベルクに移動
	午後	フロイデンベルク【フロイデンベルク泊】
2日目	終日	フロイデンベルク【フロイデンベルク泊】
3日目	午前	フランクフルトに移動
	午後	フランクフルト【フランクフルト泊】
4日目	午後	フランクフルト発〜羽田へ【機内泊】
5日目	朝	羽田着

CHECK!
この旅の要チェック！

🛍 フロイデンベルクの土産　　ショッピング
フロイデンベルクは木を多く用いて作られた町だけに、木工細工の雑貨などがオススメ。ドイツならではの文房具や磁器、ワイン、ビールなども。またケルンはオーデコロン発祥の地でもあるので、香水も探してみよう。

✕ ドイツ料理　　食事
ドイツに訪れたら食も堪能したい。ドイツ西部はワインの生産が盛んで、安くて美味しいワインが多い。またビール天国と呼ばれるほど地ビールの種類も豊富だ。本場フランクフルトでのソーセージや、牛や馬などの肉料理も美味。

+1 ケルン　　プラス1日あったら？
街のシンボルで157mもの高さを持つケルン大聖堂は、完成までに600年以上もの歳月をかけたもので、世界遺産に登録されている。旧市街は第二次世界大戦によってその多くが失われてしまったが、現在も大聖堂と共に奇跡的にその一部が残っている。

+1 フランクフルト　　プラス1日あったら？
ドイツ第5の都市、フランクフルト。近代的なビルが建ち並ぶ、経済・金融の中心地である一方で、復元された旧市庁舎など、中世の歴史にふれることもできる。また、文豪ゲーテの出生地としても知られ、生家などを見学することも可能だ。時間が許せば歩きたい街。

+1 ハイデルベルク　　プラス1日あったら？
フランクフルトから列車で約1時間30分の所に位置する街。丘の上に建つハイデルベルク城の足下には旧市街が広がり、装飾を施された建物や教会など中世の姿を今に伝えている。またドイツで最も古い橋のひとつ「アルテ橋」もドイツを代表する風景として知られている。

旅の相談と手配先は？
【H.I.S】　▶ www.his-j.com
広範囲に渡って世界中に支店を持つ旅行会社。その手配範囲の広さとリーズナブルな金額設定が魅力的だ。日本全国にあるH.I.S.の営業所にて旅の相談や手配が可能なので、まずは気軽に問い合わせしてみよう。

Italy
Burano Island

イタリア 「ブラーノ島」

水上に浮かぶ芸術作品
カラフルに彩られた町

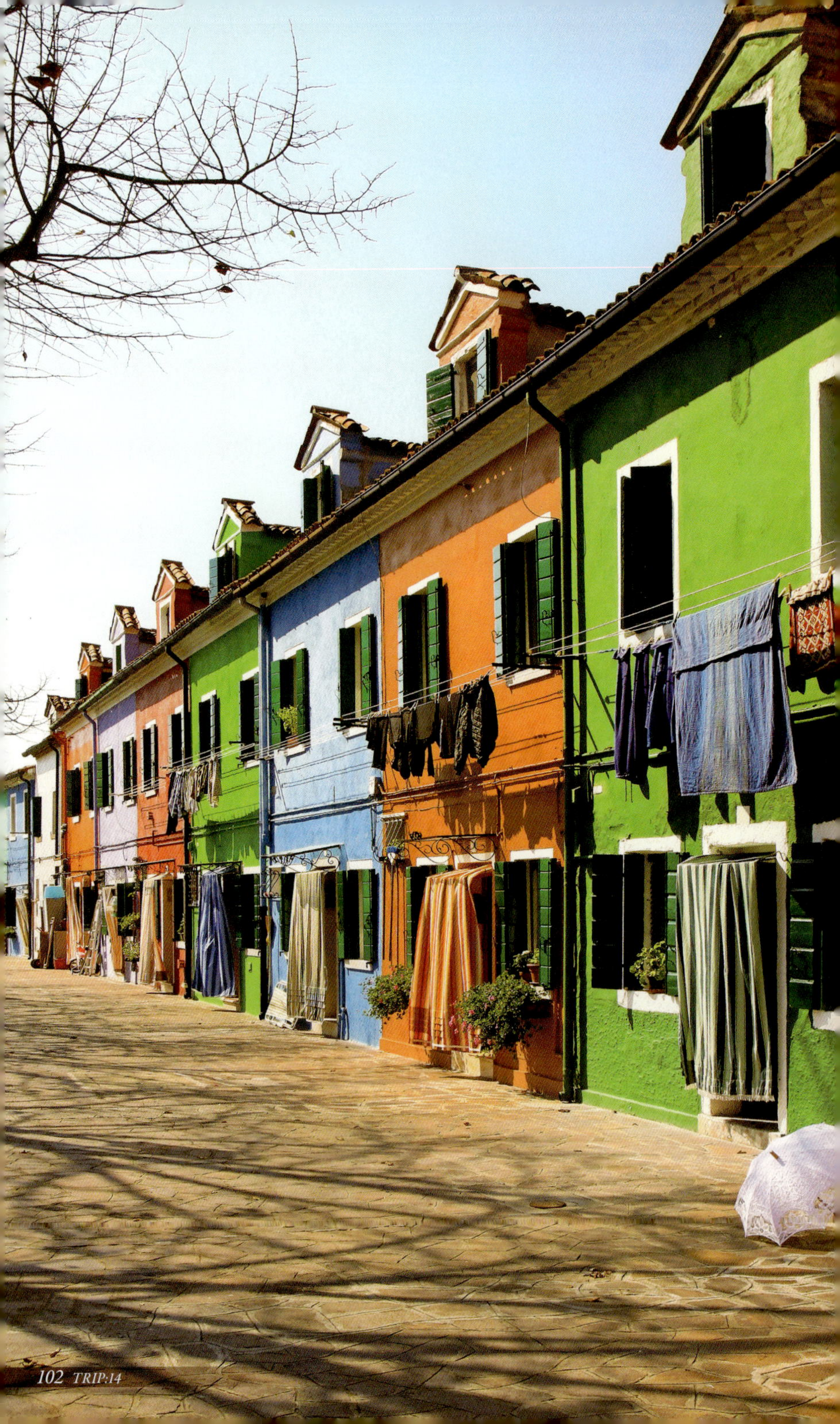

パステルカラーに染まる町
「ブラーノ島」

イタリア北東部、アドリア海最深部にできたラグーナ（潟）の上に築かれた都市、ベネチア。170を超える島々から構成されている水の都だ。中心地となる本島は、世界で最も水上交通が発達し、縦横に水路が通っている街。その水路と歴史的な街並みが共演する類い希な景観を求め、世界中から旅人が集まっている。そこから、ボートに乗って約1時間の位置に浮かぶ離島、ブラーノ島にも訪れてみよう。伝統工芸であるレース編みが名産として知られる島で、カラフルに彩られた家々が建ち並ぶ、さながら絵の具の見本市のような町並みが魅力だ。その昔、漁師は豊かな海の幸を求め沖へと漕ぎ出していたが、冬の季節になると一帯が濃霧に包まれ、帰港が困難だった。その為、住民達は家屋の外壁を明るい色に塗り、また家ごとに塗り分けることによって、迷わず帰宅できるようにした。こうした経緯によって生まれた、ブラーノ島に溢れるオレンジ、ピンク、黄色、赤、緑、紫…など多くの色彩は、さながら芸術作品のように目を楽しませてくれる。可愛らしい家々に加え、刺繍を施したレースのショップ巡りや地中海の新鮮なシーフードを食すのも楽しみのひとつ。ベネチアの美しさと可愛いさを堪能する旅へ。

Travel Information:14

パステルカラーに染まる町
ブラーノ島

🇮🇹 Italy／イタリア

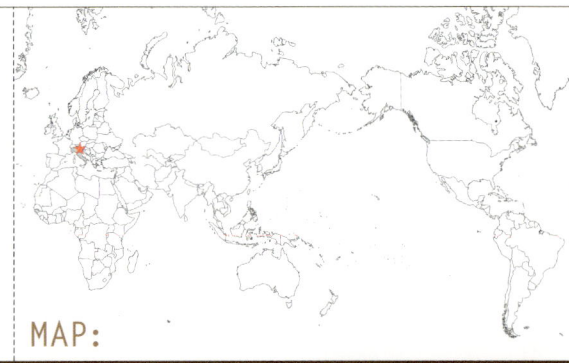

MAP：

いくらかかる？
How much?

14万円〜
〈大人1名分の総予算〉

「旅の予算」は
右頁「PLAN」の目安料金です。
内訳：
- ●飛行機代
- ●宿泊費
- ●現地送迎
- ●食事(朝3回)

※燃油サーチャージ除く

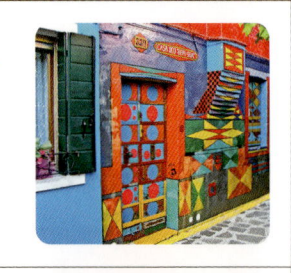

どうやって行く？
How to get there

約15時間
〈片道の移動時間〉
※空港等での待機時間含ます

成田からイタリアの首都ローマまで直行便が運行している。そこからブラーノ島があるベネチアまでは国内線で移動することになる。成田〜ローマは**約12時間50分**、ローマ〜ベネチアは**約1時間10分**。ベネチア本島からブラーノ島まではボートで**約1時間**。

いつがオススメ？
Best Season

4月〜6月
10月〜11月
〈街歩きに適した時期〉

ベストシーズンは**4〜6月**と**10、11月**。晴れると日射しが強くなるが、乾燥した気候の為、日陰に入れば涼しく快適だ。真夏に当たる7、8月は日本と比べれば湿気が少なく過ごしやすいが、多くの観光客が訪れる為、避けた方が無難。

この旅のヒント
Hint!

ベネチアならではの水上バスや水上タクシーを利用して街を巡ろう！

●ベネチアは車や自転車が通れない為、水上バスや水上タクシーなどの交通が発達している。島内を移動する際は、それらを利用しよう。またブラーノ島やムラーノ島を巡る水上バスは24時間や48時間乗り放題のチケットもある。行動に合えば、そのチケットがオススメだ。
●ブラーノ島の家々には地元の人々が暮らしている。洗濯物が干してあることもあるので、写真撮影する際は、気を付けよう。

例えばこんな旅 PLAN この旅のプラン例／5日間

1日目	終日	成田発〜ローマ乗り継ぎ〜ベネチア着【ベネチア泊】
2日目	午前	ベネチア
	午後	ブラーノ島【ベネチア泊】
3日目	午前	ベネチア発〜ローマ着
	午後	ローマ【ローマ泊】
4日目	終日	ローマ発〜成田へ【機内泊】
5日目	午前	成田着

この旅の要チェック！ CHECK!

✓ ベネチア　　チェックポイント
サン・マルコ寺院、ドゥカーレ宮殿、コッレール博物館、時計塔などに囲まれた、サン・マルコ広場は必見の美しさ。他にも白い大理石でできた溜め息の橋やベネチア本島をS字に流れるカナル・グランデ大運河などへも訪れたい。

✓ ローマ　　チェックポイント
映画「ローマの休日」のロケ地としても知られるスペイン広場やトレビの泉、真実の口などの有名観光地は、半日もあれば巡ることができる。名物のジェラートを片手にローマの石畳を歩こう。

🛒 ベネチアンマスク　　ショッピング
毎年2月に開催される、ベネチアのカーニバル。仮面をかぶり、仮装して街中を闊歩するものだ。世界的に有名なお祭りということもあって、ベネチアの土産屋には多くの仮面が並ぶ。デザインも様々なので、お気に入りの1枚を見つけよう。

+1 ローマ　　プラス1日あったら？
"永遠の都"と呼ばれるほど歴史豊かな町で、世界遺産の宝庫とも言われている。古代ローマ遺跡のフォロ・ロマーノ、円形闘技場コロッセオ、その全域が世界遺産の世界最小国家バチカン市国など、数日滞在しても見所は尽きない。

+1 ムラーノ島　　プラス1日あったら？
ベネチアを構成する島のひとつで、本島の北東約1.5kmに位置する。ベネチアングラスの産地として知られ、多くの工房や土産屋が迎えてくれる。無料で見学できる工房もあるので、ガラス製品が好きな人はぜひ訪れてみよう。

旅の相談と手配先は？　[エス・ティー・ワールド] ▶ stworld.jp

日本を拠点としながらも、世界中にネットワークを持つ旅行会社。旅の日数や宿も含め、色々とアレンジできるので、まずは気軽に相談してみよう。豊富な種類のパッケージ旅行も魅力だ。

France
Carcassonne

フランス 「カルカッソンヌ」

二重の城壁が護る歴史
ヨーロッパ最大の城塞都市

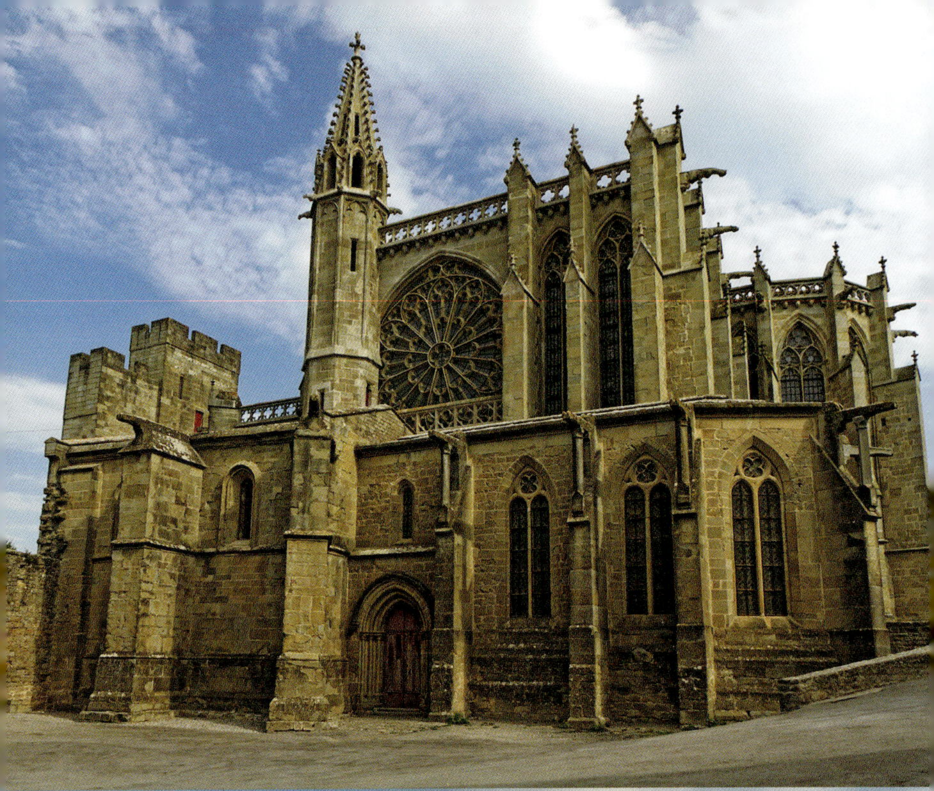

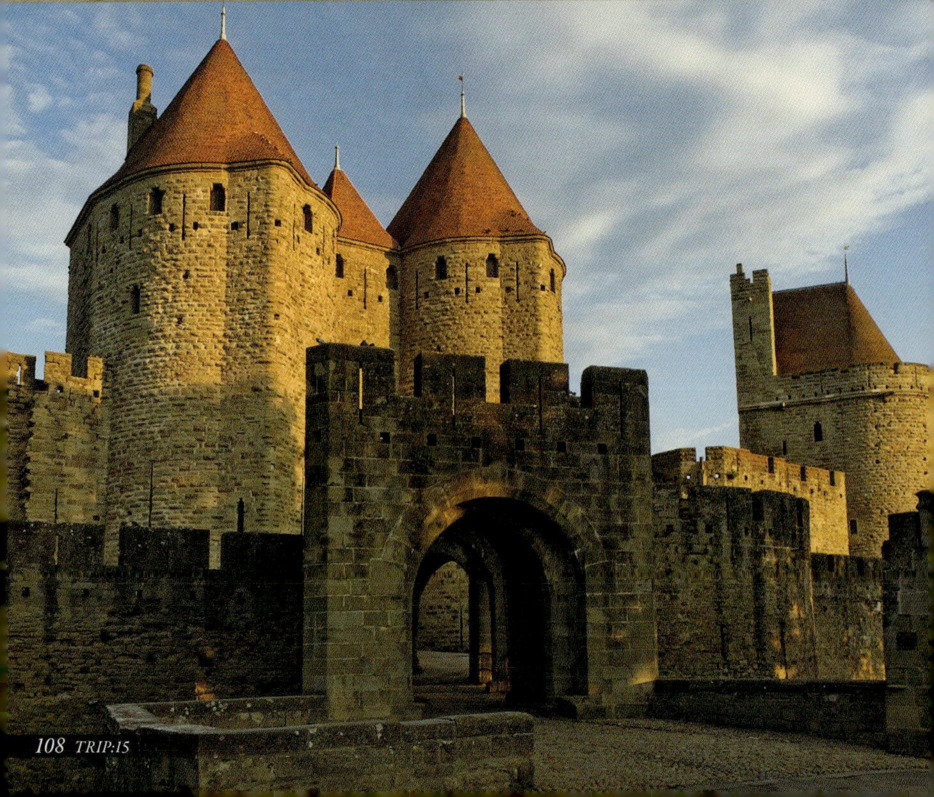

ヨーロッパ最大の城塞都市
「カルカッソンヌ」

フランス南部、スペイン国境のほど近く、ピレネー山脈の麓に広がる葡萄畑の中にカルカッソンヌはある。古来より交通の要衝として繁栄を続けてきたが、同時に常に外敵の脅威に晒されてきた街でもある。その歴史を証明するかのように、小高い丘の上にあるシテという町は、ヨーロッパ最大の城塞都市として発達し、二重の城壁によって囲まれている。難攻不落とも言える強固な造りだが、17世紀には外敵の存在がなくなり、城壁は崩壊への道を辿っていた。しかし19世紀に入ると文化財保護の機運が高まり、現在のように復元されたという歴史を持つ。

威厳を放つ城門・ボンヌをくぐり抜け、城壁内部の旧市街へと足を踏み入れると、石造りの建物に石畳と中世そのままの風景が広がっている。街中にはカフェやレストラン、土産屋、ホテル、公園などがあり、その一方で、人々が営みを続けている住宅も多い。他にも歴代城主の館コンタル城や、サン・ナゼール教会などの見所もある。

「カルカッソンヌを見ずして死ぬなかれ」という諺がある程に美しい、重厚感に溢れるフランスの世界遺産へ。

Travel Information:15

ヨーロッパ最大の城塞都市
カルカッソンヌ

France／フランス

MAP：

いくらかかる？
How much?
14万円〜
<大人1名分の総予算>

「旅の予算」は右頁「PLAN」の目安料金です。
内訳：
- ●飛行機代
- ●宿泊費
- ●列車代
- ●食事(朝3回)

※燃油サーチャージ除く

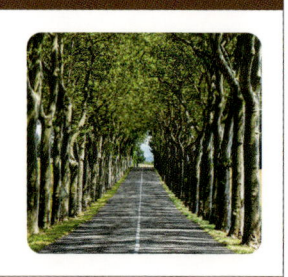

どうやって行く？
How to get there
約15時間
<片道の移動時間>
※空港等での待機時間含みます

日本からフランスの玄関口パリまで直行便が運行している。パリからトゥールーズまでは国内線、トゥールーズからカルカッソンヌまでは列車で移動となる。成田〜パリは**約12時間30分**、パリ〜トゥールーズは**約1時間30分**。トゥールーズの空港から最寄りの駅までバスで移動し、そこからカルカッソンヌまでは列車で**約1時間**。

いつがオススメ？
Best Season
6月〜9月
<街歩きに適した時期>

日本よりも一年を通じてやや気温が低いカルカッソンヌ。オススメシーズンは暖かく、また日が長くなる6〜9月。他の時期は人通りもまばらで少々寂しい雰囲気の為、避けた方が無難だ。

この旅のヒント
Hint!
パリからトゥールーズへは時間が許せば、列車で行くことも可能。

- ●日本での知名度は低いが、カルカッソンヌはモンサンミッシェルに次いでフランスで2番目に観光客が多い場所でもある。その為、シテ内外には観光整備がされているので快適に滞在することが可能だ。
- ●本書ではパリからトゥールーズへの移動を空路としたが、時間に余裕があれば列車で行くこともできる。約6時間の移動となるが、北から南へと移りゆく景色を眺めながらの移動もオススメだ。

例えばこんな旅 PLAN　この旅のプラン例／5日間

1日目	終日	成田発〜パリ乗り継ぎ〜トゥールーズ着【トゥールーズ泊】
2日目	午前	カルカッソンヌに移動
	午後	カルカッソンヌ【カルカッソンヌ泊】
3日目	終日	カルカッソンヌ【カルカッソンヌ泊】
4日目	午前	トゥールーズに移動
	午後	トゥールーズ発〜パリ着
	夜	パリ発〜成田へ【機内泊】
5日目	夜	成田着

この旅の要チェック！ CHECK!

☑ トゥールーズ　　チェックポイント

カルカッソンヌの北西約90kmに位置するフランス第6の都市。ピンク色の粘土から作られたレンガが美しい街並みで、バラ色の街とも呼ばれている。歴史が豊かな一方で航空宇宙産業の拠点でもある。本書では乗り換え地だが、時間があれば立ち寄りたい。

☑ カルカッソンヌ　　チェックポイント

カルカッソンヌに流れるオード川に架かる新橋と旧橋。新橋からは石造りの旧橋と丘の上に佇むシテの全景を望むことができる。特に夜が美しく、淡い光でライトアップされた城壁は息を呑むほどの美しさ。日中とは異なる表情を見に行こう。

☑ カルカッソンヌ　　チェックポイント

城壁外に広がる街は下の町と呼ばれ、ここもカルカッソンヌの一部となっている。13世紀頃から徐々に築かれていった町で、こちらもシテほどではないが、古い町並を楽しむことができる。先述した新橋や旧橋は、シテと下の町を繋ぐ為に作られたものだ。

+1 ミディ運河　　プラス1日あったら？

大西洋と地中海を繋ぐ輸送ルートとして17世紀に作られた全長240kmの運河。近代に入りその役目を鉄道に譲ったが、世界遺産に登録されたこともあり、運河クルーズなどのツアーが催行されている。両端に流れるフランスの景色をゆっくりと楽しみたい。

+1 パリ　　プラス1日あったら？

"華の都"パリ。ヨーロッパの大都市でありながら、古くからの建物が多く残る、中世と現代が交差する唯一無二の街だ。エッフェル塔、ルーブル美術館など、世界的観光名所が各所に散らばり、数日滞在しても見所は尽きない。

旅の相談と手配先は？　[ファイブスタークラブ]　▶ www.fivestar-club.jp

世界中を手配範囲とする旅行会社。多種多様なテーマでのパッケージツアーに加え、オーダーメイドももちろん手配OK。ファイブスタークラブがプロデュースするこだわりの旅は、とても魅力的。まずは、気軽に相談するところから始めてみよう。

Tibet
Lhasa

チベット 「ラサ」

雄大なるチベット高原
信仰を集める聖地、天空の町

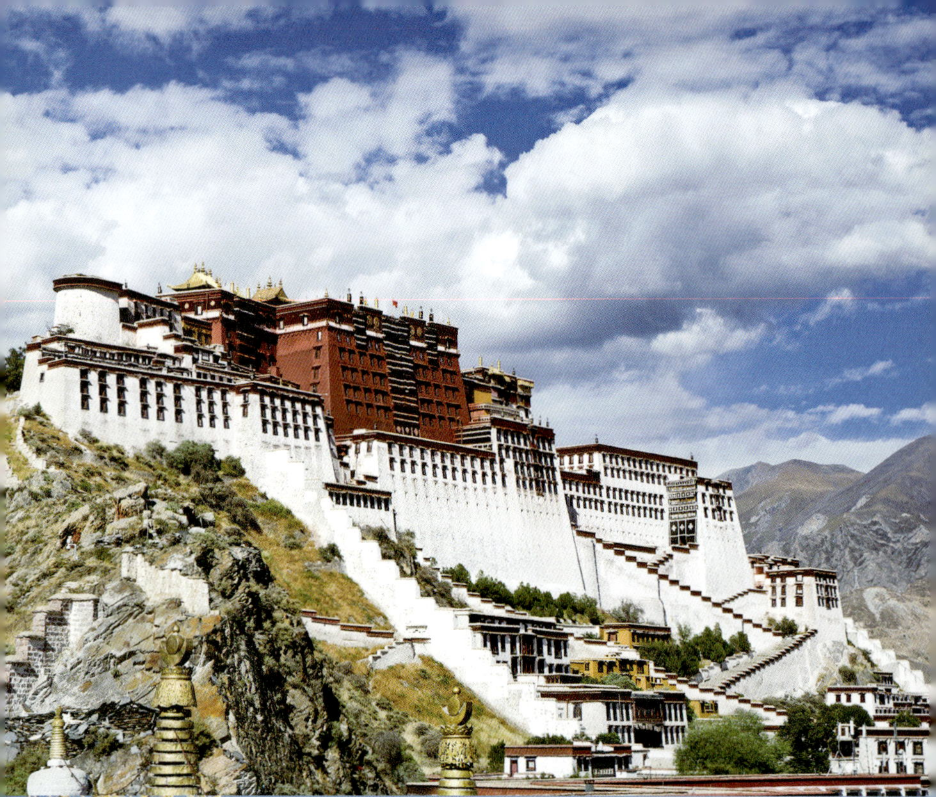

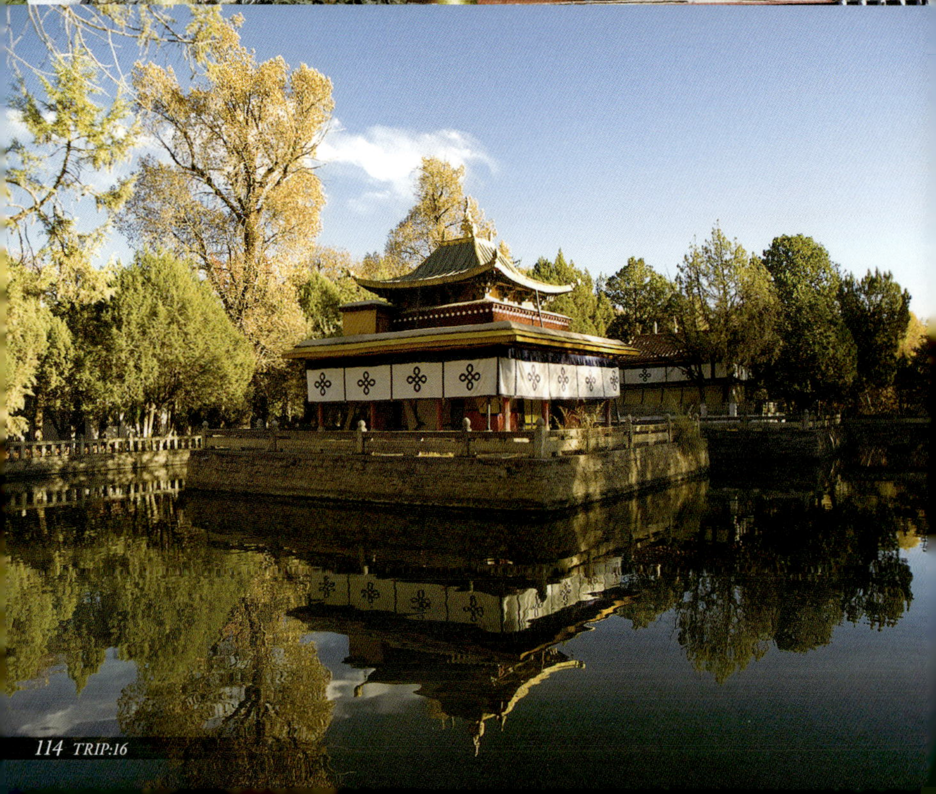

天空の町
「ラサ」

ユーラシア大陸の中央部に広がるチベット高原。平均高度は4,000mにもなる世界最大級の高原だ。その南部に連なるヒマラヤ山脈の北側、そこにチベット仏教の聖地ラサはある。天空の町とも呼ばれるこの町の標高は約3,700m。富士の山頂とほぼ同高度に位置している。その為、空気が薄く日照時間が長いことでも知られ、抜けるような青空と町の色彩が見事なまでに美しい。

ラサのシンボルはチベット仏教と政治の中心地「ポタラ宮」。観音菩薩が住まう場所という意味の名を持つこの宮殿は、世界最大級の建築物のひとつであり、世界遺産に登録されている。同じく世界遺産に登録されている寺「ジョカン」や、ダライ・ラマの夏の離宮「ノルブリンカ」、チベット仏教の最大宗派ゲルク派の寺院「デプン寺院」なども見応え十分。また町の雰囲気を楽しむのに外せないのが、ジョカンを囲むバルコルという巡礼路。宗教関連の店をはじめ土産屋などが建ち並び、活気に溢れている。

信仰心の厚い人々が暮らすこの町に広がる、宗教と文化が融合した別世界。高地に築かれた天空に聳える聖地、ラサへ。

Travel Information:16

天空の町
ラサ

Tibet／チベット

MAP:

いくらかかる?
How much?

23万円〜
<大人1名分の総予算>

「旅の予算」は右頁「PLAN」の目安料金です。
内訳:
- 飛行機代
- 宿泊費
- 現地送迎
- 食事(朝3回)

※燃油サーチャージ除く

どうやって行く?
How to get there

約9時間
<片道の移動時間>
※空港等での待機時間含まず

成田からチベットまで直行便は運行していない。中国の1都市又は2都市を乗り継いで空路で行くか、又は中国の西寧(せいねい)などから鉄道で行くことが一般的だ。本書は空路でのプランを紹介している。成田〜成都は**約6時間45分**、成都〜ラサは**約2時間**。

いつがオススメ?
Best Season

5月〜10月
<街歩きに適した時期>

高地にあるので、夏でも暑くなく快適に過ごすことができる。逆に冬はマイナスになるので、避けた方が無難だ。散策にオススメなのは5〜10月。雨期に重なるシーズンでもあるが、日中に雨が降ることは希なので、好天が期待できる。

この旅のヒント
Hint!

ラサは標高が高い街なので、高山病にならないよう体調管理には十分注意。

- 本書ではラサまでのアクセスを空路で紹介したが、時間に余裕があれば青蔵鉄道と呼ばれる列車でラサに入るのも選択肢のひとつだ。世界最高所を走る列車として知られていて、中国の西寧や北京、成都、上海などの都市から運行している。片道20〜50時間前後かかるが、左右に移りゆく景色は見応えがある。
- 飛行機で一気にラサに入ると高山病の恐れがあるので、睡眠を十分にとり、水分・栄養補給、アルコール・タバコを控えるなど体調を整えておこう。

例えばこんな旅 PLAN

この旅のプラン例／5日間

1日目	終日	成田発〜成都着【成都泊】
2日目	午前	成都発〜ラサ着
	午後	ラサ【ラサ泊】
3日目	終日	ラサ【ラサ泊】
4日目	午前	ラサ
	午後	ラサ発〜成都着【成都泊】
5日目	終日	成都発〜成田着

この旅の要チェック！ CHECK!

☑ ポタラ宮
チェックポイント

ラサの北西部に位置する、17世紀に第五代ダライ・ラマによって建てられた巨大なチベット宮殿。大きく分けると政治活動を行う白宮、宗教活動を行う紅宮とふたつに分かれている。内部では豪華な装飾が施された仏塔や壁画、書物など様々な物を見ることができる。

☑ ジョカン
チェックポイント

旧市街の中心に位置する、1000年以上もの歴史を持つ寺院。ポタラ宮がチベット様式で作られているのに対し、こちらは諸外国の様式が融合している。周囲では五体投地で祈りを捧げている人が多く、神聖な雰囲気に包まれている。

✗ バター茶
食事

チベット族をはじめ、周囲の民族の間でも飲まれているお茶。発酵させたお茶と全身が長い毛で覆われているヤクという動物の乳から作ったバターと塩などで作られている。好き嫌いが分かれる味だが、ラサを訪れたら一度はトライしてみよう。

🛒 ラサの土産
ショッピング

マニ車(仏具で回すとお経を唱えるのと同じ功徳がある)やタンカ(宗教画などが描かれた布)、天珠(パワーストーンでお守りに近いもの)を使用したアクセサリー、絨毯、木椀など、大抵のものがバルコルで揃う。値段交渉は必須だ。お気に入りのグッズを見つけよう。

+1 峨眉山、楽山大仏（がびさん、らくさんだいぶつ）
プラス1日あったら？

世界文化遺産と自然遺産に登録されている。90年をかけて崖を削り作られた大仏は、高さが71m、頭部の長さは14.7mと近代以前では世界最大。苔むした体や何とも言えない表情は、一見の価値あり。成都からバスに乗って1時間30分ほどで行くことができる。

旅の相談と手配先は？ [西遊旅行] ▶ www.saiyu.co.jp

シルクロード、ブータン、アフリカ、海外登山…と、幾つもの魅力的なツアーを扱う、秘境ツアーのパイオニア、西遊旅行。パッケージ旅行も魅力だが、オーダーメイドも手配OK。最新の現地の情報も教えてくれるので、気軽に連絡してみよう。

Austria
Hallstatt

オーストリア 「ハルシュタット」

湖と町が織り成す風景
世界で最も美しい湖岸の町

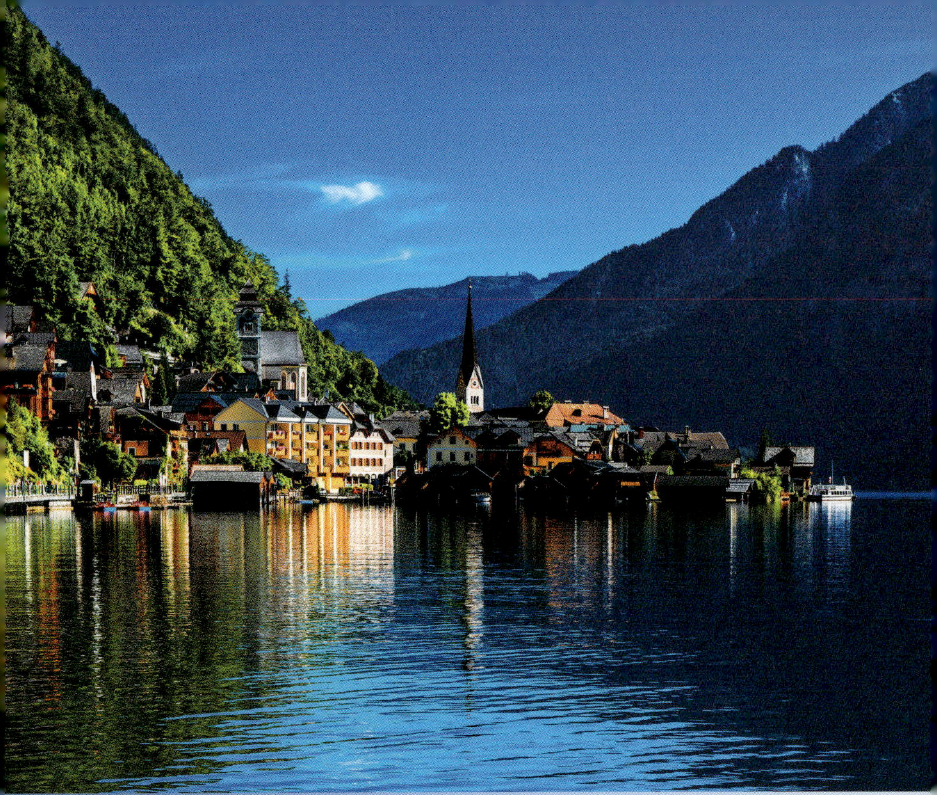

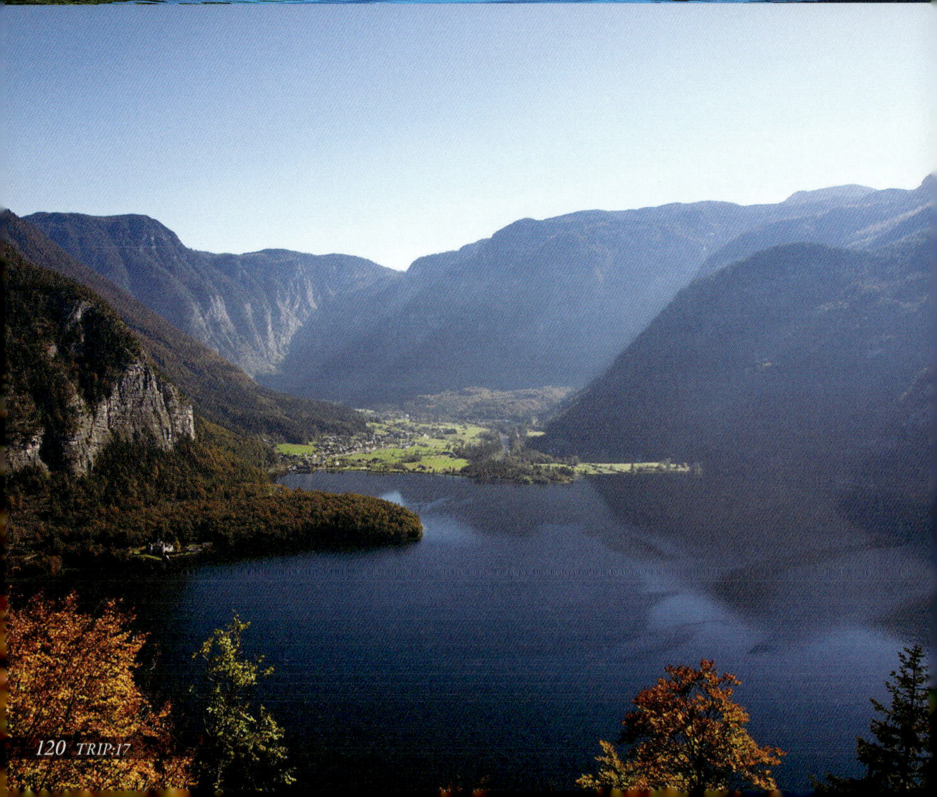

世界一美しい湖岸の町
「ハルシュタット」

イタリアやスイス、ドイツ、チェコ、スロバキア、ハンガリー、スロベニアと国境を接する内陸国オーストリア。首都は同国東部、モーツァルトをはじめ多数の音楽家を輩出した「音楽の都」ウィーンだ。その西方に位置するのが、風光明媚な風景が広がるザルツカンマーグート地方。多くの美しい山や湖が点在し、映画『サウンドオブミュージック』の舞台としても知られている。その中のひとつ、ハルシュタット湖岸には「世界で最も美しい湖岸の町」と称される町がある。湖の名前同様にハルシュタットと名付けられたその町は、景観の素晴らしさから近郊にそびえるダッハシュタイン山と共に世界遺産に登録されている。プロテスタント教会とカトリック教会、建ち並ぶ淡い色で塗装された木造家屋、町の中心地マルクト広場…すべてが徒歩圏内にまとまっているコンパクトな町だ。一方で先史時代より岩塩の採掘地で栄えた歴史を持ち、ケーブルカーで山を登れば、世界最古の塩鉱を見学することができる。帰りは、山中に作られたすべり台とトロッコ列車に乗って地上に戻るというアクティブな体験も可能だ。ハルシュタット湖の畔に築かれた美しい町並、オーストリアを代表する風景を楽しもう。

Austria

Travel Information:17

世界一美しい湖岸の町
ハルシュタット
Austria／オーストリア

MAP:

《 いくらかかる? 》
How much?
14万円〜
<大人1名分の総予算>

「旅の予算」は右頁「PLAN」の目安料金です。
内訳：
- ●飛行機代
- ●宿泊費
- ●列車代
- ●食事(朝2回)

※燃油サーチャージ除く

《 どうやって行く? 》
How to get there
約16時間
<片道の移動時間>
※空港等での待機時間含みます

成田からオーストリアの玄関口ウィーンまで直行便が運行している。成田〜ウィーンは**約11時間45分**。ウィーンからハルシュタットまでは電車で**約4時間**、そこから渡し船で**約10分**の移動となる。

《 いつがオススメ? 》
Best Season
5月〜9月
<街歩きに適した時期>

暖かくなる5〜9月がいいシーズンだ。夏は晴れると気温が30℃を超えることもあるが、湿気がないのでとても過ごしやすい。また日陰に入ると肌寒くなることもあるので薄手の上着は持参しよう。

《 この旅のヒント 》
Hint!
時間に余裕があればザルツブルクに足を伸ばしてみるのもオススメ!

- ●ウィーンからハルシュタットへの移動は、電車かレンタカー、もしくはツアーバスとなる。レンタカーは、道路標識などの難易度が高いので、ツアーを利用しない場合は、電車がオススメだ。
- ●本書ではハルシュタットをメインに紹介したが、ドイツ国境の街ザルツブルクもオススメ。「+1日あったら?」で紹介しているので、時間に余裕があれば是非訪れたい。

例えばこんな旅 PLAN　この旅のプラン例／5日間

1日目	終日	成田発〜ウィーン着【ウィーン泊】
2日目	午前	ハルシュタットに移動
	午後	ハルシュタット【ハルシュタット泊】
3日目	午前	ハルシュタット
	午後	ウィーンに移動【ウィーン泊】
4日目	午後	ウィーン発〜成田へ【機内泊】
5日目	午前	成田着

この旅の要チェック！ CHECK!

☑ ハルシュタット　　チェックポイント
ケーブルカーで山頂へ登ると、塩鉱の他にカフェ＆レストランもある。ハルシュタット湖を一望できる絶景が広がるので、ここでティータイムを。町中は、表通りや路地裏、それに町と湖が織り成す光景と、どこもがフォトジェニック。自由気ままに散策して堪能しよう。

☑ バインハウス　　チェックポイント
頭骸骨がずらりと並ぶ納骨堂。町の面積が小さいことから墓地のスペースも限られているハルシュタット。その為、故人の意志によっては、埋葬後10年以上経過すると遺骨をバインハウスに移してきた。1,000以上もの骸骨に、それぞれ故人の名前や没年が書かれている。

✗ デザート　　食事
ハルシュタットでは湖で獲れた魚料理がオススメだが、オーストリアを訪れたならば是非とも味わいたいのがデザート。キャラメルをかけたパンケーキ「カイザーシュマーレン」やドーナツの一種「クラップフェン」など、甘さ控えめで人気が高い。

+1 ウィーン　　プラス1日あったら？
ハプスブルク家の夏の離宮「シェーンブルン宮殿」と「ウィーン歴史地区」は必見。どちらも世界遺産に登録されている。本書で紹介したプランはウィーン滞在が短い為、1日をプラスして観光するのもオススメ。また、オペラ鑑賞（9〜6月の間）にもトライしたい。

+1 ザルツブルク　　プラス1日あったら？
ウィーンから西へ車で約4時間、ドイツ国境近くにある街。こちらも映画「サウンドオブミュージック」の舞台として知られているが、歴史情緒溢れる旧市街は世界遺産に登録されている。大聖堂や教会、ホーエンザルツブルグ城、モーツァルトの生家など見所も多い。

旅の相談と手配先は？
[ファイブスタークラブ] ▶ www.fivestar-club.jp
世界中を手配範囲とする旅行会社。多種多様なテーマでのパッケージツアーに加え、オーダーメイドももちろん手配OK。ファイブスタークラブがプロデュースするこだわりの旅は、とても魅力的。まずは、気軽に相談するところから始めてみよう。

USA
Taos Pueblo

米国「タオスプエブロ」

伝統が創造した自然美
ニューメキシコに現存する別世界

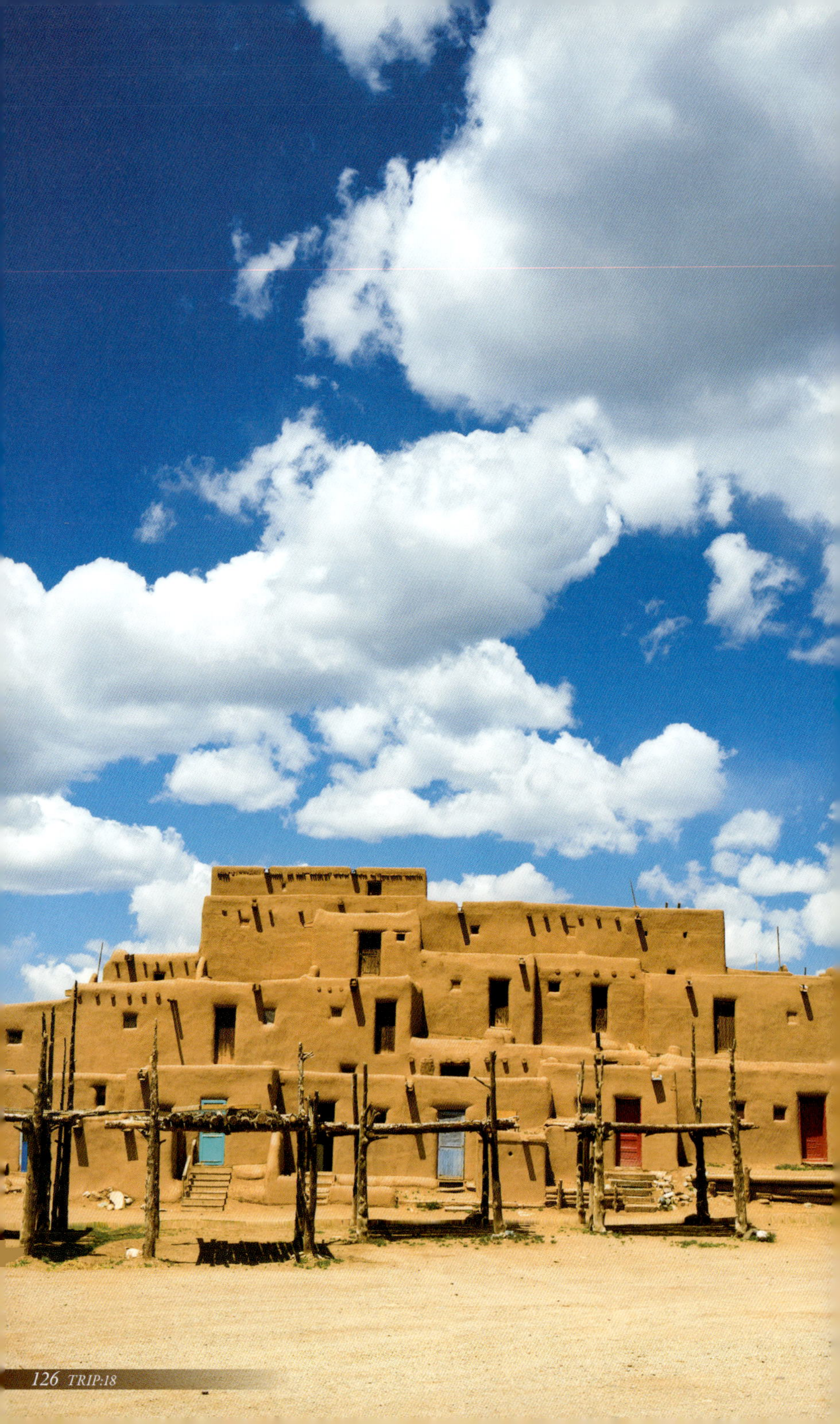

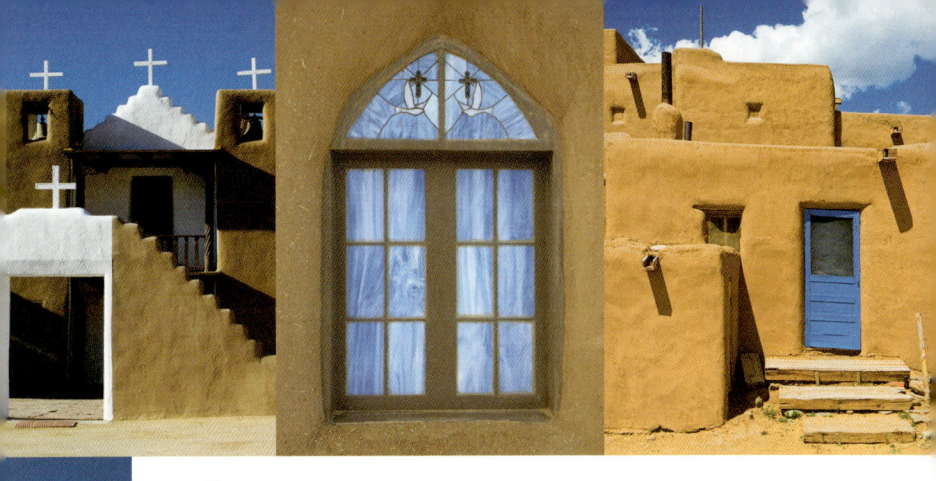

伝統が創造した自然美
「タオスプエブロ」

アメリカ南西部に位置するニューメキシコ州。その空の玄関口であり、同州最大の都市がアルバカーキだ。その北東約90kmにあり、芸術の街として知られるサンタフェの更に北。そこにタオスプエブロはある。タオスとは部族名、プエブロは集落を意味し、その名の通りそこには先住民タオス族の伝統的な集落があるのだ。1,000年以上も前から定住していると言われる彼らの集合住宅は、砂や粘土、藁などの天然素材から作られたアドベという日干しレンガによって築かれたもの。中でも「インディアン・マンション」と呼ばれる3階建ての住居が一番の見所だ。抜けるような青空の下に広がる、ターコイズブルーや赤で彩られた扉がワンポイントで映える赤褐色の集合住宅。その光景はまさに別世界。この集落は歴史的価値が高く、世界遺産に登録されている。しかし、遺跡などの類ではなく、現在も昔と変わらないライフスタイルで生活を営んでいる人々がここにいる。また、この集落の建築様式をルーツとして築かれている街が、サンタフェ。タオスプエブロと同様にアドベで建てられたショップや家が並んでいる。タオスプエブロに訪れる際は、必ずサンタフェも訪れよう。アメリカの先住民族が放ち続ける自然美を堪能する旅へ。

Travel Information:18

伝統が創造した自然美
タオスプエブロ

USA／米国

MAP:

いくらかかる？
How much?
15万円〜
＜大人1名分の総予算＞

「旅の予算」は右頁「PLAN」の目安料金です。
内訳：
- 飛行機代
- 宿泊費
- レンタカー代

※食事、ガソリン代除く
※燃油サーチャージ除く

どうやって行く？
How to get there
約14時間
＜片道の移動時間＞
※空港等での待機時間含む

成田からアメリカのロサンゼルスやサンフランシスコ、ダラスなど、いずれかの都市で乗り継ぎアルバカーキへ。片道の合計飛行時間は**約11時間30分**。アルバカーキからサンタフェまで車で**約1時間**、更にそこからタオスプエブロへは車で**約1時間30分**。

いつがオススメ？
Best Season
6月〜9月
＜街歩きに適した時期＞

タオスプエブロは標高が高いので、夏の間(6〜9月)も気温は30度に届かず、日射しが強くとも乾燥していることもあり快適に過ごすことができる。他の時期はかなり冷え込む為、避けた方が無難だ。

この旅のヒント
Hint!
タオスプエブロはサンタフェやアルバカーキなどと共に巡ろう。

● タオスプエブロの集落自体はとても小さく、宿泊には向いていない。その為、プエブロのあるタオスの町やサンタフェやアルバカーキなどに宿泊しよう。

PLAN ｜例えばこんな旅｜ この旅のプラン例／5日間

1日目	終日	成田発～アメリカ1都市乗り継ぎ～アルバカーキ着【アルバカーキ泊】
2日目	午前	タオスプエブロに移動
	午後	タオスプエブロ【タオス泊】
3日目	午前	サンタフェに移動
	午後	サンタフェ
	夕方	アルバカーキに移動【アルバカーキ泊】
4日目	午前	アルバカーキ発～アメリカ1都市乗り継ぎ～成田へ【機内泊】
5日目		成田着

CHECK! ｜この旅の要チェック！｜

✓ アルバカーキ チェックポイント
アメリカのマザーロード「ルート66」沿いにある、ニューメキシコ州で一番大きな町。ロッキー山脈の南端で、年間310日もの晴天日を誇る。自然の景観、古い村々、テーマパークなど様々な楽しみがある。

✓ サンタフェ チェックポイント
アメリカの宝石と呼ばれる、エキゾチックで美しい町。アメリカ50州の中で最も古い町と言われ、世界のベストタウンのトップ10にランクインしている。芸術家や演奏家が多く住んでいて、ギャラリーや土産屋、飲食店など個性的な店舗が建ち並ぶ。

🛒 インディアンジュエリー ショッピング
シルバーに描かれた様々な模様。それらは自然界からインスピレーションを得て彫られたものだ。また金やターコイズなどが付いているものもあり、値段は様々。日本でも知名度の高いインディアンジュエリー、本場の一品を手にしよう。

+1 アコマ・プエブロ プラス1日あったら？
100mもの高さのテーブルマウンテンの上に、スカイシティと呼ばれるネイティブアメリカンの村がある。村からの景色、粘土やワラで作られた建築物などが見所。麓からのツアーバスで入村することができる。

+1 ホワイトサンズ プラス1日あったら？
アルバカーキから車で約4時間。そこに東京都の1/3もの面積を持つ、純白の砂丘がある。砂の正体はアラバスターと呼ばれる石膏。本来は透明のものだが、風などで擦れてできた傷で白く見えるのだ。見渡す限りに広がる白の世界を楽しもう。

旅の相談と手配先は？ [ism] ▶ shogai-kando.com
北米、南米、オーストラリアなど多くの地域をカバーしている旅行会社ism。パッケージ旅行はもちろん、オーダーメイドにも対応している。一生に一度の感動の旅をプロデュースしてくれる頼れる存在。まずは気軽に問い合わせてみよう。

Israel
Jerusalem

イスラエル 「エルサレム」

35億人の聖地
歴史が築いた街

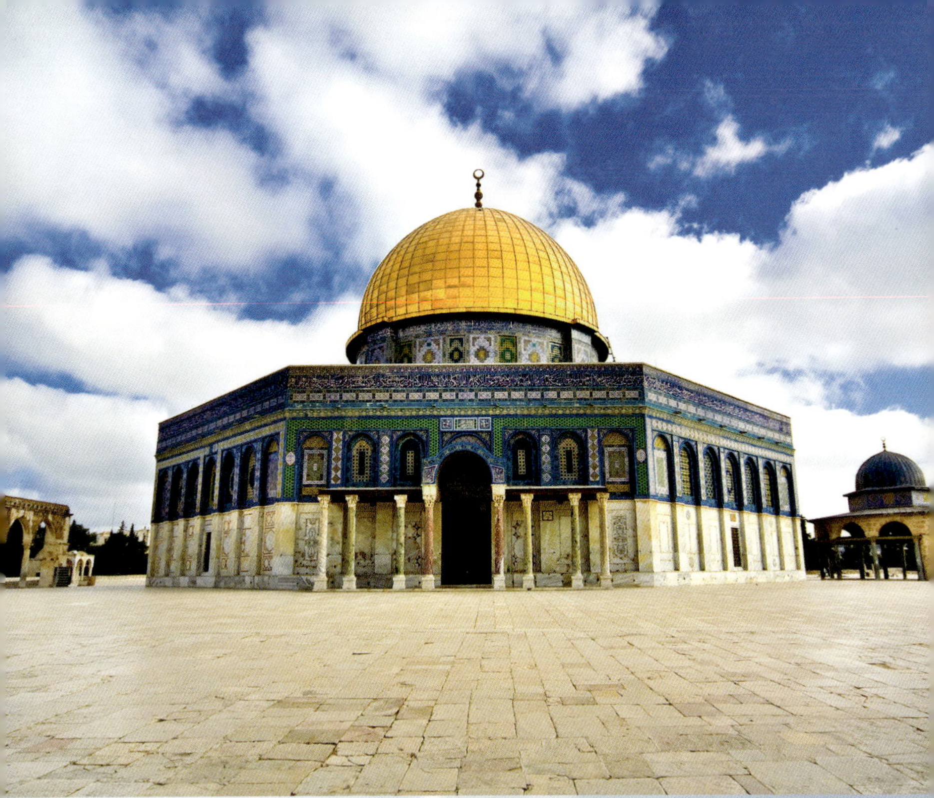

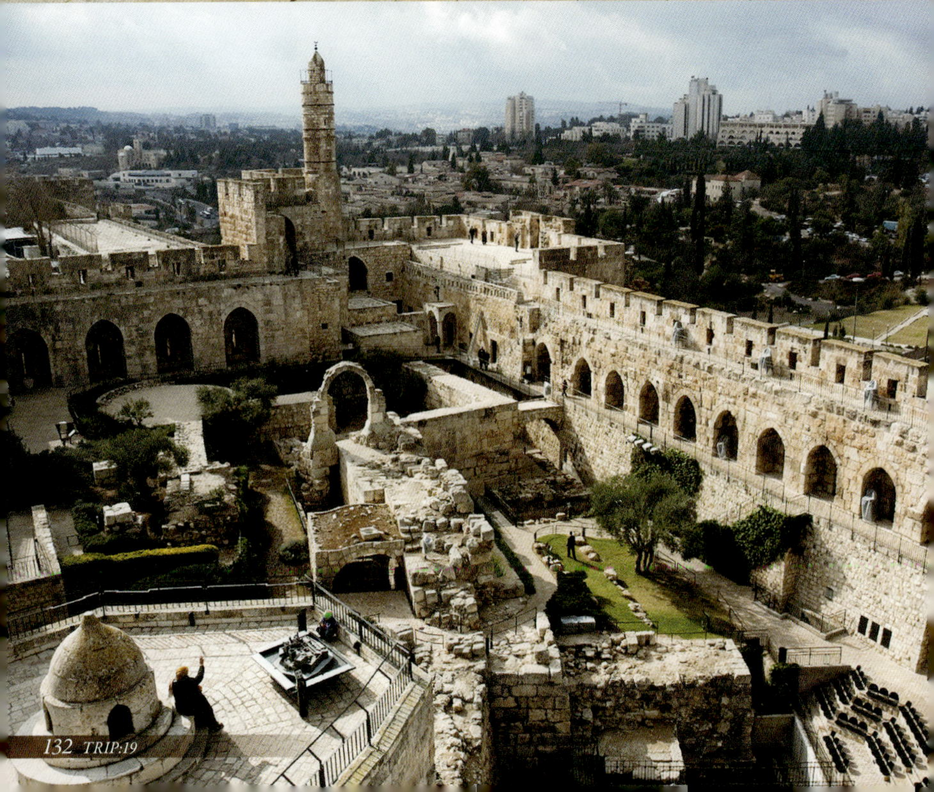

35億人の聖地
「エルサレム」

地中海に面するイスラエル。レバノン、シリア、ヨルダン、エジプト、パレスチナに囲まれた国だ。その中部にユダヤ教、キリスト教、イスラム教の三大宗教、すなわち世界の35億人の聖地、エルサレムはある。そこは東エルサレムと西エルサレムに分けられ、前者に世界遺産に登録されている旧市街が位置する。城壁に囲まれた1km四方ほどの旧市街はユダヤ教区、キリスト教区、イスラム教区、アルメニア人地区と4つの区画に分けられ、狭いながらも様々な民族が行き交い、また多様な文化が共存する世界でも類い希な街となっている。イスラム教第三の聖地で金色の屋根を持つ岩のドームや、エルサレム神殿の一部として現存する嘆きの壁、キリストが十字架を背負って歩いた悲しみの道ヴィアドロローサ、キリストが眠る聖墳墓教会、キリストが最後の晩餐を行ったとされる部屋、旧約聖書に登場しエルサレムを築いたダビデ王の墓など、見所も多い。カルドと呼ばれる世界最古のメインストリートや、活気溢れる市場を歩きながら街の空気を堪能したり、近郊にあるオリーブ山から旧市街を一望したり…。紀元前から続く歴史が詰まった別世界、エルサレムを堪能しよう。

Travel Information:19

35億人の聖地
エルサレム
Israel／イスラエル

MAP:

いくらかかる?
How much?
13万円〜
<大人1名分の総予算>

「旅の予算」は右頁「PLAN」の目安料金です。
内訳:
- 飛行機代
- 宿泊費
- 現地送迎
- 食事(朝3回)

※燃油サーチャージ除く

どうやって行く?
How to get there
約16時間
<片道の移動時間>
※空港等での待機時間含みます

日本からイスラエルまで直行便は運行していない。イスラエルの玄関口テルアビブへはトルコのイスタンブールやヨーロッパ1都市、韓国のソウルなどで乗り継いで行くことが一般的だ。成田〜イスタンブールは**約12時間**。イスタンブール〜テルアビブは**約2時間**。テルアビブからエルサレムまでは車で**約1〜2時間**。

いつがオススメ?
Best Season
4月〜6月
9月〜11月
<街歩きに適した時期>

街の散策には、暑い時期や寒い時期を避けた4〜6月、9〜11月が適している。真夏や真冬は避けた方が無難なので、上記の時期に訪れるのがオススメ。

この旅のヒント
Hint!
厳しい入出国手続きなどは旅行会社のバックアップがあった方が安心。

- 宗教施設に立ち寄る時は肌の露出を避けた服装を心がけよう。また女性の写真を撮影する時は、一言断ってから。
- イスラエルの入出国手続きは他国に比べ、かなり厳しい。荷物検査や渡航理由など多くのチェックがある。個人旅行で訪れることももちろん可能だが、安心なのは旅行会社のツアーなどバックアップがある状態。旅行会社を通して訪問するのがオススメだ。

PLAN 例えばこんな旅 この旅のプラン例／5日間

1日目	終日	成田発～イスタンブール乗り継ぎ～テルアビブ着【テルアビブ泊】
2日目	午前	エルサレムに移動
	午後	エルサレム【エルサレム泊】
3日目	終日	エルサレム【エルサレム泊】
4日目	午前	テルアビブに移動
	午後	テルアビブ発～イスタンブール乗り継ぎ～成田へ【機内泊】
5日目	午前	成田着

CHECK! この旅の要チェック!

✓ テルアビブ　　チェックポイント
イスラエル最大の都市。同国は首都をエルサレムと主張しているが国際社会が認めていない為、大使館や領事館などはテルアビブに集中している。白い建造物が多いことから白亜の街とも呼ばれていて美しい。

✓ エルサレム　　チェックポイント
宗教と歴史が詰まった旧市街は、路地を歩くだけでも歴史を感じ、また宗教というものを身近に感じることができる、まさに世界の縮図ともいえる街だ。街ではファラフェルと呼ばれるコロッケなどの食べ歩きも楽しい。紀元前より続く、エルサレムの今にふれよう。

+1 新市街　　プラス1日あったら?
ヨーロッパの薫り漂う新市街では、ショッピングを楽しめるベンヤフダ通りを散策してみよう。また、2000年前の聖書が展示されているエルサレム博物館やナチスによるホロコーストの犠牲者を追悼するヤド・ヴァシェム記念館も訪れたい。

+1 マサダ、死海　　プラス1日あったら?
エルサレムから車で約2時間の所に位置するマサダ。死海のほとりに聳える世界遺産に登録された岩山の要塞で、ロープウェイで登ることができる。また塩分濃度の高い死海では浮遊体験をぜひ。これらは、合わせて1日で行くことができる。

+1 イスタンブール　　プラス1日あったら?
乗り継ぎ地で1日遊ぶのもオススメ。ブルーモスクを始め、ビザンチン建築の最高傑作アヤソフィアや、宝石や陶器、武器などが展示されている世界屈指の博物館トプカプ宮殿、数千もの店舗が軒を連ねる商店街グランド・バザールなど、見所が多い。

旅の相談と手配先は?

【西遊旅行】　▶ www.saiyu.co.jp

シルクロード、ブータン、アフリカ、海外登山…と、幾つもの魅力的なツアーを扱う、秘境ツアーのパイオニア、西遊旅行。パッケージ旅行も魅力だが、オーダーメイドも手配OK。最新の現地の情報も教えてくれるので、気軽に連絡してみよう。

Taiwan
Jiufen

台湾 「九份」

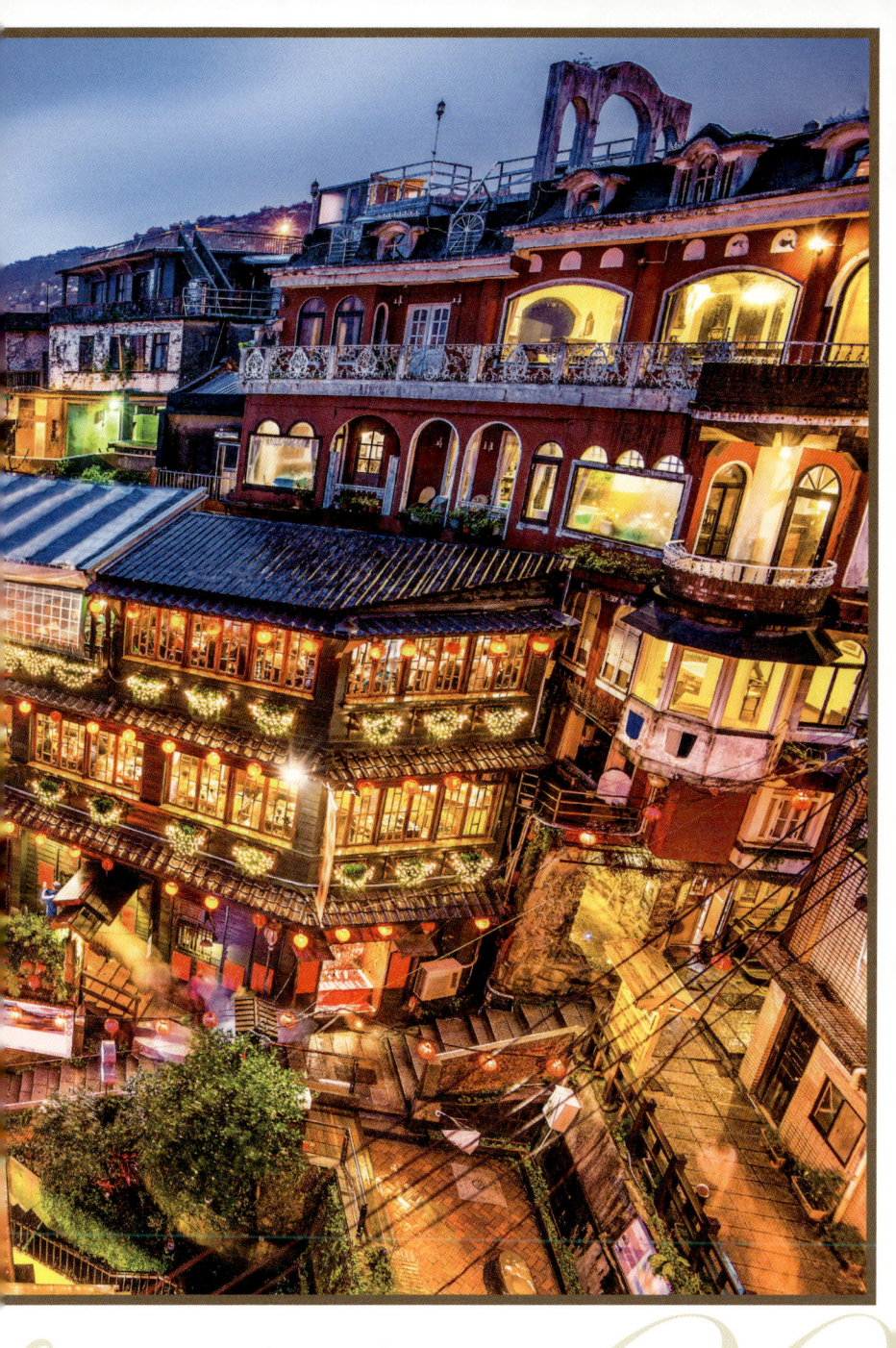

漂うレトロな雰囲気
現代に残るノスタルジックな古き町並み

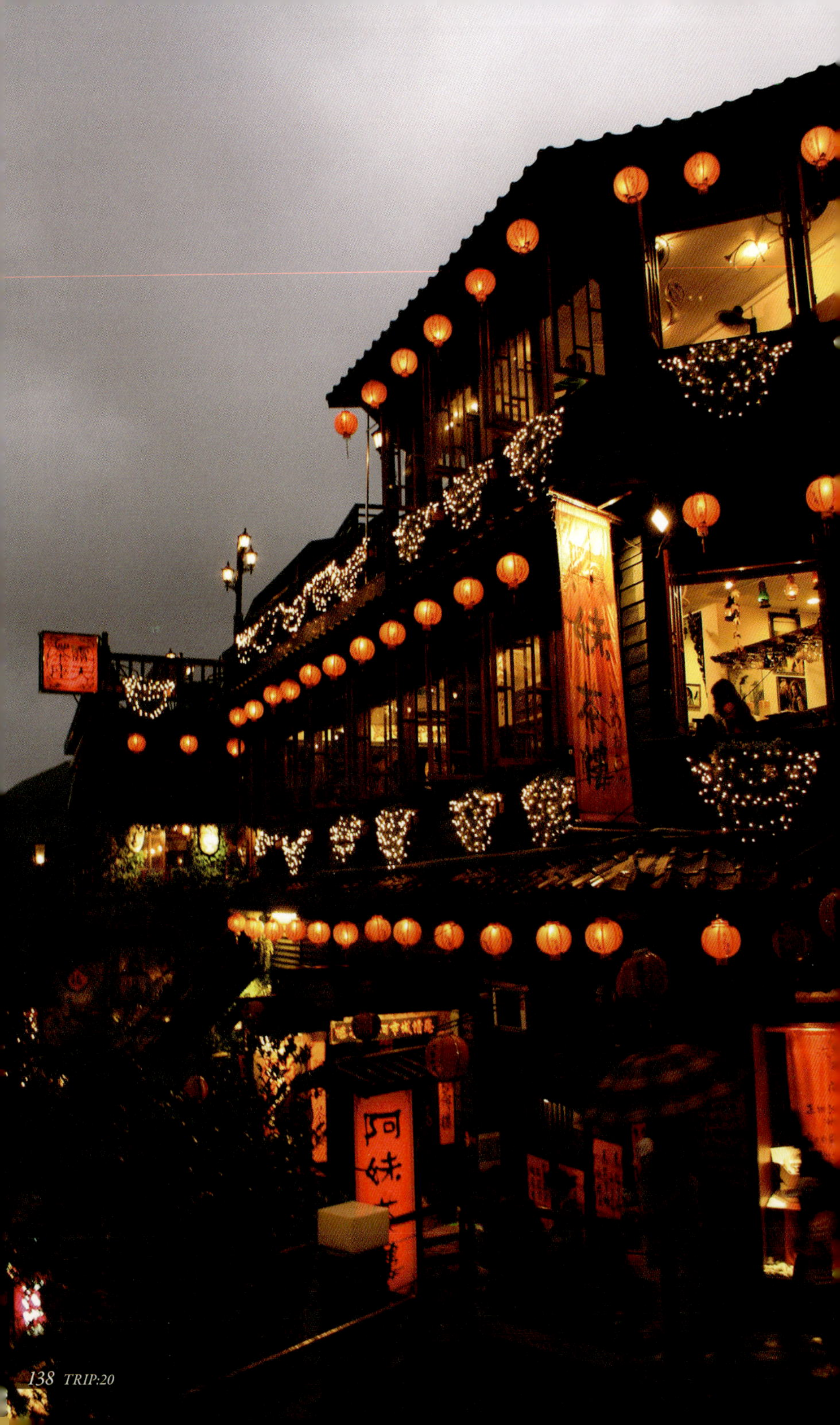
妹茶樓
阿妹

昭和レトロな町並み
「九份」
きゅうふん

台湾北部、新北市の山あいにある九份。19世紀末、金の採掘によって発展するものの、採掘量の減少に伴い、次第に光の当たらない過疎の町になった。しかし1989年、映画『非情城市』のロケ地となったことで、多くの台湾人が訪れるようになり、再び活気を取り戻した。その後、2001年に公開された映画『千と千尋の神隠し』の舞台と言われるようになると、日本からも多くの人々が訪れるようになった。映画によって復活を遂げた町と言っても過言でないが、レトロな空気が漂う町並みや軒下に連なる赤提灯、階段が続く細い小道…と、それら情緒ある風景が残っていたことが活気を取り戻した最大の要因だろう。昼は台湾料理を堪能しながら喧噪に満ちた石畳の町を歩き、夜は提灯が放つ淡い灯を頼りに夜風にあたろう。また、九份観光の拠点となる台北も同時に楽しみたい。台北観光で外せない忠烈祠や中世記念堂、故宮博物院、台北101などを訪れたり、美食の宝庫として賑わう夜市を食べ歩いてみよう。斜面に築かれたノスタルジックな魅力に満ちる台湾の古き町並みと、活気と喧噪に満ちた台北の街を歩く。距離的にも気軽に行くことができる旅先のひとつ、台湾を満喫しよう。

Travel Information:20

昭和レトロな町並み
九份

Taiwan
／台湾

MAP：

いくらかかる？
How much?
7万円〜
<大人1名分の総予算>

「旅の予算」は
右頁「PLAN」の目安料金です。
内訳：
● 飛行機代
● 宿泊費
● 食事(朝4回)
※現地送迎、燃油サーチャージ除く

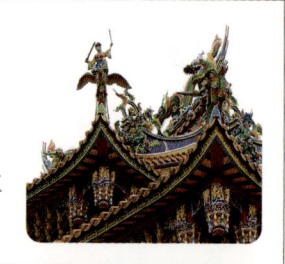

どうやって行く？
How to get there
約5時間
<片道の移動時間>
※空港等での待機時間含ます

成田から台湾の玄関口台北まで直行便が運行している。成田〜台北は約3時間30分。台北から九份までは車で約1時間15分。

いつがオススメ？
Best Season
10月〜11月
<街歩きに適した時期>

沖縄本島よりも南に位置する台湾は、1年を通じて温暖な気候だ。1年中観光は可能だが、夏(5〜9月)が長い為、暑さが和らぐ10、11月がベストシーズンと言える。次にオススメなのは春(3、4月)で、天候によって肌寒いこともあるが町歩きには適したシーズン。

この旅のヒント
Hint!
台湾の観光スポットは日本語の看板も多いので安心して散策できる。

● 台湾観光は観光スポット以外にもショッピングやエステ、マッサージなど多様な角度から楽しむことができる。また日本語の看板も多いので、安心して散策することが可能だ。移動はMRTという電車やタクシーが便利。特にタクシーは日本と比較するととても安いので気軽に使いやすい存在だ。

例えばこんな旅
PLAN
この旅のプラン例／5日間

1日目	午前	成田発～台北着	5日目	午前	台北
	午後	九份に移動【九份泊】		午後	台北発～成田着
2日目	終日	九份【九份泊】			
3日目	午前	台北に移動			
	午後	台北(忠烈祠、中正記念堂など)			
	夜	夜市【台北泊】			
4日目	午前	台北(故宮博物院、台北101など)			
	午後	台北			
	夜	夜市【台北泊】			

この旅の要チェック！
CHECK!

✓ 九份　　　　　　　　　　　　　　チェックポイント
飲食店や土産屋が所狭しと並ぶ九份。気ままに歩くことが最大の楽しみ方だが、一息つきたい時には、茶芸館で台湾茶のティータイムを過ごそう。茶葉をはじめ急須などの茶器を購入することもできる。多様な茶葉があるので、飲み比べしてみるのもオススメだ。

✓ 台湾観光1　　　　　　　　　　　チェックポイント
国の為に殉職した烈士33万人が祀られている忠烈祠。中華民国の初代総統である蒋介石を忍んで建てられ、台湾を代表する建築物でもある中正記念堂。どちらも衛兵交代を見ることができることでも知られている。

✓ 台湾観光2　　　　　　　　　　　チェックポイント
世界四大博物館のひとつとして数えられ、70万点近くのお宝がある故宮博物院。すべて見るには10年以上かかるとも言われている展示数の豊富さが魅力だ。また、高さ509.2mの台北101の89階にある展望台からは台湾を一望できる絶景が広がる。

✓ 夜市　　　　　　　　　　　　　　チェックポイント
台湾の夜に繰り出したいのが、市内に大小10以上も存在する夜市。連日、安くて美味しい食事を求める家族や観光客で賑わっている。中でも台湾最大の士林(シーリン)夜市は必ず訪れたい。飲食店の他にも服や靴、雑貨なども並ぶ為食後も楽しめる。

✗ 台湾料理　　　　　　　　　　　　　　　食事
豚をはじめとした肉料理やエビを中心とした海鮮料理。味は多少濃いものの、美味しい家庭料理といった感じで日本人の口にも合うと評判が高い。麺類も各種揃うが、台湾家庭料理の王様とも呼べる豚肉を白米にのせた豪快な魯肉飯(ルーローファン)は外せない。

[H.I.S.]　▶ www.his-j.com

旅の相談と手配先は？
広範囲に渡って世界中に支店を持つ旅行会社。その手配範囲の広さとリーズナブルな金額設定が魅力的だ。日本全国にあるH.I.S.の営業所にて旅の相談や手配が可能なので、まずは気軽に問い合わせしてみよう。また台北にも支店があるので、とても心強い。

Taiwan 141

Greece
Mykonos Island

ギリシャ「ミコノス島」

青と白、風車が織り成す風景
エーゲ海に浮かぶ白い宝石

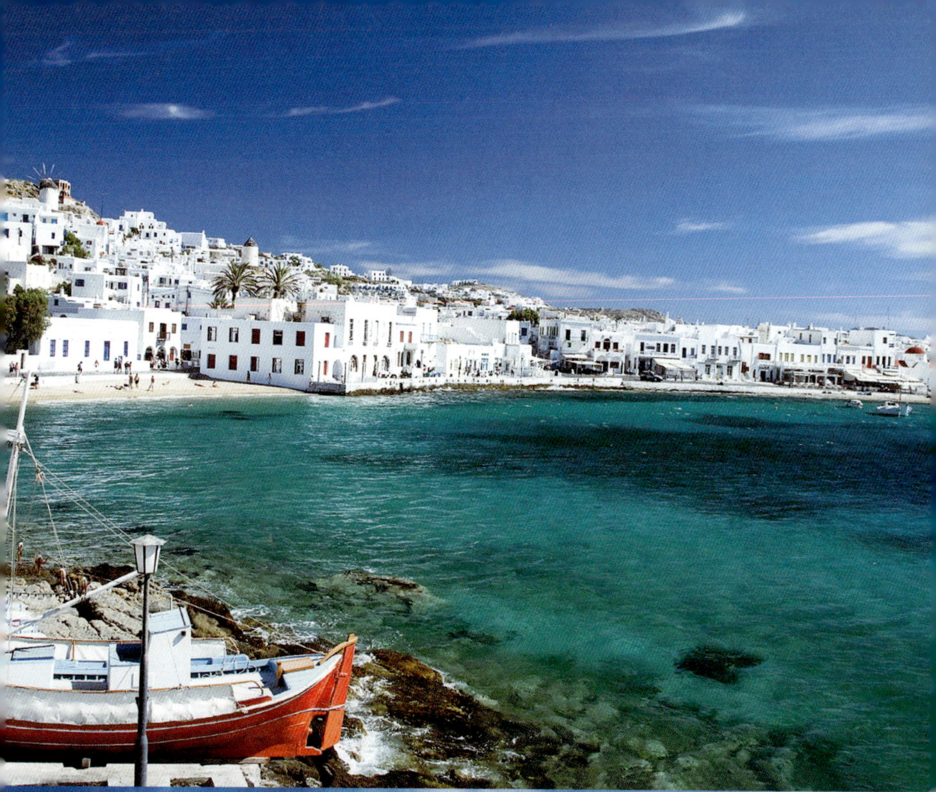

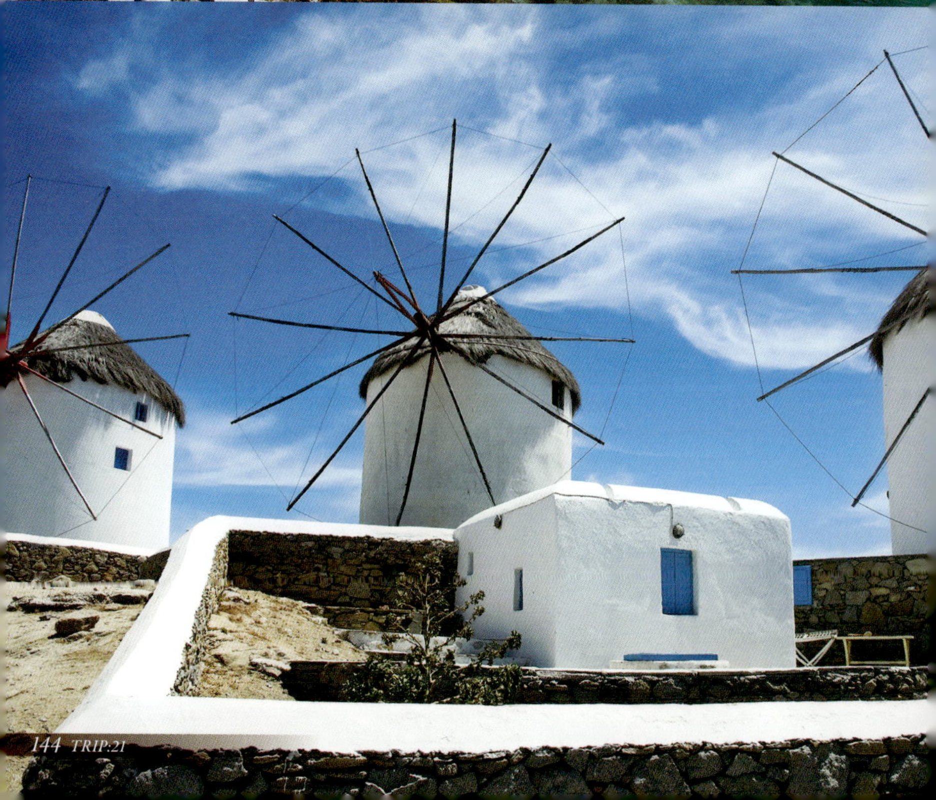

エーゲ海に浮かぶ白い宝石
「ミコノス島」

ギリシャの首都アテネ。その南東約150km、多島海と呼ばれるほど多くの島々が点在するエーゲ海にミコノス島は浮かんでいる。最大の魅力は、青い空と海に包まれるように連なる白壁の家々と、丘の上に建ち並ぶ可愛い風車が織り成す美しい風景。加えて迷路のような路地や大小300以上ものギリシャ正教会、町中に敷かれた石畳、咲き乱れるブーゲンビリア…。どの部分を切り撮っても絵になる希有な町だ。また町並みのみならず、島南部に点在する白砂が広がるビーチも人気が高い。中でも「スーパー・ビーチ・パラダイス」は、ヌーディストビーチである上に、半分はゲイ専用のビーチになっていることで世界的に有名だ。もちろん、ゲイに限らず、老若男女誰でも透き通る海とホワイトサンドを楽しむことができる。島の中心となるのは西部に位置するミコノスタウン。お洒落なショップが白い家々に違和感なく溶け込み「エーゲ海の島々の中で最も洗練された島」と呼ばれていることにも納得できるだろう。町を散策し、海で遊び、ギリシャ語で"レストラン"を指す「タベルナ」で腹を満たし、ミコノスタウンからサンセットを眺め、パブやクラブでナイトライフを楽しむ…。「エーゲ海に浮かぶ白い宝石」と称されるほど輝かしい島で、一日中遊び尽くそう。

Travel Information:21

エーゲ海に浮かぶ白い宝石
ミコノス島
Greece／ギリシャ

MAP:

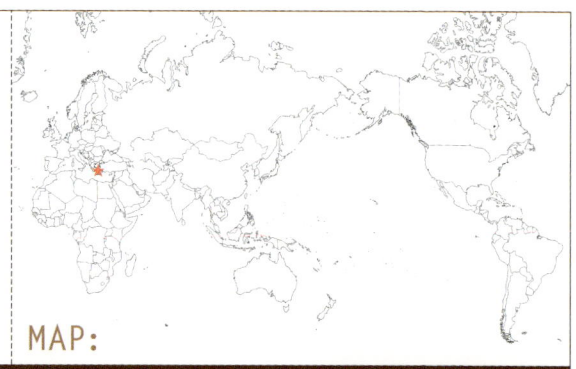

いくらかかる？
How much?
17万円〜
〈大人1名分の総予算〉

「旅の予算」は右頁「PLAN」の目安料金です。
内訳：
- ●飛行機代
- ●宿泊費
- ●現地送迎
- ●食事（朝2回）
※燃油サーチャージ除く

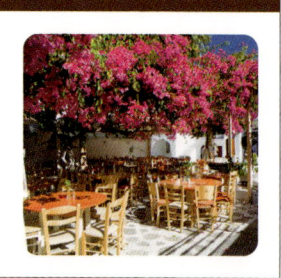

どうやって行く？
How to get there
約17時間
〈片道の移動時間〉
※空港等での待機時間含みます

日本からギリシャの玄関口、アテネまでの直行便はない。アラブ首長国連邦のドバイやアブダビ、またはヨーロッパ1都市での乗り継ぎが必要になる。また、アテネからミコノス島までは国内線で移動する。成田〜ドバイは**約11時間15分**、ドバイ〜アテネは**約5時間**、アテネ〜ミコノス島は**約35分**。

いつがオススメ？
Best Season
6月〜9月
〈街歩きに適した時期〉

6〜9月がハイシーズン、10〜5月はローシーズンとなる。一般的に6〜9月が海水浴に適した気候と言われているが、6月と9月は肌寒くなることも。夏場の気温は30℃を超えることもあるが、乾燥している為、快適に過ごすことができる。

この旅のヒント
Hint!
島内の移動は道が狭い為、レンタルバイクが便利だが運転には注意を！

- ●ミコノス島には幾つもビーチがある。ヌーディストビーチと言われる場所も、必ずしも裸にならなければならない訳ではないので、気軽に行ってみよう。でも解放感を味わいたい人は、ぜひトライを！
- ●移動手段は狭い道が多い為、レンタルバイクが便利。国際免許証があれば借りることができる。ただし、日本と異なり右側通行なので運転には充分注意を。

例えばこんな旅 PLAN　この旅のプラン例／5日間

1日目	夜	成田発〜ドバイ、アテネ乗り継ぎ〜ミコノス島へ【機内泊】
2日目	夕方	ミコノス島着【ミコノス島泊】
3日目	終日	ミコノス島【ミコノス島泊】
4日目	終日	ミコノス島発〜アテネ、ドバイ乗り継ぎ〜成田へ【機内泊】
5日目	午後	成田着

この旅の要チェック！ CHECK!

✓ ミコノスタウン　　チェックポイント

こぢんまりとしているが、世界中から旅行者が訪れるだけあって快適に滞在ができる。安宿からラグジュアリーなものまで選択肢が広いのも嬉しい。ショッピングもクオリティーの高いものが多く、レザープロダクツなども購入が可能だ。

✓ ギリシャ正教会　　チェックポイント

86km²という小さい面積の島だが、300以上もの教会がある。中でも5つの礼拝堂から構成されたパラポルティアニ教会が代表的な存在だ。青空に向かって伸びる真っ白なフォルムが特徴的で美しい。

✗ ギリシャ料理　　食事

隣のイタリアとトルコに強い影響を受けているギリシャ料理。ミコノス島は四方を海に囲まれているので新鮮なシーフードを堪能することができる。魚はもちろんやエビ、タコ、イカ、ウニなども盛りだくさん。本場の味を堪能しよう。

+1 デロス島　　プラス1日あったら？

ミコノス島から船で約1時間。そこには、紀元前5世紀頃からの古代ギリシャ、古代ローマ時代の遺跡が多く残る世界遺産に登録された島がある。1世紀後半から長期に渡って放置され無人島となっていたが、現在ではその遺跡を見学しに多くの人が訪れるようになった。

+1 アテネ　　プラス1日あったら？

西洋文明発祥の地ギリシャには世界遺産が17件もある。特に首都アテネのアクロポリスは有名だ。アクロポリスの丘には、女神アテーナーを祀るパルテノン神殿や美しい女神が並ぶエレクティオン神殿など。一生に一度は訪れたいアテネのスポットだ。

旅の相談と手配先は？　[エス・ティー・ワールド]　▶ stworld.jp

日本を拠点としながらも、世界中にネットワークを持つ旅行会社。旅の日数や宿も含め、色々とアレンジできるので、まずは気軽に相談してみよう。豊富な種類のパッケージ旅行も魅力だ。

Iran
Kandovan

イラン 「キャンドバーン」

連なる奇岩をくり抜いた家
圧倒的な存在感を放つ村

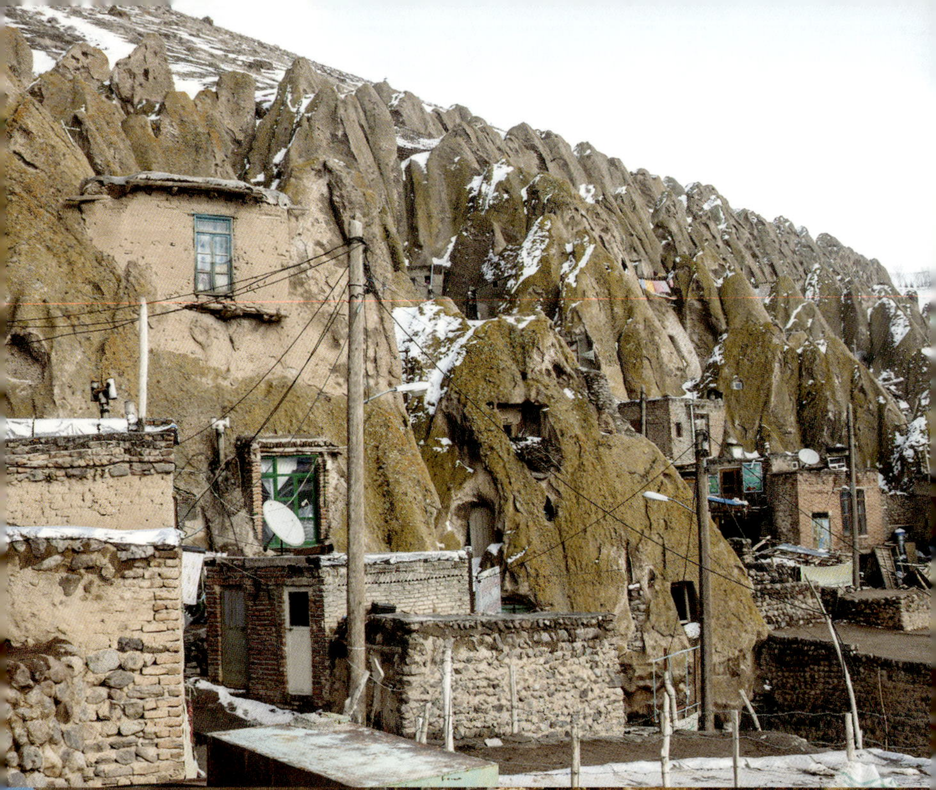

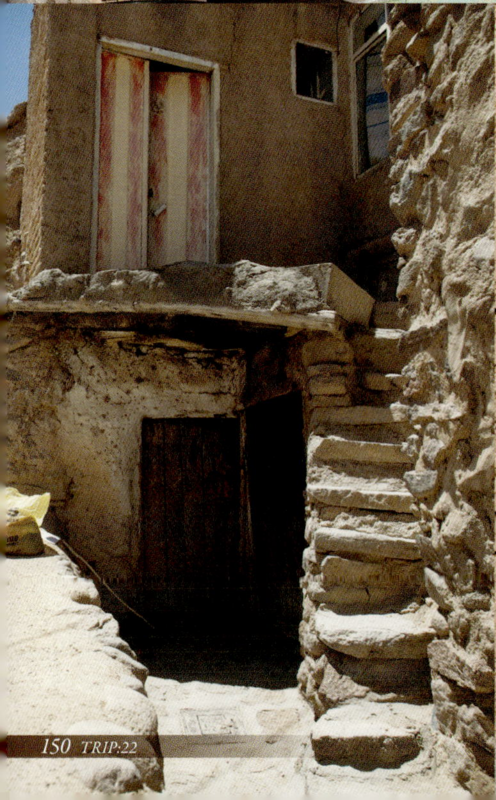

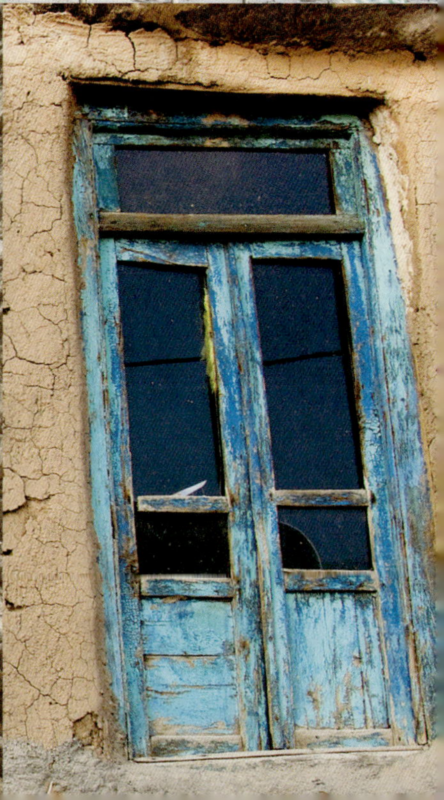

連なる奇岩をくり抜いた家
「キャンドバーン」

トルコ、パキスタン、イラク、アフガニスタンなどに囲まれたイラン。豊かな歴史を誇り、多くの世界遺産を抱く国だ。

その北部に位置する政治、経済、文化、宗教の中心地である首都テヘランの北西約750km。そこにある同国第4の都市タブリーズの更にその南、約50kmの地点にキャンドバーンはある。この村の最大の特徴は、トルコのカッパドキアを彷彿させる円錐形の奇岩をくり抜いて住居にしていること。現在でも数百人が暮らすこの住居は、地球上で最もエネルギー効率が高い住宅のひとつと言われ、その奇岩がもたらす断熱効果が暮らしを快適にしているのだ。

家と家を縫うように繋がる小路には、人々の生活に欠かせないロバやニワトリが歩き回り、岩をくり抜いて作られた窓を見上げれば、洗濯物が風に揺れている。

素朴な雰囲気に満ちたキャンドバーン。700年以上もの歴史を刻んできた世界的にも珍しい光景を放つこの村は、訪れたものを一瞬にして別世界へと誘う。

Travel Information:22

連なる奇岩をくり抜いた家
キャンドバーン

Iran ／イラン

MAP:

いくらかかる？
How much?
19万円〜
<大人1名分の総予算>

「旅の予算」は
右頁「PLAN」の目安料金です。
内訳：
- 飛行機代
- 宿泊費
- 現地送迎
- 食事(朝3回)

※燃油サーチャージ除く

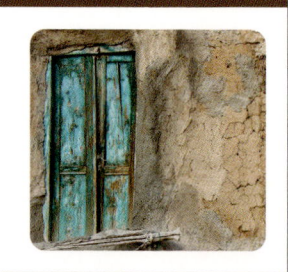

どうやって行く？
How to get there
約18時間
<片道の移動時間>
※空港等での待機時間含まず

日本からイランまで直行便は運行していない。イランの玄関口テヘランへはトルコのイスタンブールやアラブ首長国連邦のドバイなどで乗り継いで行くことが一般的だ。成田〜イスタンブールは**約12時間15分**、イスタンブール〜テヘランは**約3時間**。テヘランからキャンドバーン最寄りのタブリーズまでは国内線で**約1時間30分**。タブリーズからキャンドバーンまでは車で**約1時間**となる。

いつがオススメ？
Best Season
3月〜5月
10月〜11月
<街歩きに適した時期>

日本と同様に四季がある。夏は気温も湿度も高く、冬は寒い。その為、**春(3月後半〜5月)** と**秋(10、11月)** がベストシーズンとなる。標高が高いので朝晩冷え込むことがある。防寒着を1枚持参しよう。

この旅のヒント
Hint!
イスラム教徒が多い街では、女性も男性も肌の露出を抑えた服装を。

●イランにはイスラム教徒が多い。女性は髪をスカーフなどで隠し、また極力身体のラインが出ず、肌の露出を押さえた服装で行動しよう。また男性でも宗教施設などを訪問する際は、肌の露出を抑えた服装を心掛けよう。

例えばこんな旅 PLAN この旅のプラン例／5日間

1日目	朝	成田発〜イスタンブール乗り継ぎ〜テヘラン着【テヘラン泊】
2日目	午前	テヘラン発〜タブリーズ着
	午後	キャンドバーン【キャンドバーン泊】
3日目	終日	キャンドバーン
	夜	タブリーズ発〜テヘラン着【テヘラン泊】
4日目	終日	テヘラン発〜イスタンブール乗り継ぎ〜成田へ【機内泊】
5日目	午前	成田着

この旅の要チェック！ CHECK!

✓ テヘラン　　　チェックポイント
考古学博物館や絨毯博物館、宝石博物館、ガラス博物館など多くの博物館がある。イランの持つ豊かな歴史にふれることができる一方で、活気溢れるバザールなども見所のひとつ。イランを旅する場合、この街が拠点となる。

✓ タブリーズ　　　チェックポイント
太古の昔からアジアとヨーロッパの交易の中継地として栄えてきた街。街の中心にあるバザール（市場）は中東最古にして最大級のもので、世界遺産に登録されている。アーケードの中に、ペルシャ絨毯屋など7,000以上もの店舗が連なっている様は圧巻だ。

🛒 ペルシャ絨毯　　　ショッピング
一口にペルシャ絨毯と言っても値段は様々。大きさやデザイン、結び目の細かさなどによって金額が変わる。気に入ったデザインがあれば、表面だけでなく裏面も見てから購入しよう。本場なので他国の半額で買えると言われているが、値段交渉は必須。

+1 聖タデウス教会　　　プラス1日あったら？
タブリーズから日帰りで行くことができる、トルコ国境近くに位置する街マクー。そこから約20km西にある古代アルメニア人の教会だ。再建前に黒い石が外観に使われていたことから、別名「黒の教会」と呼ばれ、世界遺産に登録されている。

+1 イスタンブール　　　プラス1日あったら？
乗り継ぎ地での1日観光もオススメ。ブルーモスクを始め、ビザンチン建築の最高傑作アヤソフィアや、宝石や陶器、武器などが展示されている世界屈指の博物館トプカプ宮殿、数千もの店舗が軒を連ねる商店街グランド・バザールなど、見所が多い。

旅の相談と手配先は？ ［西遊旅行］　▶ www.saiyu.co.jp
シルクロード、ブータン、アフリカ、海外登山…と、幾つもの魅力的なツアーを扱う、秘境ツアーのパイオニア、西遊旅行。パッケージ旅行も魅力だが、オーダーメイドも手配OK。最新の現地の情報も教えてくれるので、気軽に連絡してみよう。

Turkey
Istanbul

トルコ「イスタンブール」

文明の十字路
東西の文化が融合した街

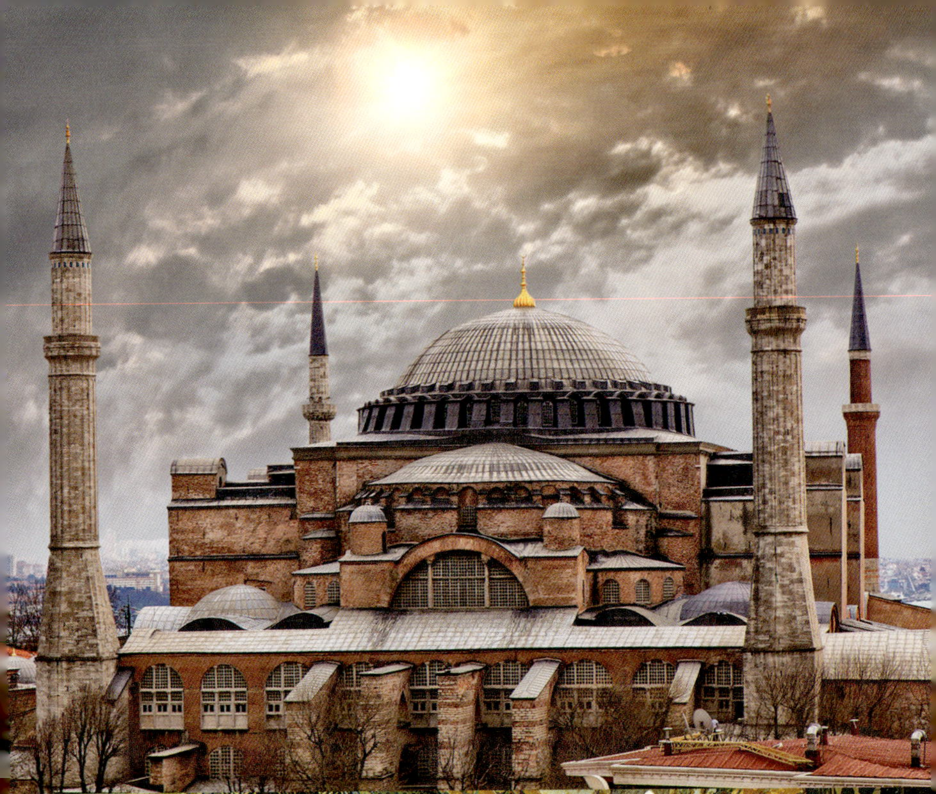

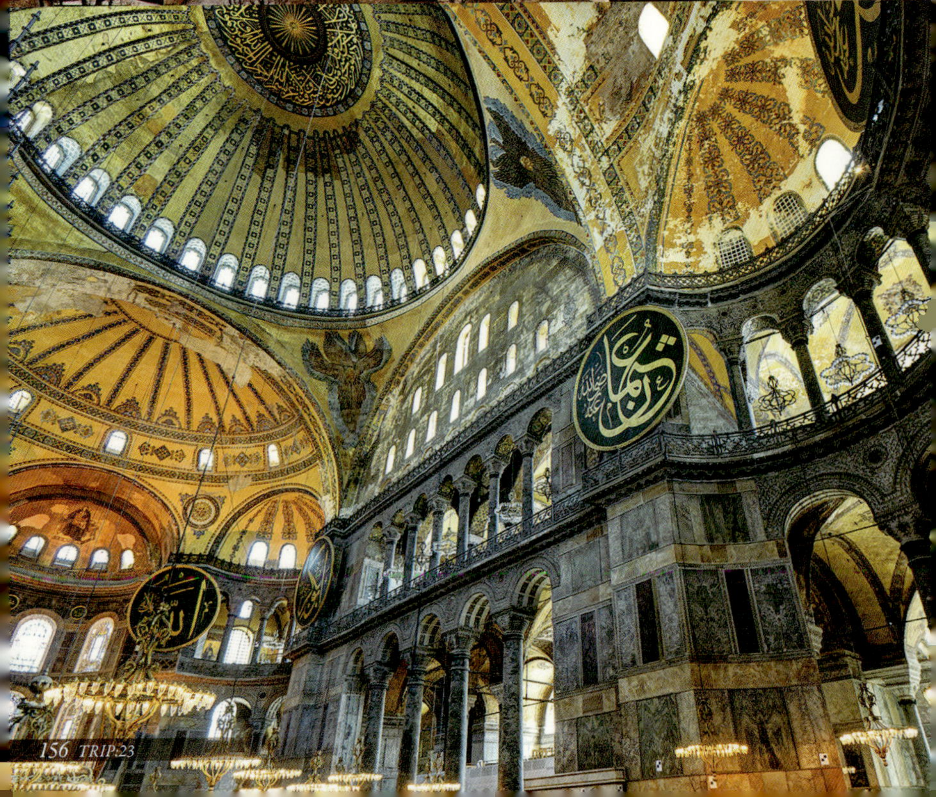

文明の十字路
「イスタンブール」

北は黒海に、南は地中海に通じるマルマラ海に面する国トルコ。その北西部に位置するのが、同国最大の都市イスタンブールだ。この街を縦断するボスポラス海峡の西側はヨーロッパ、東側はアジアとなり、東西の文化が融合した街としても知られ、文明の十字路と呼ばれている。

歴史地区として世界遺産に登録されているイスタンブール旧市街は、古い街並みはもちろん、他にも見所は満載だ。カバル・チャルシュという世界最大の屋根付き市場、グランドバザールには4,000軒以上もの店が並び、金細工や絨毯、帽子、靴、鞄など多種多様な物が売られている。また世界で唯一6本（通常は4本）のミナレットと呼ばれる塔に囲まれ、内外共に芸術性に富むブルーモスク、ビサンチン建築の最高傑作と称えられている博物館、アヤソフィア、長きに渡ってオスマン帝国の中心であったトプカプ宮殿など観光名所は盛り沢山。それらを訪れたり、美しく並ぶ石畳を闊歩したり、世界三大料理に数えられているトルコ料理に舌鼓を打ったり。東西の魅力が凝縮された異国情緒に溢れる街を歩き、歴史が育んだ文化にふれる。そんなエキゾチックな世界へと旅立とう。

Travel Information:23

文明の十字路
イスタンブール
Turkey／トルコ

MAP:

いくらかかる?
How much?
18万円〜
〈大人1名分の総予算〉

「旅の予算」は右頁「PLAN」の目安料金です。
内訳:
- 飛行機代
- 宿泊費
- 現地送迎
- 食事(朝3回)

※燃油サーチャージ除く

どうやって行く?
How to get there
約12.5時間
〈片道の移動時間〉
※空港等での待機時間含ます

成田からイスタンブールまで直行便が運行している。成田〜イスタンブールは**約12時間15分**。

いつがオススメ?
Best Season
4月〜9月
〈街歩きに適した時期〉

4〜9月が街散策にオススメのシーズン。7、8月は気温が高く晴れると日射しが強くなるが、乾燥しているので過ごしやすい。冬は曇ったり、雨が降ったりすることが多いので避けた方が無難だ。

この旅のヒント
Hint!
タクシーを有効活用すればイスタンブールを自由に周遊することも可能。

- イスタンブールにはタクシーが多いので、自身で周遊することも比較的簡単だ。また見所は旧市街に集中しているので、そこを中心に歩いてみよう。
- イスラム教徒が多い国だが、比較的戒律は緩い。しかし、宗教施設などを訪れる場合は肌の露出を抑えた服装で訪れる方が無難。上着を1枚持参していこう。

例えばこんな旅 PLAN　この旅のプラン例／5日間

1日目	終日	成田発～イスタンブール着【イスタンブール泊】
2日目	終日	イスタンブール【イスタンブール泊】
3日目	終日	イスタンブール【イスタンブール泊】
4日目	午前	イスタンブール
	午後	イスタンブール発～成田へ【機内泊】
5日目	午前	成田着

この旅の要チェック！ CHECK!

✓ アヤソフィア　　　　　チェックポイント
建造時は教会として建てられたが、その後モスクへと改装され、さらには無宗教の博物館へと転用された歴史を持つ。ビサンチン建築の最高傑作と呼ばれ、6世紀に建てられたとは思えないほどの美しさと巨大さを併せ持つ。イスタンブール最大の見所のひとつ。

✓ トプカプ宮殿　　　　　チェックポイント
オスマン帝国時代の君主が居住していた宮殿で、現在は世界でも屈指の博物館として公開されている。宝石や陶器、武器などのコレクションが展示されていて見応えがある。ここからヨーロッパとアジアを隔てるボスポラス海峡を見渡すことが可能だ。

✗ トルコ料理　　　　　食事
世界三大料理に数えられているトルコ料理。日本でも多く見られる肉の串焼き「ケバブ」や羊や牛などの肉を使ったトルコ風ハンバーグ「キョフテ」、レンズ豆のスープなど、どれも日本人の口にも合いやすい味だ。またトルコならではの伸びるアイス「ドンドルマ」も是非。

+1 パムッカレ　　　　　プラス1日あったら？
イスタンブールから国内線で約1時間30分の場所に位置する世界遺産。綿の城という意味を持つパムッカレには、真っ白な石灰棚が広がっている。湧き出る温泉に足を入れながら楽しむ事ができるトルコの名所。近郊にはローマ帝国時代の遺跡も残っている。

+1 カッパドキア　　　　　プラス1日あったら？
イスタンブールから国内線で約1時間の場所に位置する世界遺産。世界最大規模の奇岩が無数に存在する絶景が広がっている。日帰りで訪れることも可能だが、見所が点在しているので、可能であれば1泊2日で訪れたい。宿泊はカッパドキア特有の洞窟ホテルがオススメ。

旅の相談と手配先は？ [H.I.S.]　▶ www.his-j.com
日本全国にあるH.I.Sの営業所にて旅の相談や手配が可能だ。トルコにも支店があるので、現地入りしてから困ったことなどがあった場合、すぐに連絡できるので心強い。日本でも、現地でも頼りになる旅行会社だ。

Switzerland
Bern

スイス 「ベルン」

三方を囲む豊かな水
ヨーロッパで最も美しい緑と花の街

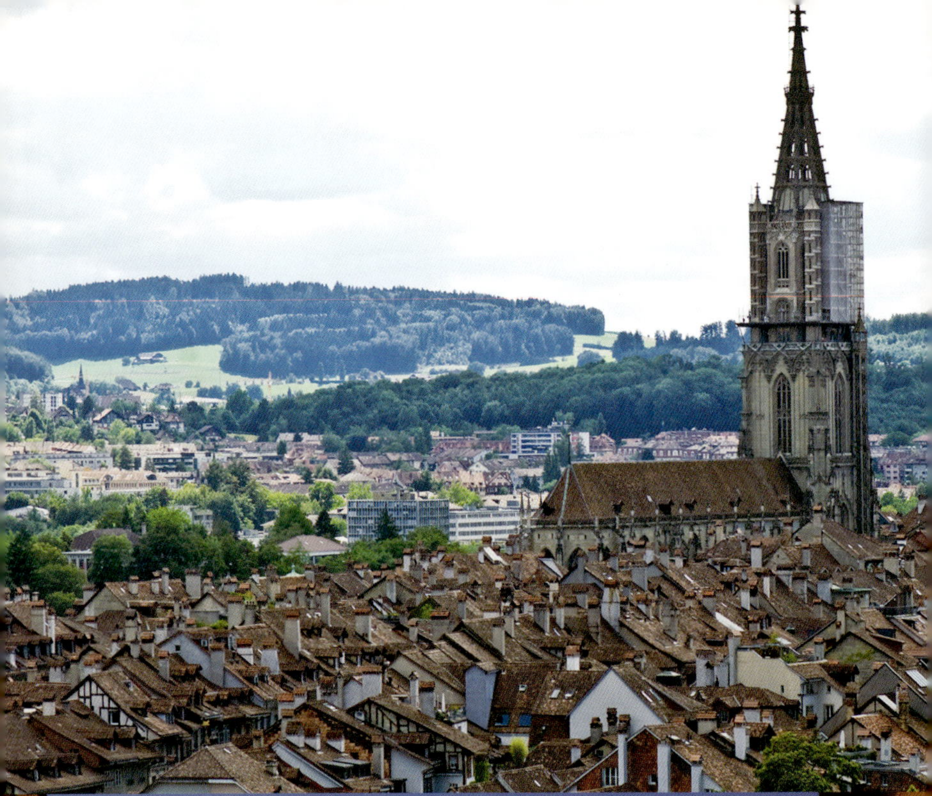

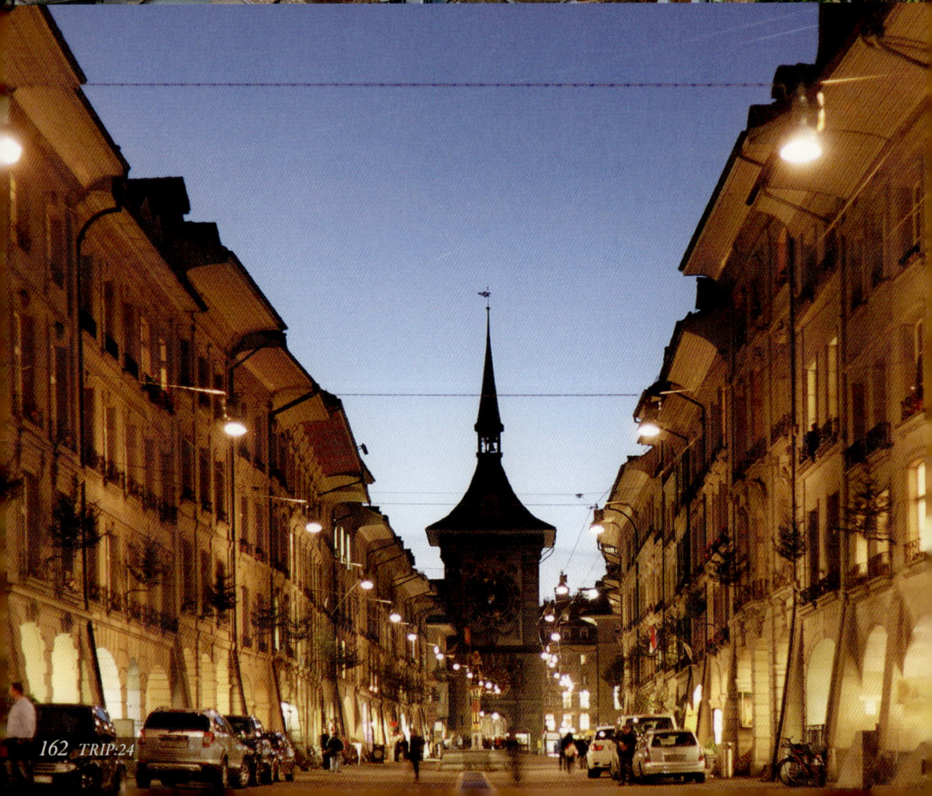

ヨーロッパで最も美しい緑と花の街
「ベルン」

東にリヒテンシュタイン、西にフランス、南にイタリア、北にドイツと四方を他国に囲まれた内陸国スイス。同国最大の都市チューリッヒの南西に、「熊」を意味する名を授けられた首都ベルンがある。12世紀、ベルヘルト5世によって、U字形に湾曲するアーレ川に囲まれた地に築かれた街だ。建ち並ぶ石造りの旧市街は世界遺産に登録され、中世のそのままの風景が残っている。最大の特徴はヨーロッパ最長と言われている全長約6kmのアーケード。1階部分の天井がアーチ型になっている為、"雨でも傘要なしで買い物ができる"というものだ。他にも1時間ごとに黄金の鶏、砂時計を持った男、金色のハンマーが時を告げる時計塔や、連邦議事堂前にある中世から続くマーケット、高さ100mもの尖塔を持つスイス最大の大聖堂、街中に点在する趣向を凝らした噴水など見所が多い。また中世の街並みだけでなく外からの眺めも素晴らしいのがこの街。近郊にある丘の上のローズガーデンに登れば、赤茶色の屋根が並ぶ旧市街とアーレ川を一度に望むことができるのだ。街の1/3が緑に覆われ、また家々の軒先など様々な場所に飾られる花々によって、ヨーロッパでもっとも美しい緑と花の街とも言われているベルンへ。

Switzerland

Travel Information:24

ヨーロッパで最も美しい緑と花の街
ベルン

Switzerland／スイス

MAP:

いくらかかる？
How much?
17万円〜
〈大人1名分の総予算〉

「旅の予算」は右頁「PLAN」の目安料金です。
内訳：
- ●飛行機代
- ●宿泊費
- ●食事(朝3回)

※現地送迎、燃油サーチャージ除く

どうやって行く？
How to get there
約14時間
〈片道の移動時間〉
※空港等での待機時間含みます

成田からスイス最大の都市チューリッヒまで直行便が運行している。成田〜チューリッヒは**約12時間30分**。チューリッヒからベルンまでは急行列車で**約1時間15分**。

いつがオススメ？
Best Season
5月〜9月
〈街歩きに適した時期〉

5〜9月がベストシーズン。特に5月は新緑と咲き誇る花々が美しい。その時期の気温は20℃前後と過ごし易いが、上着は必携。他の時期はとても冷え込むので、避けた方がいいだろう。

この旅のヒント
Hint!
物価の高いスイスでは滞在費を多少多めに準備しておこう。

●世界一物価が高いと言われるスイス。食事やコーヒー、紅茶などが高い一方で、ビールやワインは安い場合も多い。物価は物によって異なるので、平均すると日本と同水準とも言える。観光客が訪れる場所はやはり高いところが多いので、少々多めの滞在費を準備していこう。

例えばこんな旅
PLAN
この旅のプラン例／5日間

1日目	終日	成田発～チューリッヒ着、ベルンに移動【ベルン泊】
2日目	終日	ベルン【ベルン泊】
3日目	終日	ベルン【ベルン泊】
4日目	午後	チューリッヒに移動
	午後	チューリッヒ発～成田へ【機内泊】
5日目	午前	成田着

この旅の要チェック！
CHECK!

✓ ベルン　　　チェックポイント
近代的なガラス張りのベルン中央駅から延びるシュピタール通りが、この街のメインストリート。ブロックごとにその名前を変えていくという変わった通りでもある。この道を進んでいくと中心地となるベーレン広場や噴水、時計塔、大聖堂などに行くことができる。

✓ 大聖堂　　　チェックポイント
尖塔を抱く大聖堂には300段ほどの階段が備わり、登ることができる。展望所からは旧市街とアーレ川に架かる橋などを一望できる。また大聖堂の正面を飾る「最後の審判」のレリーフには天国と地獄が精巧に描かれていて、見応えがある。

✓ アインシュタインハウス　　　チェックポイント
「光量子仮説」、「ブラウン運動の理論」、「特殊相対性理論」。ベルンに滞在していたアルベルト・アインシュタインが、1905年、わずか1年の間に発表したものだ。彼がそれらを研究し書き上げた部屋が、現在は記念館になっていて、見学が可能だ。

+1 チューリッヒ　　　プラス1日あったら？
スイス最大の都市チューリッヒは「世界で最も住居に適した都市」、「ヨーロッパで一番裕福な都市」と言われている。美術館や博物館、個性的なショップが並ぶ通りニーダードルフ、目抜き通りのバーンホフシュトラッセ、オペラハウスなどがある。

+1 インターラーケン　　　プラス1日あったら？
スイス観光の中でも人気の町のひとつ。最高の見所はユングフラウ山。雪をまとって佇む姿は美しく、町のどこからでも眺められる。メインストリートには高級ホテルやカジノが並び賑やか。高山植物園ではエーデルワイスを始め何百種類もの花々を見ることができる。

旅の相談と手配先は？

[H.I.S.]　▶ www.his-j.com
日本全国にあるH.I.Sの営業所にて旅の相談や手配が可能だ。トルコにも支店があるので、現地入りしてから困ったことなどがあった場合、すぐに連絡できるので心強い。日本でも、現地でも頼りになる旅行社だ。

Switzerland

Nepal
Kathmandu

ネパール 「カトマンズ」

南アジアに残る中世
神々の住まう街

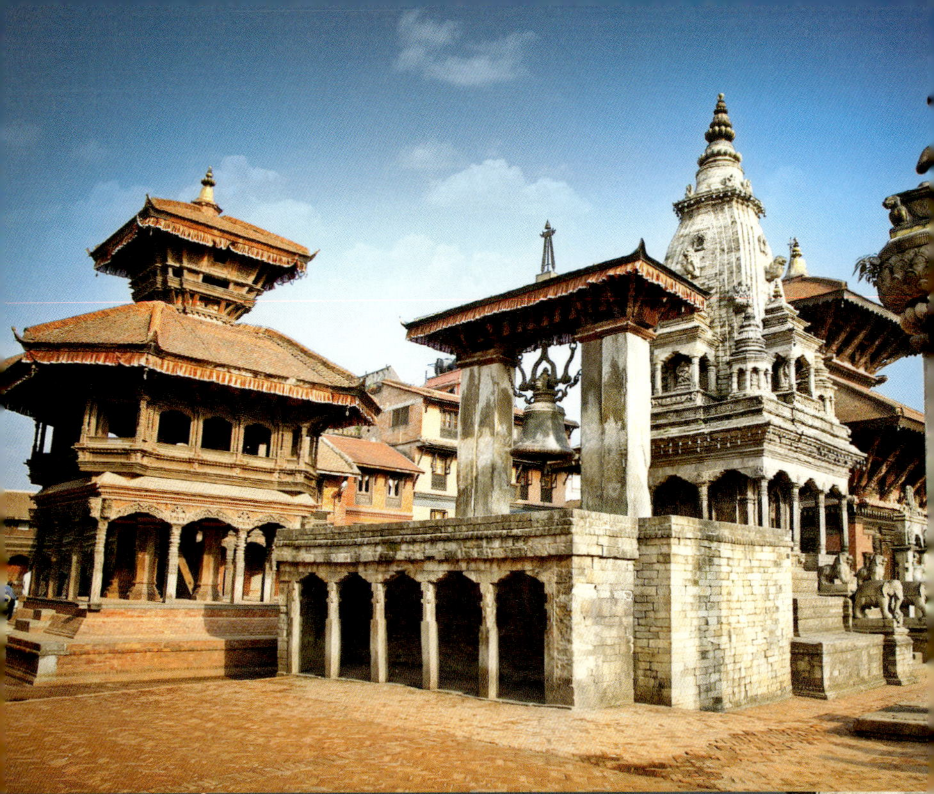

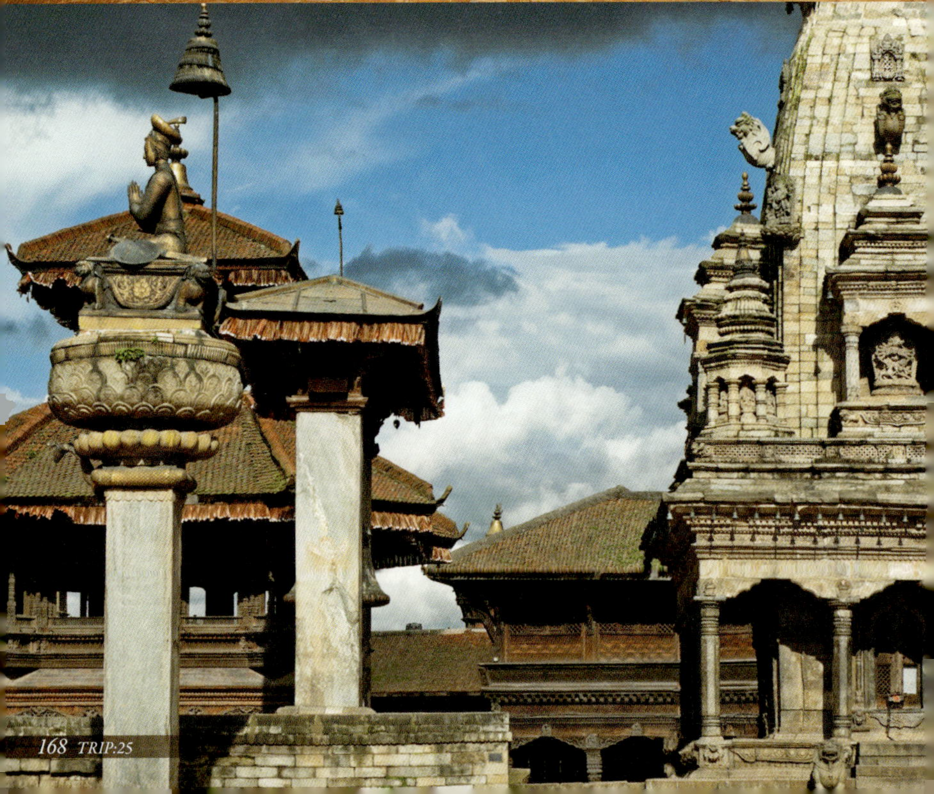

神々の住まう街
「カトマンズ」

南アジア、インドの北に位置する内陸国、ネパール。北部には世界最高峰のエベレストを筆頭とした世界の屋根ヒマラヤ山脈を抱く国だ。

この国のほぼ中央部に、古来より交易の要衝として栄えたカトマンズ盆地が広がっている。平均標高1,300mという高地にも関わらず、沖縄とほぼ同緯度にあるため温暖な気候に恵まれている。その地域に、首都カトマンズをはじめ、その近郊に位置するバクタブル、パタンという三つの世界遺産の街がある。17世紀に築かれた歴史的建造物が多く現存することから「カトマンズ盆地」として世界遺産に登録されているのだ。大小の寺院や市場、旧市街など、至る所が喧噪に満ちたカトマンズ、ラリトプル（美の都）の別名を持ち、装飾が施された建築物群が素晴らしいパタン、そしてカトマンズ盆地で中世の街並みを最も残しているバクタブル。これらマッラ王朝時代の面影を色濃く残す都市を巡り、往時に思いを馳せてみよう。

また、カトマンズはヒンドゥー教と仏教の聖地でもあることから、神々の街とも呼ばれている。至る所で市民を見守る神様に出会えるのも楽しみのひとつだ。南アジアに残された中世の街並みを歩こう。

Nepal 169

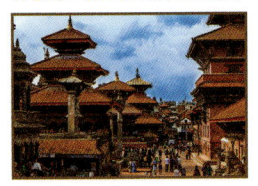

Travel Information:25

神々の住まう街
カトマンズ
Nepal／ネパール

MAP:

いくらかかる?
How much?
12万円〜
〈大人1名分の総予算〉

「旅の予算」は右頁「PLAN」の目安料金です。
内訳:
- ●飛行機代
- ●宿泊費
- ●現地送迎
- ●食事(朝3回)
- ●観光

※燃油サーチャージ除く

どうやって行く?
How to get there
約12時間
〈片道の移動時間〉
※空港等での待機時間含みます

日本からネパールまで直行便は運行していない。カトマンズへは、成田から中国の香港や広州、羽田からであればタイのバンコクなど、いずれかの都市で乗り継いで行くのが一般的だ。成田〜香港は約5時間、香港〜カトマンズは約7時間。

いつがオススメ?
Best Season
10月〜5月
〈街歩きに適した時期〉

6〜9月は暖かいが、雨期となり、降雨量が多く湿気が高くなるので、乾期となる10〜5月に訪れたい。また、中でも空気が澄み渡り街歩きに最適な10〜12月がベストシーズンと言われている。少し冷えるので防寒具は必要になるが、遠方の景色を楽しみたいならこの時期に行こう。

この旅のヒント
Hint!
日程を調整してヒマラヤ山脈へのツアーに参加するのもオススメ。

●ネパールには、ヒマラヤ山脈の観光を目的に訪れる人々が多い。「街だけでなくヒマラヤも見たい!」という人は最短コースで街を巡り、「+1日あったら?」で紹介しているヒマラヤツアーの日を設けるのも選択肢のひとつ。メインとする所を決めてスケジュールを組もう。

例えばこんな旅 PLAN　この旅のプラン例／5日間

1日目	終日	成田発〜香港乗り継ぎ〜カトマンズ着【カトマンズ泊】
2日目	終日	カトマンズ【カトマンズ泊】
3日目	午前	パタン
	午後	カトマンズ【カトマンズ泊】
4日目	午前	バクタプル
	午後	カトマンズ
	夜	カトマンズ発〜香港乗り継ぎ〜成田へ【機内泊】
5日目	午後	成田着

この旅の要チェック！ CHECK!

✓ カトマンズ　　チェックポイント
ヒンドゥー教が国教のネパールで最高に聖なる地とされ、シヴァ神が祀ってあるパシュパティナート寺院。チベット仏教におけるネパール最大の寺院でブッダの骨が埋められているボダナート寺院。これらは旧市街の散策と共に外せないカトマンズの見所だ。

✓ バクタプル　　チェックポイント
バドガオン（信仰の街）との別名も持つ田園地帯の丘の上にある街。カトマンズに溢れる喧噪や、旅行者の多いパタンとは違い、静かな雰囲気が漂っている。赤レンガで建てられた街並みや旧王宮、宮殿、寺院、広場などを巡ろう。

✓ パタン　　チェックポイント
芸術的な木彫りの窓枠が特徴的な、美しいネワール建築の歴史的建造物が町中に溢れている。この地に暮らす住民の8割が彫刻や絵画など、芸術に関連する仕事に就いていると言われているほど、アートに満ちた町だ。

+1 エベレスト遊覧飛行　　プラス1日あったら？
小型飛行機に乗って、カトマンズを出発して約20分。白く輝くエベレストなど8,000m級の山々が連なる絶景を眼下に望むことができる。世界の最高峰を一生に一度は眺めたい。しかし、天候によってはキャンセルになることもあるので、予備日を設けておく方がいいだろう。

+1 ナガルコットの丘　　プラス1日あったら？
カトマンズの北東、約35kmに位置する展望台。ヒマラヤの山々を見渡すことができる。標高2,100mの地点から、エベレストを眺望することができる。陸地からエベレストを見るのにオススメの場所だ。また、日の出を見に行く日帰りツアーも人気がある。

旅の相談と手配先は？　**[西遊旅行]**　▶ www.saiyu.co.jp
シルクロード、ブータン、アフリカ、海外登山…と、幾つもの魅力的なツアーを扱う、秘境ツアーのパイオニア、西遊旅行。パッケージ旅行も魅力だが、オーダーメイドも手配OK。最新の現地の情報も教えてくれるので、気軽に連絡してみよう。

Italy
Amalfi

イタリア「アマルフィ」

世界一美しい海岸線
断崖絶壁が囲む港街

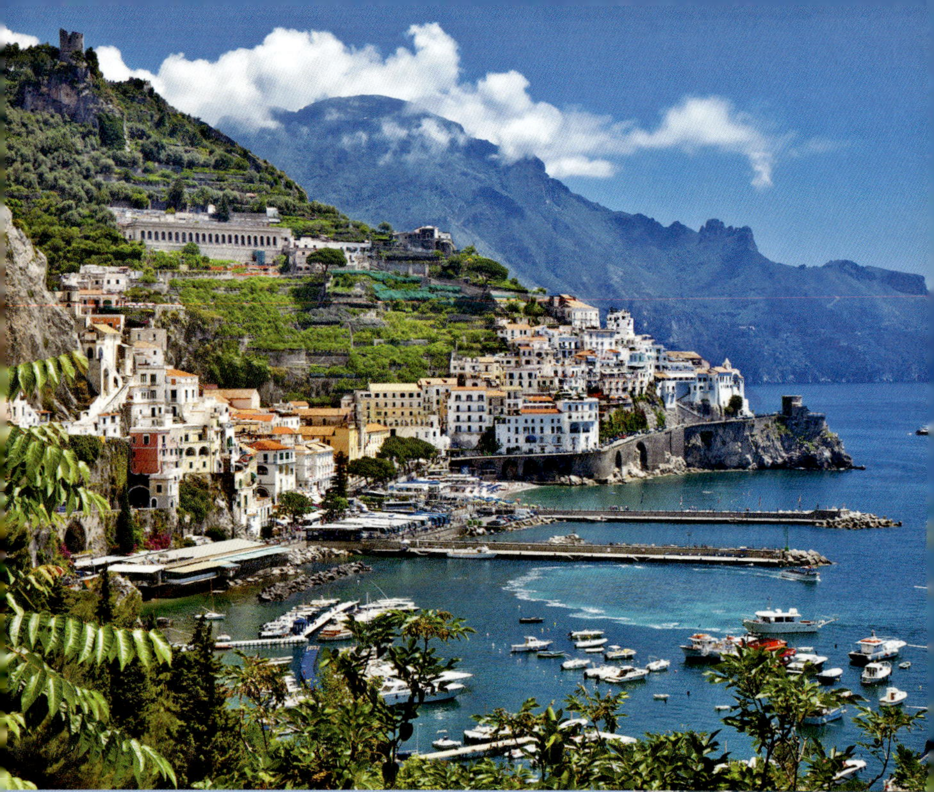

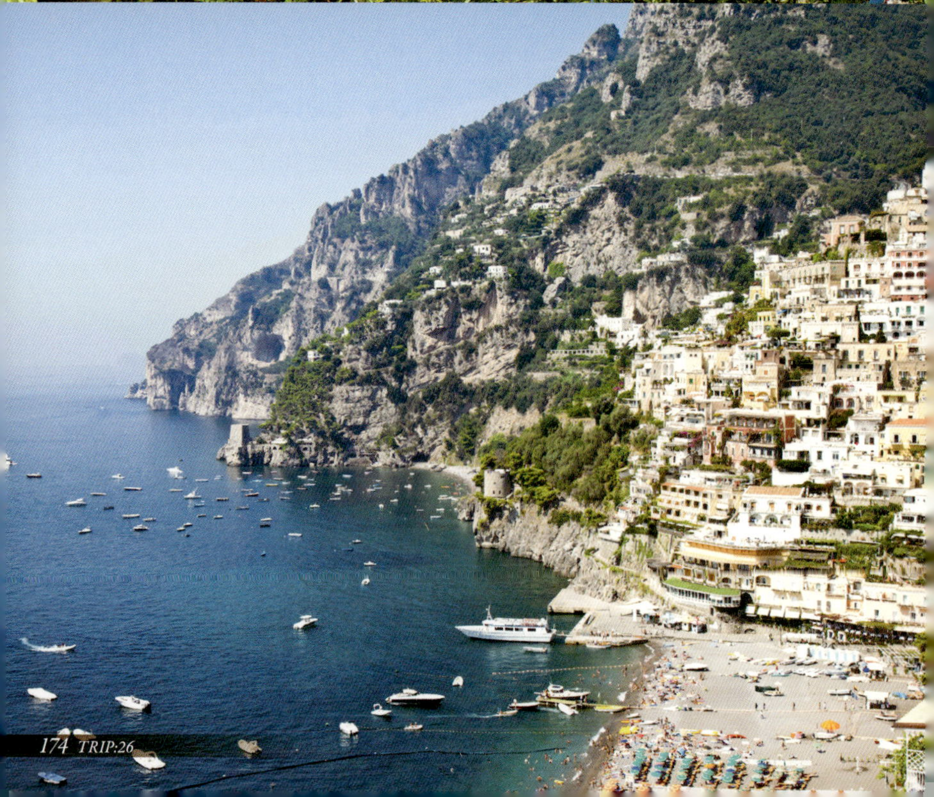

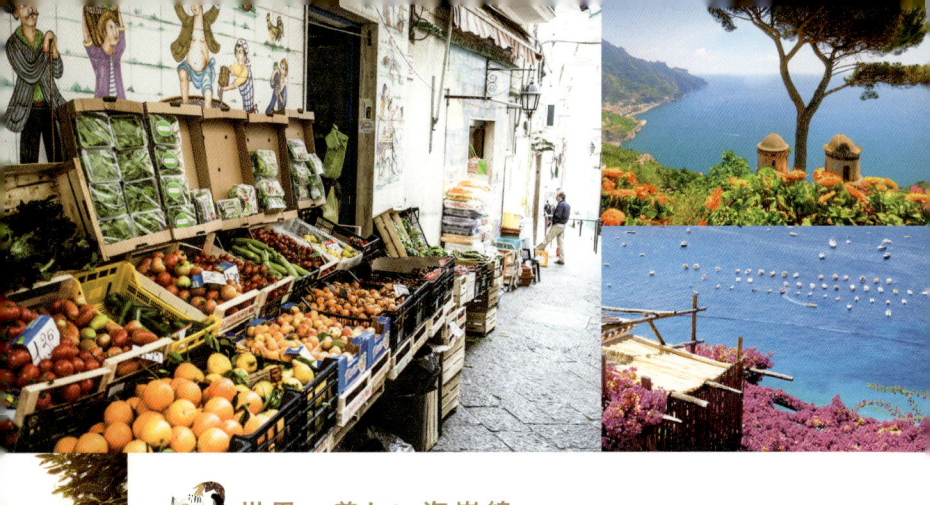

世界一美しい海岸線
「アマルフィ」

ローマ、ミラノに次ぐイタリア第三の都市ナポリ。同国南西部に位置するこの街の南に、世界一美しい海岸線と言われるアマルフィコーストはある。その長さは約40km、ソレントやポジターノ、ラヴェッロ、アマルフィ、サレルノといった幾つもの街が点在するこの海岸線一帯は、その育まれた歴史から世界文化遺産に登録されている。その海岸線で一番大きな街がアマルフィ。10世紀頃、中東やアフリカに近いという地理的要因から、海洋貿易で繁栄を遂げた街で、現在でもその栄華にふれることができる。そして、断崖絶壁に囲まれた山の斜面に張り付くように築かれたアマルフィの街並みは、紺碧の地中海と白く塗られた家々が相まって、見事な景観を紡ぎ出している。名産になっているレモンやオリーブは、急斜面を利用して作られた段々畑で育てているもの。特にそのレモンを使って作られるリモンチェロ（レモンのリキュール）は、訪れたからには絶対に欠かせない。地中海の豊かな海の幸と共に堪能したい。ギリシャ神話の英雄ヘラクレスが、愛する女性を亡くした際に、世界一美しい場所に埋葬する為に切り開いたとも言われている街、アマルフィ。南イタリアの海岸線から輝きを放つ街へ。

Travel Information:26

世界一美しい海岸線
アマルフィ

Italy／イタリア

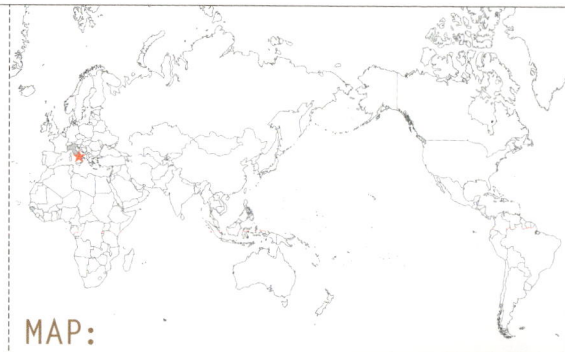

MAP：

いくらかかる？
How much?

21万円〜

＜大人1名分の総予算＞

「旅の予算」は右頁「PLAN」の目安料金です。
内訳：
- ●飛行機代
- ●宿泊費
- ●食事(朝3回)

※現地送迎、燃油サーチャージ除く

どうやって行く？
How to get there

約16時間

＜片道の移動時間＞
※空港等での待機時間含ます

成田からイタリアの首都ローマまで直行便が運行している。成田〜ローマは**約12時間50分**。そこからイタリア南部の都市ナポリまで列車で**約1時間**、ナポリからアマルフィまでは車で**約2時間**。

いつがオススメ？
Best Season

5〜7月
9〜10月

＜街歩きに適した時期＞

町の散策には、暑い時期と寒い時期を避けた**5〜7、9、10月**がいいシーズンだ。アマルフィは晴天が多い為、散策にはもってこいの街だが、日射しが強いので日除け対策はしっかりとしていこう。

この旅のヒント
Hint!

イタリアは見どころ満載なので旅行会社と自分好みの旅を組み立てよう。

●イタリアには見所が多い為、他都市との組み合わせも多く考えられる。アマルフィの他にも、アマルフィコーストの他の街、ナポリ、青の洞窟で有名なカプリ島など、行き先の選択肢は多い。＋αの希望があれば旅行会社に相談して旅を組み立ててみよう。

例えばこんな旅 PLAN　この旅のプラン例／5日間

1日目	終日	成田発〜ローマ着【ローマ泊】
2日目	午前	アマルフィに移動
	午後	アマルフィ【アマルフィ泊】
3日目	終日	アマルフィ【アマルフィ泊】
4日目	午前	ローマに移動
	午後	ローマ発〜成田へ【機内泊】
5日目	午前	成田着

この旅の要チェック！ CHECK!

✓ アマルフィ
チェックポイント

ヨーロッパ随一のリゾート地としても知られる街。アマルフィの象徴ドゥオーモ（大聖堂）を中心に、細い階段が迷路のように複雑に入り組んでいる。迷いながら歩くのがこの街の楽しみ方だが、上へ上へと登っていけば、街並みを一望できる絶景スポットに辿り着くことができる。

✗ リモンチェッロ
食事

アマルフィで収穫されるレモンの大きさは、日本で流通しているものの約2倍。その大きなレモンの皮と蒸留酒などを使って作られるのがリモンチェッロ（レモンのリキュール）。それを食前酒として、地中海を望めるレストランでイタリア料理を堪能しよう。

+1 アマルフィコーストの街
プラス1日あったら？

アマルフィの西に位置するポジターノ。カラフルな家々が肩を寄せ合うように斜面に建てられている街並みが特徴だ。またアマルフィの北東には、紺碧の地中海を一望できる「海よりも空が近い街」と呼ばれるラヴェッロがある。どちらも時間が許せば訪れたい。

+1 ローマ
プラス1日あったら？

"永遠の都"と呼ばれるほど歴史豊かな街で、世界遺産の宝庫とも言われている。映画「ローマの休日」のロケ地としても知られるスペイン広場やトレビの泉、真実の口などの有名観光地は、半日もあれば巡ることができる。名物のジェラートを片手にローマの石畳を歩こう。

+1 ナポリ
プラス1日あったら？

「ナポリを見てから死ね」という言葉で称えられるほどの美しい街。特に夜景の美しさは別格だ。ローマからアマルフィの道中には必ずと言っていいほど通る街なので、是非立ち寄ってみよう。またこの街から青の洞窟があるカプリ島へも行くことが可能だ。

旅の相談と手配先は？

【H.I.S.】　▶www.his-j.com

広範囲に渡って世界中に支店を持つ旅行会社。その手配範囲の広さとリーズナブルな金額設定が魅力的だ。日本全国にあるH.I.S.の営業所にて旅の相談や手配が可能なので、まずは気軽に問い合わせしてみよう。

Russia
St. Petersberg

ロシア「サンクトペテルブルク」

世界遺産の宝庫
沼地から誕生した美しき都

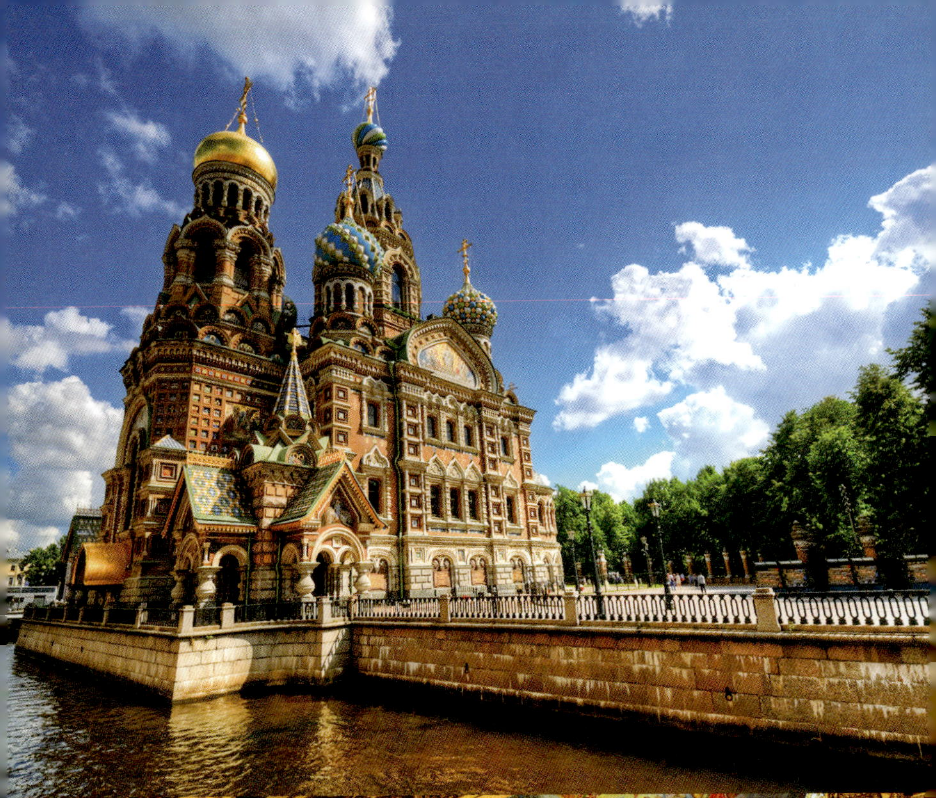

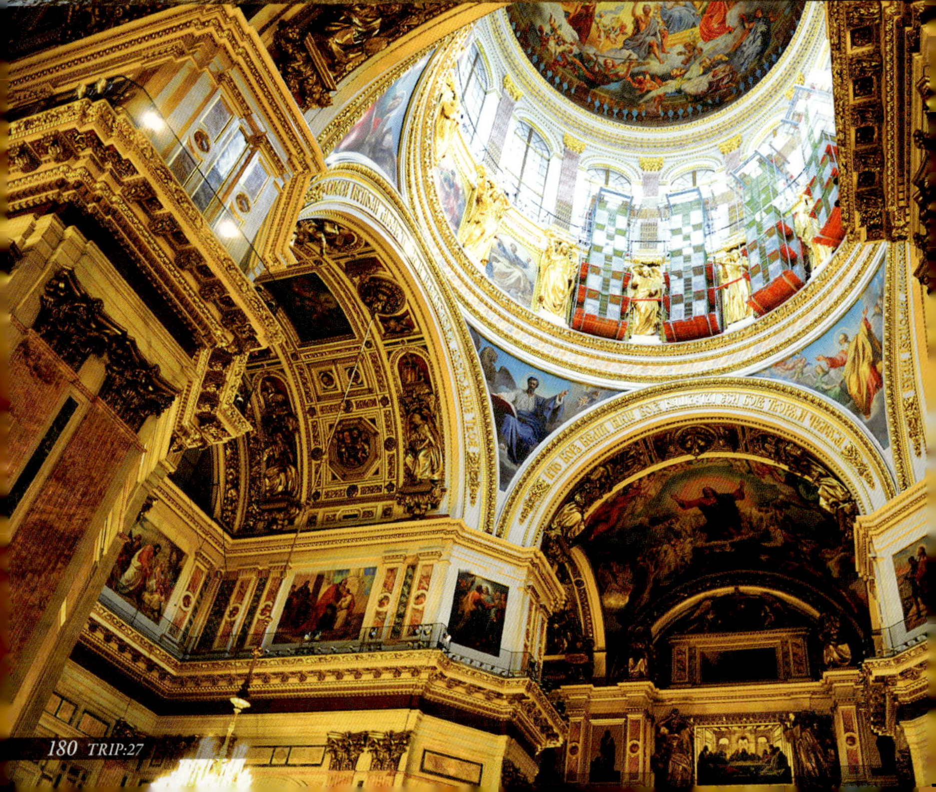

沼地から誕生した美しき都
「サンクトペテルブルク」

日本の約45倍もの広大な面積を持つ、世界一大きな国ロシア。その北西部、バルト海へと通じるネバ川の河口に、モスクワに次ぐロシア第二の都市サンクトペテルブルクがある。かつて沼地だったこの地は、18世紀にピョートル1世によって築かれた。街には運河が縦横に張り巡らされ、徹底的にヨーロッパを意識して建てられた荘厳な建築物の数々によって「北のベニス」と呼ばれている。サンクトペテルブルク歴史地区に加え、周辺に点在する多数の建造物が世界遺産に登録され、全体が博物館と言えるような街並みが広がっている。フランスのルーブル、アメリカのメトロポリタンと並び世界三大美術館のひとつとして数えられるエルミタージュ美術館や、玉ねぎのような形をした屋根を持つ血の上の救世主教会、1万人以上も収容できる大規模なイサク大聖堂などは外せない見所だ。金色の尖塔が特徴的な旧海軍省から、アレクサンドルネフスキー大修道院まで延びる全長約5kmのネフスキー大通りが街の中心地。この通りを起点に街歩きを楽しもう。まさに世界遺産の宝庫とも言えるサンクトペテルブルク。この街には、歴史や文化、芸術が凝縮されている。

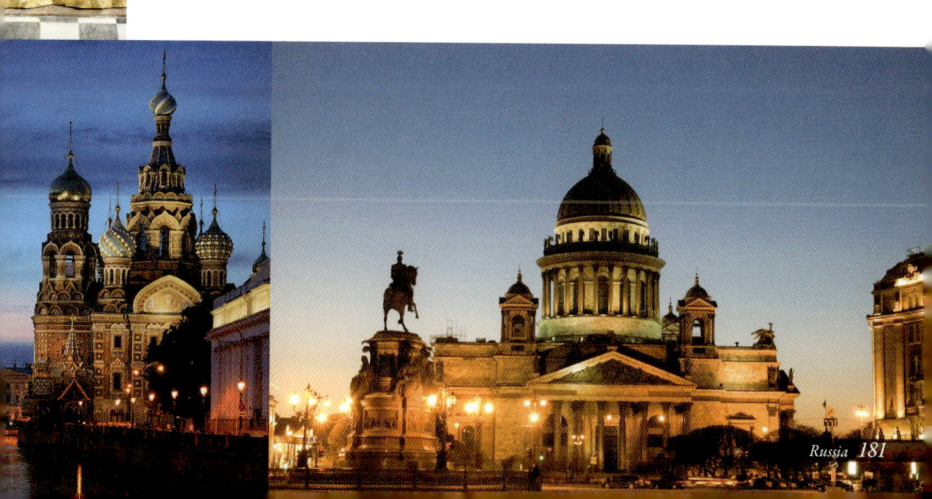

Travel Information: 27

沼地から誕生した美しき都
サンクトペテルブルク
Russia ／ロシア

MAP:

いくらかかる？
How much?
11万円～
<大人1名分の総予算>

「旅の予算」は右頁「PLAN」の目安料金です。
内訳：
- 飛行機代
- 宿泊費
- 現地送迎
- 食事(朝4回)
※燃油サーチャージ除く

どうやって行く？
How to get there
約12時間
<片道の移動時間>
※空港等での待機時間含みます

まれに日本からサンクトペテルブルクまでの直行便が運行しているが、基本は乗り継ぎ便になる。フィンランドのヘルシンキやロシアのモスクワで乗り継ぎで行くことが一般的だ。成田～ヘルシンキは約10時間30分、ヘルシンキ～サンクトペテルブルクは約1時間10分。

いつがオススメ？
Best Season
6月～8月
<街歩きに適した時期>

6～8月が観光に最も適したシーズン。他の時期は寒さが厳しく、特に12～2月は日中の気温が0℃以下となる為、避けた方がベター。6～8月というと真夏に当たるが、それでも気温は20℃前後なので、快適に散策することができる。

この旅のヒント
Hint!
入国ビザの手続きは複雑なため旅行会社に依頼するのがベター。

- 入国に際してビザが必要となるロシア。自身でロシア大使館に足を運び取得することも可能だが、手続きが複雑な為、旅行会社に依頼するのがベター。別途費用がかかってしまうが、そこは必要経費として考えたい。
- ロシアは特に英語が通じづらい所でもある。サンクトペテルブルクは観光客が多い都市だが、それでもロシア語を使えた方が便利なので、ロシア語の会話帳などを準備していこう。

例えばこんな旅 PLAN / この旅のプラン例／5日間

1日目	終日	成田発〜ヘルシンキ乗り継ぎ〜サンクトペテルブルク着【サンクトペテルブルク泊】
2日目	終日	サンクトペテルブルク【サンクトペテルブルク泊】
3日目	終日	サンクトペテルブルク【サンクトペテルブルク泊】
4日目	終日	サンクトペテルブルク発〜ヘルシンキ乗り継ぎ〜成田へ【機内泊】
5日目	午前	成田着

この旅の要チェック！ CHECK!

✓ サンクトペテルブルク1　　　チェックポイント

収蔵品の数は300万とも言われる、見所満載のエルミタージュ美術館。レオナルド・ダ・ヴィンチやルノワール、セザンヌ、ゴーギャン、ピカソなど名だたる芸術家の作品も多数展示されている。すべて見るには5年以上の歳月が必要とも言われている芸術の宝庫を堪能しよう。

✓ サンクトペテルブルク2　　　チェックポイント

内部に施されたモザイク画が素晴らしい血の上の救世主教会や金色に輝くドームを頂きに持つイサク大聖堂なども外せない見所。水の都でもあるこの街に流れるネバ川を下るクルーズも楽しみたい。エルミタージュ美術館をはじめ風格ある多くの建物を見ることができる。

🛒 マトリョーシカ　　　ショッピング

ロシアを代表する民芸品。中から次々と小さい人形が出てくるもので、どこかで一度は目にしたことがある人も多いだろう。現在では昔ながらのタッチで描かれた人形の他に、歴代大統領が出てくる物など、イメージを覆すものも多い。お気に入りのひとつを見つけてみては？

✗ ブリヌイ　　　食事

サンクトペテルブルク名物のひとつとして数えられるロシア風クレープ。デザートとしてだけではなく食事として提供するところも多い。チョコレートなどの甘いものから、サーモンやイクラ、ベーコンなど様々な組み合わせがある。滞在中1度はトライしたい。

+1 エカテリーナ宮殿　　　プラス1日あったら？

サンクトペテルブルクの南約30kmの所に位置する、豪華絢爛な宮殿。ピョートル1世の後に誕生したロシアの女帝、エカテリーナ2世が夏の間過ごしたことから夏の離宮とも言われている。特に部屋の内部がすべて琥珀でできた壮麗な「琥珀の間」は必見。

旅の相談と手配先は？　[JIC旅行センター]　▶ www.jic-web.co.jp

ロシアをはじめ、旧ソ連地域や中央アジア、コーカサス、モンゴルなどの方面に強い旅行会社。情報が少ない地域の取り扱いが多いので、とても頼りになる。気になることがあれば、気軽に相談してみよう。

Vietnam
Hoi An

★ ベトナム 「ホイアン」

活気を取り戻した交易地
郷愁を覚える古い町並み

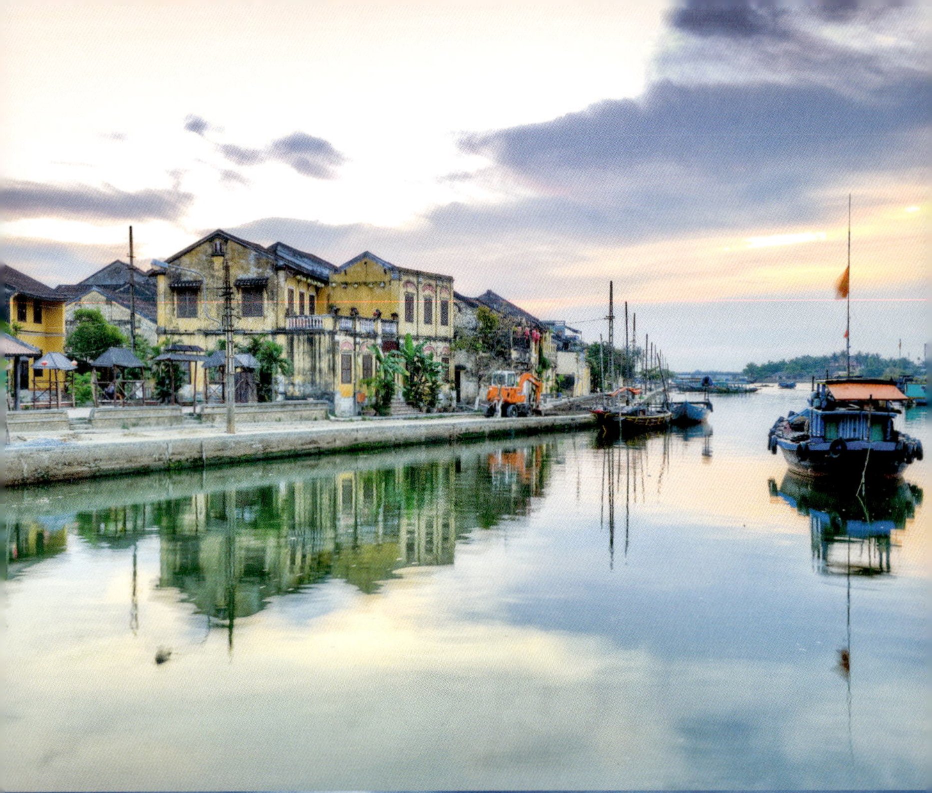

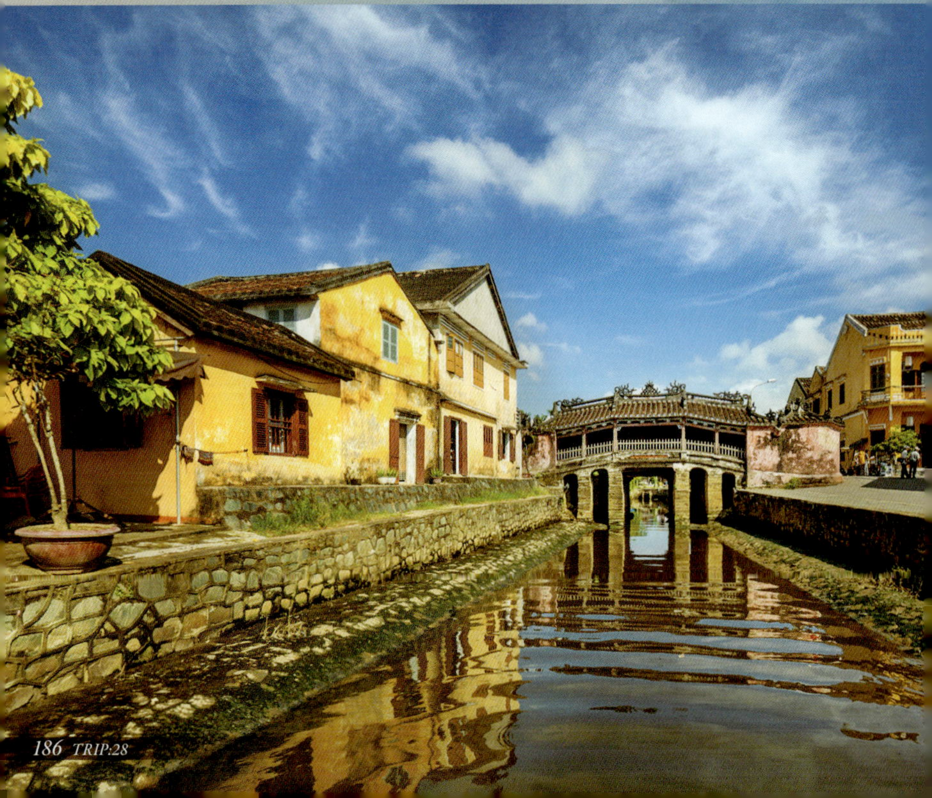

郷愁を覚える古い町並み
「ホイアン」

インドシナ半島の東部に位置する、南北に細長い形をしたベトナム。北部に首都ハノイ、南部にベトナム最大の都市ホーチミンを抱く国だ。その中部、ベトナム第三の都市ダナンの近郊、トゥボン川沿いにホイアンはある。海へと通じるその川によって、国際貿易港として西欧諸国や中国、そして日本という各国人が往来していた町だ。16世紀末から繁栄を続けたが、19世紀に入ると川に土砂が堆積し、貿易港の役目を果たせなくなった。それにより、貿易機能はダナンへと移り、次第に人々から忘れ去られ衰退していった。しかし、その事やベトナム戦争の被害が少なかったことが幸いし、現在でも当時の町並みが保存状態よく残っているのだ。ベトナムやフランス、中国、日本の人々が築いた建築物の数々。どこか懐かしさを覚える町並みは、異国情緒に溢れ、同時にアジア特有の元気な雰囲気に満ちている。ベトナム版古民家ともいうべき築100～200年の古い家々、南国フルーツから日用雑貨までが揃う市場、フランスの影響を受けた美味しいベトナム料理、日本人橋と呼ばれるホイアンのシンボル来遠橋…、多様な文化にふれることができる町だ。人力三輪車シクロに乗って、ゆっくり世界遺産の町を巡ってみよう。

Vietnam 187

Travel Information:28

郷愁を覚える古い町並み
ホイアン

🇻🇳 Vietnam／ベトナム

MAP:

いくらかかる？
How much?

8万円～

＜大人1名分の総予算＞

「旅の予算」は右頁「PLAN」の目安料金です。
内訳：
- 飛行機代
- 宿泊費
- 現地送迎
- 食事(朝3回)

※燃油サーチャージ除く

どうやって行く？
How to get there

約8.5時間

＜片道の移動時間＞
※空港等での待機時間含みます

成田からベトナムのホーチミンまで直行便が運行している。そこからホイアン最寄りのダナン空港まで国内線で移動することになる。成田～ホーチミンは**約6時間45分**、ホーチミン～ダナンは**約1時間15分**。ダナンからホイアンまでは車で**約30分**。

いつがオススメ？
Best Season

2月～4月

＜街歩きに適した時期＞

9～12月は雨期の為、避けた方が無難。乾期の2～6月がいいシーズンだが、5、6月は最高気温が30度を超えることも珍しくない。暑さが苦手な人は2～4月に訪れよう。その場合は、肌寒いこともあるので、上着は必携だ。

この旅のヒント
Hint

タクシーも安価で便利だが、シクロに乗ってゆっくりと巡るのもオススメ！

● ホイアンの町は徒歩で十分散策が可能だが、人力三輪車のシクロに乗ってゆっくり巡るのもオススメ。また都市間の移動はタクシーが安いので便利だ。基本的な英語なら通じることも多いが、不安な人は旅行会社に送迎をお願いしよう。

例えばこんな旅 PLAN この旅のプラン例／5日間

1日目	終日	成田発〜ホーチミン乗り継ぎ〜ダナン着【ダナン泊】
2日目	午前	ホイアンに移動
	午後	ホイアン【ホイアン泊】
3日目	終日	ホイアン【ホイアン泊】
4日目	午前	ダナンに移動
	午後	ダナン発〜ホーチミン乗り継ぎ
		〜成田へ【機内泊】
5日目	朝	成田着

この旅の要チェック！ CHECK!

✓ ダナン　　チェックポイント

ベトナム中部の中心都市で、ホイアンとは対照的に発展を続けている。チャンパ王国時代の彫刻品などが展示されているチャム博物館やアジアの喧噪に満ちたハン市場、近郊に聳える大理石でできた五行山などの見所も多い。ベトナムの薫りが漂う街を歩こう。

✓ ホイアン　　チェックポイント

約200年前に貿易商人の家として建てられたフンフンの家、移住してきた福建省出身の人々の集会所であった福建会館、日中の建築様式が融合し内部の装飾が見事なタンキーの家、日本人橋など見所満載。町並みを眺めながら、点在するスポットを巡っていこう。

✗ ベトナム料理　　食事

中国やフランスの影響を受け、独自の料理を構築したベトナム料理。ゴイクン（生春巻き）やチャーゾー（揚げ春巻き）、肉や野菜などをフランスパンで挟んだバインミー、フォー（米麺）などに加え、ホイアン名物の海老のすり身を米の皮で包んだホワイトローズは是非味わいたい。

+1 ミーソン遺跡　　プラス1日あったら？

ホイアンから車で約1時間30分、ラオス国境近くの山中に位置する世界遺産。2世紀頃からベトナム中部に栄えたチャンパ王国の聖地だった遺跡だ。ベトナム戦争によってその多くが破壊されてしまったが、奇跡的に現存するレンガ造りの精巧な建物を見ることができる。

+1 ホーチミン　　プラス1日あったら？

以前はサイゴンと呼ばれていたベトナム最大の都市。雑貨店や飲食店が軒を連ねるドンコイ通り、庶民の台所である市場、歴史博物館、戦時中に張り巡らされた地下道クチトンネル、ベトナム南部の命の源メコン川のクルーズなど、楽しみに事欠かない活気溢れる街だ。

旅の相談と手配先は？ [ICC Travel] ▶ www.icctour.net
ホーチミンのメインストリート、ドンコイ通り近くにオフィスを構えている旅行会社。現地に精通し日本語を話せるスタッフが常駐している。今までにも多くの日本人観光客を受け入れてきているのでとても安心で心強い

Cuba
Havana

キューバ 「ハバナ」

カリブ海に浮かぶ地上で一番美しい島
陽気なリズムが流れる世界遺産の街

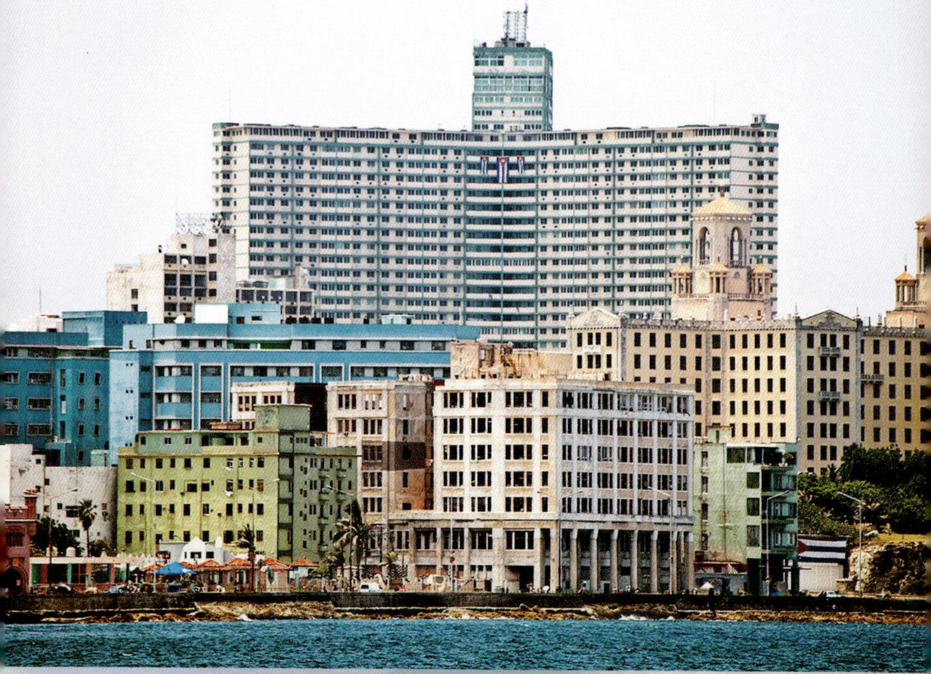

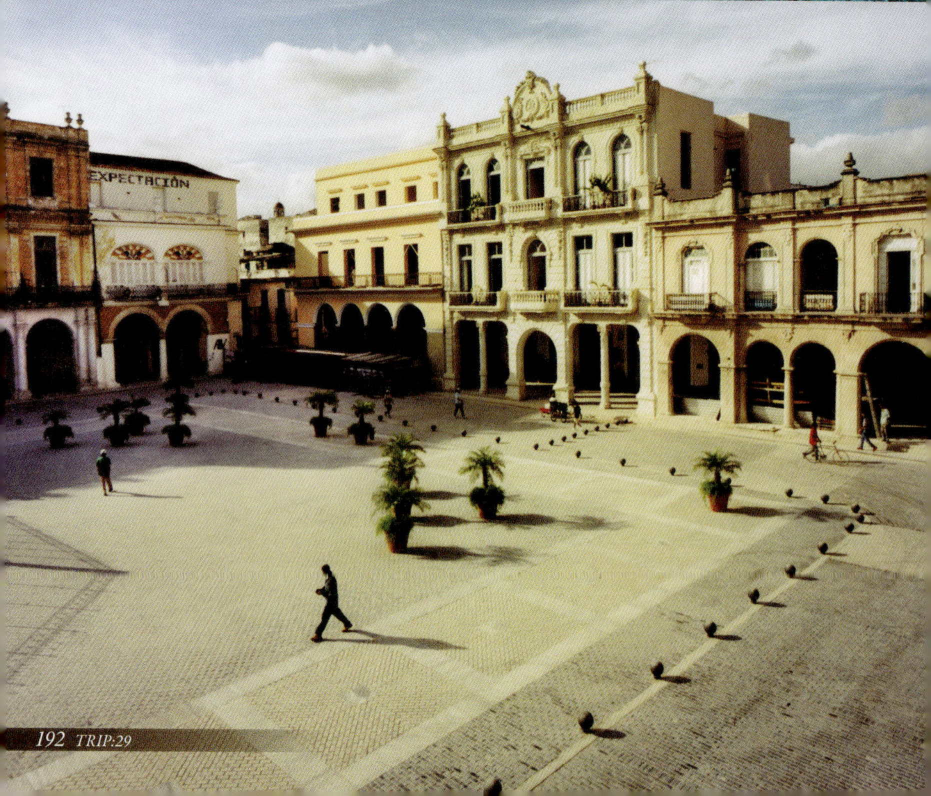
EXPECTACIÓN

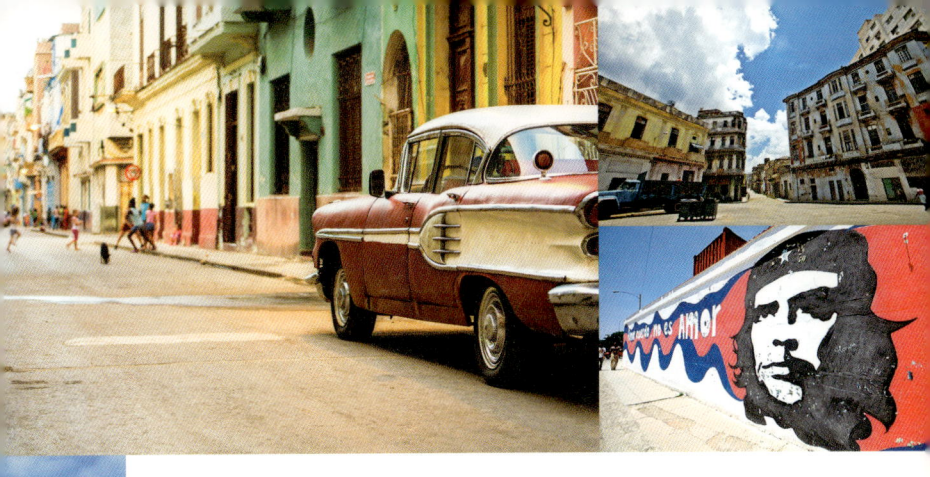

陽気なリズムが流れる世界遺産の街
「ハバナ」

かつて、コロンブスが「地上で一番美しい島」と称えたカリブ最大の島、キューバ。首都ハバナは、島の北西部に位置している。ハバナの景観の主役とも言えるのが、巨大にして強固な要塞群。かつて、カリブ海交易の中心だったハバナには、多くの財宝船が寄港していたので、海賊の格好の標的だった。それら外敵から護る為に、いくつもの強固な要塞が建設されたのだ。現在でもほとんど姿、形を変えずに残る姿を見ることができる。そして要塞群と共に世界遺産に登録されているのが、オールドハバナと呼ばれる旧市街。スペイン統治時代に建てられたコロニアル建築が並び、特徴的なのはその多くの建物に柱廊があること。建物の1階部分が吹き放しの廊下になっていて、等間隔に並べられた柱が2階以上の部分を支えている。それと共に旧市街のノスタルジックな雰囲気を作っているのが、街中を走る1940～50年代のクラシックカー。当時はアメリカの支配下にあったことから大量に流入してきたもので、現在でも市民の足になっている。街中を歩けばどこからともなくサルサが聞こえ、老若男女がリズムに合わせ体を揺らす陽気な雰囲気も魅力のひとつだ。ゆったりとした時間が流れるカリブの街へ。

Travel Information:29

陽気なリズムが流れる世界遺産の街
ハバナ
Cuba／キューバ

MAP:

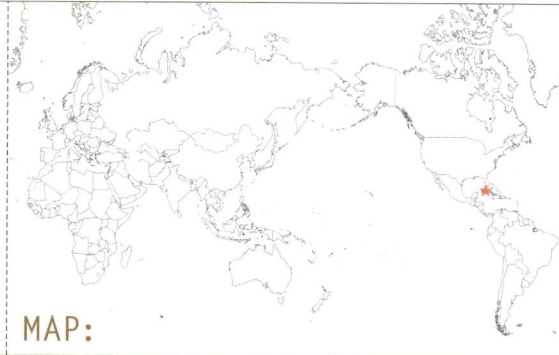

いくらかかる？
How much?
16万円〜
<大人1名分の総予算>

「旅の予算」は右頁「PLAN」の目安料金です。
内訳：
- ●飛行機代
- ●宿泊費

※現地送迎、食事、燃油サーチャージ除く

どうやって行く？
How to get there
約15.5時間
<片道の移動時間>
※空港等での待機時間含まず

日本からキューバまでの直行便はない為、カナダや米国などでの乗り継ぎが必要となる。オススメは同日着できるトロント乗り継ぎ。成田〜トロントは約11時間50分、トロント〜ハバナは約3時間30分。

いつがオススメ？
Best Season
11月〜4月
<街歩きに適した時期>

年間を通じて温暖な気候だが、乾期にあたる11〜4月がベストシーズン。他の時期も楽しめるが雨が降りやすい。9、10月はハリケーンシーズンの為、避けた方が無難。

この旅のヒント
Hint!
キューバでは英語が通じないので、スペイン語の会話集などを持参しよう。

- ●キューバ入国時にツーリストカードというものが必要になる。事前にキューバ大使館や旅行会社を通じて取得しておこう。
- ●キューバには観光客用通貨の兌換(だかん)ペソというものがある。特定の場所でしか両替できないので、空港に着いたら必要分を両替しよう。また、米国のドルからは両替できない場合があるので、ユーロを持っていくのがいいだろう。
- ●基本的にキューバでは英語が通じず、スペイン語のみとなる。会話集を持っていくなどして、最低限のコミュニケーションを取れるように準備しておこう。

例えばこんな旅 PLAN　この旅のプラン例／5日間

1日目	終日	成田発〜トロント乗り継ぎ〜ハバナ着【ハバナ泊】
2日目	終日	ハバナ【ハバナ泊】
3日目	終日	ハバナ【ハバナ泊】
4日目	終日	ハバナ発〜トロント乗り継ぎ〜成田へ【機内泊】
5日目	午後	成田着

この旅の要チェック！ CHECK!

✓ ハバナ旧市街　　チェックポイント
今も当時の姿を残すモロやプンタなどの要塞をはじめ、18世紀に再建されたカテドラルやアメリカの国会議事堂を模して建てられた旧国会議事堂など見所が多い。昼食はヘミングウェイも通っていたと言われる、ボデギータ・デル・メディオで、キューバ料理を味わいたい。

✓ ハバナ新市街　　チェックポイント
旧市街を散策するだけでも面白いが、キューバの歴史が詰まった革命博物館やキューバ革命の立役者ゲバラの肖像がある革命広場も是非。また郊外には文豪ヘミングウェイが「老人と海」を執筆した部屋などが残されたヘミングウェイ博物館などもある。

✗ カクテル　　食事
日本でも知られるカクテル「クーバ・リブレ」と「モヒート」。一般的にクーバ・リブレはラム、ライム、コーラ、モヒートはラム、ライム、ソーダ水に砂糖とミントの葉でできたもの。キューバを訪れたからには一度は口にしたい。

🛒 葉巻　　ショッピング
キューバを代表するものと言えば、やはり葉巻。COHIBA（コイーバ）やMontecristo（モンテクリスト）など多くの銘柄から選ぶことができる。あくまでも嗜好品なので、好みは分かれると思うが、部屋に飾るのもカッコイイかも。

+1 バラデロ　　プラス1日あったら？
ハバナから車で東へ約2時間。ホワイトサンドとカリビアンブルーの海が30kmも続く、バラデロビーチがある。その透明度の高い海と陽気なラテンのリズムを求め、キューバ革命以前は米国の富裕層が、現在では欧州からの旅人が後を絶たない。

旅の相談と手配先は？ [H.I.S.]　▶www.his-j.com
広範囲に渡って世界中に支店を持つ旅行会社。その手配範囲の広さとリーズナブルな金額設定が魅力的だ。日本全国にあるH.I.S.の営業所にて旅の相談や手配が可能なので、まずは気軽に問い合わせしてみよう。

Spain
Barcelona

スペイン 「バルセロナ」

直線美と曲線美の融合
アートとエンターテイメントの街

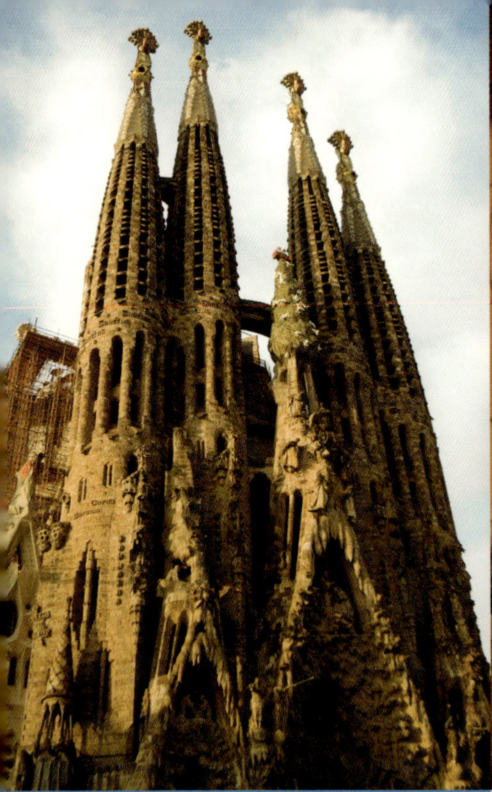

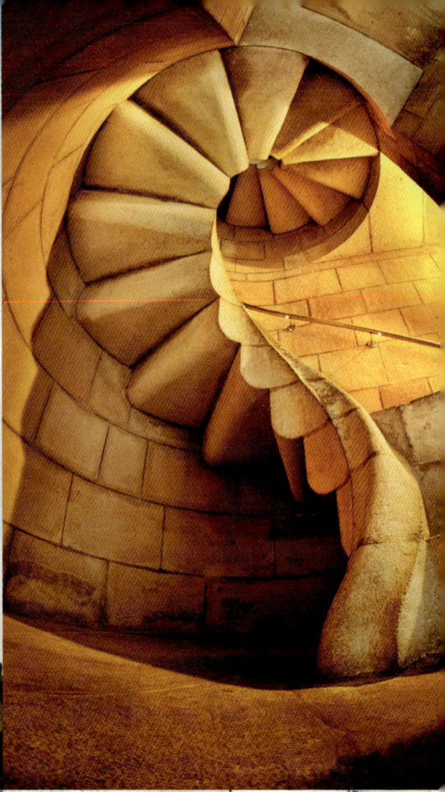

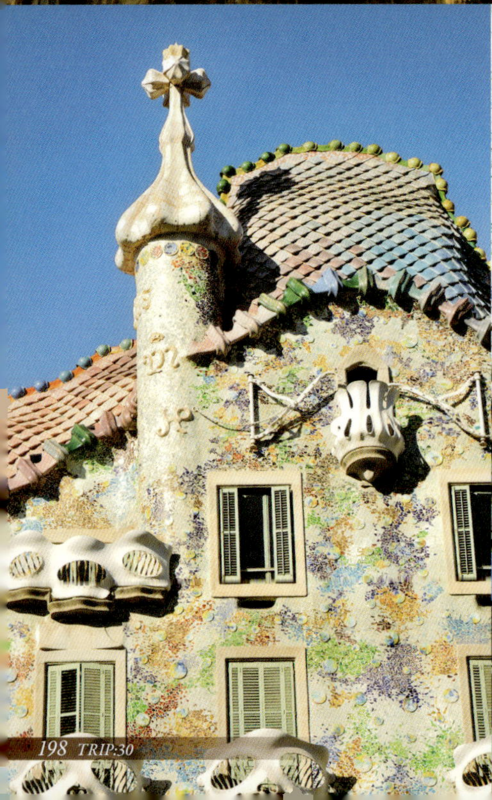

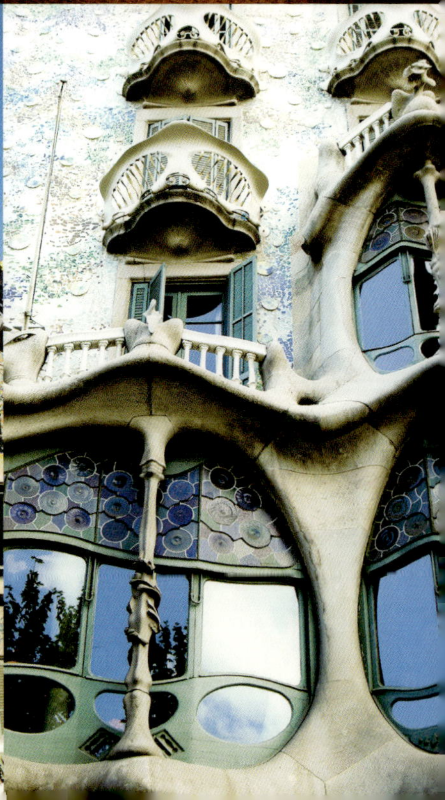

アートとエンターテイメントの街
「バルセロナ」

"太陽の国"とも呼ばれるスペインの北東部、地中海に面した街、バルセロナ。格子状に整備された街並みは直線的な印象を与えるが、一方で曲線美を多用した美しい建築物も少なくない。それらを作り出した第一人者こそ世界に名を馳せる建築家、アントニオ・ガウディだ。1882年に着工し、未だ建築中である教会サグラダ・ファミリアをはじめ、テーマパークのような世界が広がるグエル公園、カサ・ミラやカサ・バトリョなどの邸宅を手掛け、その革新的な建築物の数々は「アントニオ・ガウディの作品群」としてまるごと世界遺産に登録されている。それらの芸術様式はモデルニスモと呼ばれ、目を惹きつける独特の魅力を放ち、バルセロナを訪れる人々を楽しませ続けている。また、バルセロナを訪れるからには絶対に外せないのが、市内のメインストリートであるランブラス通り。大道芸人やカフェ、レストラン、花屋、似顔絵描きなど様々なエンターテイメントが溢れ、歩いているだけでワクワクしてしまう通りだ。偉大なる建築家が残したアートに活気溢れるストリート、加えて地中海の恵みを惜しげもなく使ったスペイン料理にスペインワイン…と、陽気な雰囲気とアートを体感できる情熱的な街、バルセロナを楽しもう。

Travel Information:30

アートとエンターテイメントの街
バルセロナ

Spain／スペイン

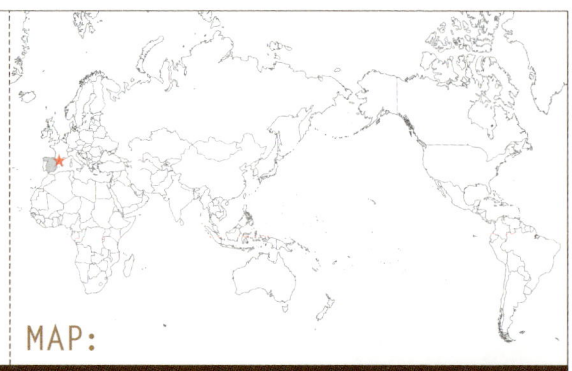

MAP:

いくらかかる？
How much?
12万円〜
<大人1名分の総予算>

「旅の予算」は右頁「PLAN」の目安料金です。
内訳：
- ●飛行機代
- ●宿泊費
- ●現地送迎
- ●食事(朝3回)

※燃油サーチャージ除く

どうやって行く？
How to get there
約14時間
<片道の移動時間>
※空港等での待機時間含みます

日本からスペインまで直行便は運行していない。バルセロナへはパリなどヨーロッパ1都市を乗り継いで行くことが一般的だ。成田〜パリは約12時間30分、パリ〜バルセロナは約1時間40分。

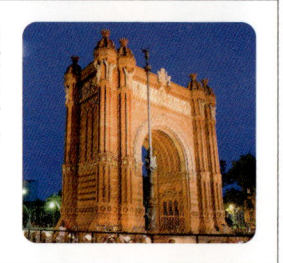

いつがオススメ？
Best Season
4〜6月
9〜10月
<街歩きに適した時期>

1年を通して温暖な気候だが、ベストシーズンは4〜6月と9、10月。晴れると日射しが強くなるが、乾燥した気候の為、日陰に入れば涼しく快適だ。真夏に当たる7、8月は日本と比べれば湿気が少なく過ごしやすいが、多くの観光客が訪れる為、避けた方が無難。

この旅のヒント
Hint!
メトロ(鉄道)での移動が便利だがスリも多いので貴重品には注意が必要。

●バルセロナは鉄道網が整備されているので、メトロでの移動が便利。また、金額的にもリーズナブルに移動できるのでオススメだ。しかし、電車内も含め観光地など人の多い所にはスリが多いので、財布等の貴重品に注意をしよう。

例えばこんな旅 PLAN　この旅のプラン例／5日間

1日目	終日	成田発〜パリ乗り継ぎ〜バルセロナ着【バルセロナ泊】
2日目	終日	バルセロナ【バルセロナ泊】
3日目	終日	バルセロナ【バルセロナ泊】
4日目	午前	バルセロナ
	午後	バルセロナ発〜パリ着
	夜	パリ発〜成田へ【機内泊】
5日目	午前	成田着

この旅の要チェック！ CHECK!

✓ バルセロナ　　チェックポイント
サグラダ・ファミリアをはじめとしたガウディの建築群の見学やランブラス通りの散策に加え、ピカソ美術館やミロ美術館、カタルーニャ音楽堂、バルセロナ市街を一望できるモンジュイックの丘なども一見の価値あり。バルセロナを訪れるからには是非。

✗ スペイン料理　　食事
バルと呼ばれる気軽に立ち寄れる飲食店やレストランがとても多い、バルセロナ。スペインを代表するパエリアやタパスをはじめ、タラや小イワシ、トマトなどをふんだんに使用した料理を堪能できる。赤ワインをジュースで割ったサングリアで乾杯しよう。

🛒 バルセロナ土産　　ショッピング
バルサの愛称で親しまれているサッカーチームFCバルセロナのユニフォームをはじめとしたグッズやガウディデザインの雑貨、オリーブオイルにワインなど様々な物を土産屋で手に入れることができる。またスペインを代表するブランドLOEWE（ロエベ）もオススメだ。

+1 モンセラット　　プラス1日あったら？
バルセロナから約60km離れた場所に位置する「のこぎり山」という意味を持つ、モンセラット。古来よりキリスト教の聖地として多くの巡礼者が訪れてきた。迫り来る奇岩群と共に、黒いマリア像「ラ・モレネータ」が祀られている修道院を訪れよう。

+1 パリ　　プラス1日あったら？
飛行機の乗り継ぎ地、"華の都"パリ。ヨーロッパの大都市でありながら、古くからの建物が多く残る、中世と現代が交差する唯一無二の街だ。エッフェル塔、ルーブル美術館など、世界的観光名所が各所に散らばっている。

旅の相談と手配先は？　[エス・ティー・ワールド]　▶ stworld.jp

日本を拠点としながらも、世界中にネットワークを持つ旅行会社。旅の日数や宿も含め、色々とアレンジできるので、まずは気軽に相談してみよう。豊富な種類のパッケージ旅行も魅力だ。

Bhutan
Paro Thimphu

ブータン 「パロ・ティンプー」

大切に護られてきた伝統文化
幸せの国のふたつの町

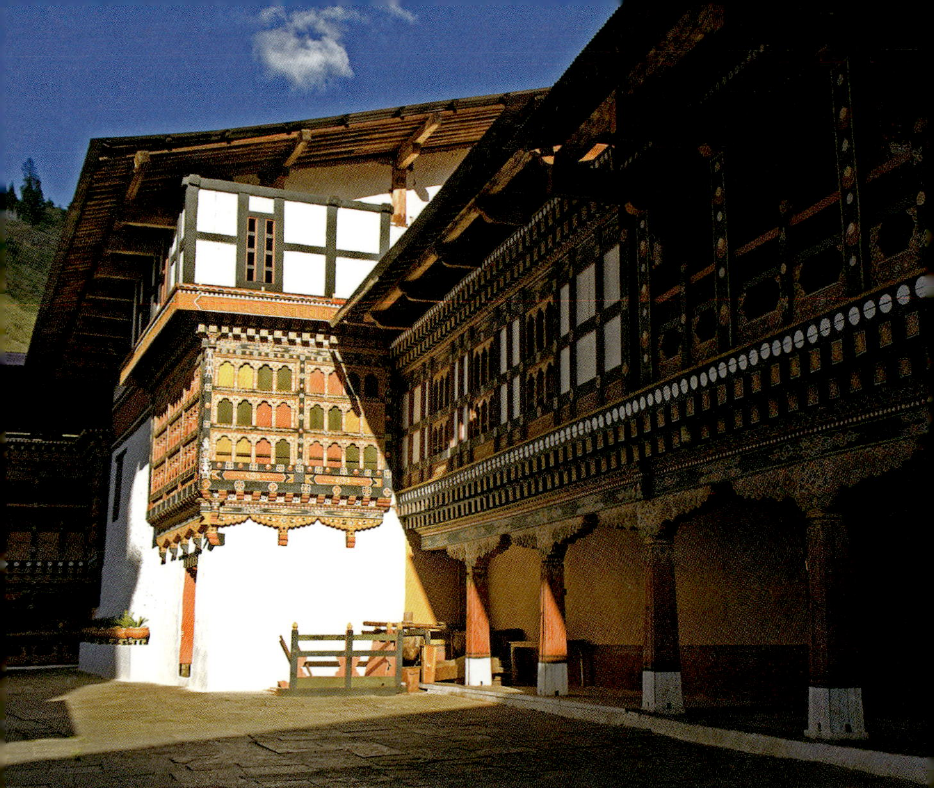

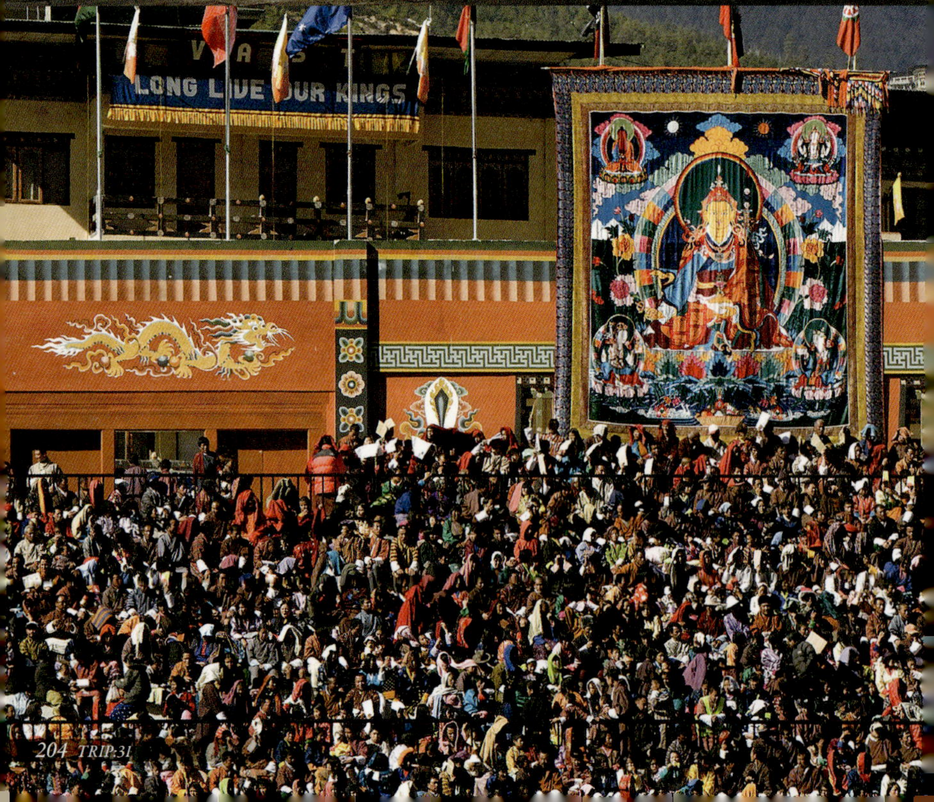
LONG LIVE OUR KINGS

幸せの国のふたつの町
「パロ・ティンプー」

東ヒマラヤの麓に位置するブータン。20世紀後半まで自国の文化や自然環境を護る為、「外国人の入国を禁止する」という鎖国とも言える政策を敷いてきた歴史を持つ国だ。近代文明の流入を防ぎ独自の伝統文化を残す為の政策だったが、現在は現地ガイドと行動を共にするという条件付きで外国人の入国も可能になった。空の玄関口パロと首都ティンプー。そこにはブータン建築が並び、伝統衣装を身に纏った人々が行き交う。パロでは映画『リトル・ブッダ』の舞台になった僧院"パロ・ゾン"や、豊富な展示物がある国立博物館"タ・ゾン"、ブータン最古の寺院"キチュ・ラカン"、パロ・チュ川に架かる橋などの伝統建築を見ることができる。ティンプーでは釘を一本も使わずに建てられた威厳を放つ中央政庁"タシチョ・ゾン"や、ティンプーの町を見渡せる丘の上に佇む高さ51mもの仏陀の坐像など、様々な伝統にふれることができる。前国王がGNP（国民総生産）ではなくGNH（国民総幸福量）を国家の目標にすべきという独自の理想を掲げた国、ブータン。国民の9割が「幸せ」と答えるという、世界一幸せの国であると同時に、お伽の国や桃源郷、理想郷など幾つもの言葉が捧げられている国へ。

Travel Information:31

幸せの国のふたつの町
パロ・ティンプー
Bhutan／ブータン

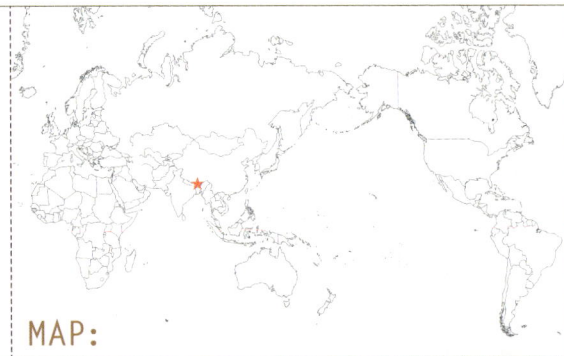

MAP:

いくらかかる？
How much?
20万円〜
＜大人1名分の総予算＞

「旅の予算」は
右頁「PLAN」の目安料金です。
内訳：
- ●飛行機代
- ●宿泊費
- ●現地送迎
- ●食事（朝2回、昼2回、夕2回）
- ●観光

※燃油サーチャージ除く

どうやって行く？
How to get there
約12時間
＜片道の移動時間＞
※空港等での待機時間含ます

日本からブータンまで直行便は運行していない。ブータンの玄関口パロへはタイの首都バンコクで乗り継いで行くことが一般的だ。成田〜バンコクは**約6時間30分**、バンコク〜パロは**約4時間**。パロからティンプーまでは車で**約1時間30分**。

いつがオススメ？
Best Season
4月〜5月
9月〜10月
＜街歩きに適した時期＞

6〜9月が雨期、10〜5月が乾期。6〜8月は雨が多く、気温は30度を超える。11〜2月は冷えこみが厳しく、雪が降ることも。その為、**春（4、5月）**と**秋（9、10月）**がベストシーズンと言われている。

この旅のヒント
Hint!
敬虔な仏教国なので宗教施設を訪問する際は雰囲気を乱さぬよう注意を。

- ●原則自由行動を禁止しているブータン。その為、現地ガイドと行動を共にする必要がある。現地で何かしらの指示があった場合は素直に従おう。
- ●敬虔な仏教国なので、お寺など宗教施設を訪問する時は周囲の雰囲気を乱さないように注意しよう。

例えばこんな旅 PLAN　この旅のプラン例／5日間

1日目	終日	成田発～バンコク着【機内泊】
2日目	午前	バンコク発～パロ着、ティンプーに移動
	午後	ティンプー【ティンプー泊】
3日目	午前	パロに移動
	午後	パロ【パロ泊】
4日目	終日	パロ発～バンコク乗り継ぎ～成田へ【機内泊】
5日目	午前	成田着

この旅の要チェック！ CHECK!

✓ パロ　　　チェックポイント
ブータン唯一の空港があるパロは、標高2,300mの高地に位置する。周囲を山々に囲まれた盆地に築かれた町だ。「宝石の山の城」という意味を持つパロ・ゾンからはパロの町並みを一望できる。西洋とも東洋とも区別し難い、独自の文化が育んだ町を歩こう。

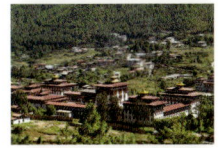

✓ ティンプー　　　チェックポイント
ブータン西部に位置する首都ティンプー。マニ車が設置されている時計塔広場からクラフトマーケットまで約1km続く"ノルジン・ラム"がメインストリート。市民の生活を垣間見ることができる商店や土産屋、飲食店などが軒を連ねている。

🛒 マニ車　　　ショッピング
円筒形の箱の中に経文が収められているもので、回すことによってお経を唱えるのと同じ功徳があると言われている。街中には数mもある巨大なものがあるが、土産用のものはコンパクトで小さいもの。ブータンで見かけることも多いマニ車のミニ版はいかが？

+1 タクツァン僧院　　　プラス1日あったら？
標高3,000mの切り立った岩山の壁面に佇む僧院。仏教を伝えたパドマサンバヴァが虎の背に乗ってきて建立したことからタイガーネスト（虎の巣）とも言われている。パロから往復5～6時間かかるが、ブータンで最も見応えがあるものなので、+1日あれば是非。

+1 バンコク　　　プラス1日あったら？
アジアを代表する大都市。寺院や王宮、宮殿などの観光はもちろん、タイ料理をはじめとする世界各国の料理やショッピングにエステと楽しみは尽きない。アジア1と言われる活気と喧噪に溢れる街を楽しもう。

旅の相談と手配先は？

【西遊旅行】　▶www.saiyu.co.jp

シルクロード、ブータン、アフリカ、海外登山…と、幾つもの魅力的なツアーを扱う、秘境ツアーのパイオニア、西遊旅行。パッケージ旅行も魅力だが、オーダーメイドも手配OK。最新の現地の情報も教えてくれるので、気軽に連絡してみよう。

Germany
Rothenburg

ドイツ「ローテンブルク」

ロマンチック街道に佇む
中世の宝石箱

210 TRIP:32

中世の宝石箱
「ローテンブルク」

ドイツ南部を縦断するロマンチック街道。北はヴェルツブルクから南はフュッセンまで約366kmを繋ぐ。ドイツを代表するドライブコースで、街道沿いには美しい街や村が点在する。中でも最大の見所が、中世の趣そのままに残る街、ローテンブルク。ドイツの玄関口のひとつ、フランクフルトの南東約180kmにある街で、約2.5kmもの城壁が囲む旧市街には石畳が敷かれ、赤褐色の三角屋根を載せる木組みの家々が建ち並ぶ。この街を語る上で外せないのが、17世紀に勃発した30年戦争で敵に攻め入られた時のこと。敵将から「この大杯のワインを飲み干せばすべてを許し、街を救おう」との言葉に、当時の老市長ヌッシュが3リットルものワインを飲み干し、街を救ったという伝説だ。その様子が市議宴会館の仕掛け時計で再現されていて、街のシンボルとなっている。また、宗教画や5500本ものパイプを持つオルガンがある聖ヤコブ教会も見所のひとつだ。街中を歩けば中世の頃からほとんど姿を変えない光景に驚き、マルクト広場にある市庁舎の塔や街の東端にあるブルク門、城壁の上の回廊から街を一望すれば、その美しさに息を呑むだろう。中世の宝石箱と謳われるほどの、美しき世界へ。

Travel Information:32

中世の宝石箱
ローテンブルク
Germany／ドイツ

MAP:

いくらかかる?
How much?
17万円～
＜大人1名分の総予算＞

「旅の予算」は右頁「PLAN」の目安料金です。
内訳：
- 飛行機代
- 宿泊費
- 食事(朝3回)

※現地送迎、燃油サーチャージ除く

どうやって行く?
How to get there
約15時間
＜片道の移動時間＞
※空港等での待機時間含ます

羽田からドイツのフランクフルトまで直行便が運行している。羽田～フランクフルトは**約12時間10分**。フランクフルトからローテンブルクまでは車で**約2時間45分**。

いつがオススメ?
Best Season
5月～10月
＜街歩きに適した時期＞

街の散策には**5～10月**がベストシーズン。一方で**11月末～12月24日**の間はクリスマスシーズンで街中がライトアップされる。寒くはなるが、中世の街並みがクリスマスに染まるこの時期もオススメだ。

この旅のヒント
Hint!
フランクフルトから日帰りで行けるスポットもあるのでそちらもオススメ!

● 本書ではローテンブルク滞在をメインとしたが、フランクフルトから日帰りで、「+1日あったら?」で紹介しているヴィース教会とノイシュバンシュタイン城に行くことも可能だ。3日目のプランに入れれば、どちらも訪問できる。

例えばこんな旅 PLAN — この旅のプラン例／5日間

1日目	深夜	羽田発〜フランクフルトへ
	早朝	フランクフルト着
	午前	ローテンブルクに移動
	午後	ローテンブルク【ローテンブルク泊】
2日目	終日	ローテンブルク【ローテンブルク泊】
3日目	午前	ローテンブルク
	午後	フランクフルトに移動【フランクフルト泊】
4日目	午後	フランクフルト発〜羽田へ【機内泊】
5日目	朝	羽田着

この旅の要チェック！ CHECK!

✓ フランクフルト　　チェックポイント
ドイツ第5の都市、フランクフルト。近代的なビルが建ち並ぶ、経済、金融の中心地である一方で、復元された旧市庁舎など、中世の歴史にふれることもできる。かの文豪ゲーテの出生地としても知られ、生家などを見学することも可能だ。時間が許せば歩きたい街。

✓ ローテンブルク　　チェックポイント
連なる家々の外壁は暖色系の色で統一されていることから、散策しているだけでどこか温かい気持ちになる街だ。ドイツで唯一法律と犯罪に関する中世犯罪博物館も見所のひとつ。中世の拷問道具などが一挙に展示されている。

🛒 ローテンブルクのお土産　　ショッピング
中世の街並みにマッチするような、可愛らしいものがたくさんある。木で作られたカラフルな人形や、小動物をモチーフにした飾り、雑貨など種類が豊富だ。またクッキー同様の生地を野球ボールほどの大きさにして揚げたシュネーバルというローテンブルク名物のお菓子もオススメ。

+1 ヴィース巡礼教会　　プラス1日あったら？
バロック様式に続いて世に流行したロココ様式を代表する教会。外観に特徴は少ないが、内装の素晴らしさ、特に天井画は天から降ってきた宝石と言われるほどに美しい。ロマンチック街道を代表する名所のひとつで世界遺産にも登録されている。

+1 ノイシュバンシュタイン城　　プラス1日あったら？
ローテンブルクから南へ車で約4時間の場所に位置するフュッセン近郊にある。絶壁の上に佇む白亜の城で、映画「眠れる森の美女」の舞台になったと言われている。19世紀に国の財政を傾ける程の巨額の費用を投じてできた城で、非常に絢爛豪華。必見の城だ。

旅の相談と手配先は？　**[H.I.S.]**　▶ www.his-j.com
広範囲に渡って世界中に支店を持つ旅行会社。その手配範囲の広さとリーズナブルな金額設定が魅力的だ。日本全国にあるH.I.S.の営業所にて旅の相談や手配が可能なので、まずは気軽に問い合わせしてみよう。

Sweden
Stockholm

スウェーデン 「ストックホルム」

北欧の水の都
世界で最も美しい首都

33

Sweden 215

216 TRIP:33

北欧の水の都
「ストックホルム」

北欧、スカンジナビア半島の東側に位置するスウェーデン。その南部に、メーラレン湖やバルト海に面する14の島から構成された街、ストックホルムはある。周囲のほとんどを美しい水に囲まれていることから水の都とも北のベニスとも呼ばれ、世界で最も美しい首都との呼び声も高い。最大の見所は、ストックホルム発祥の地でもある小島に築かれたガムラスタンという名の旧市街。世界遺産に登録されたこの古い町には17世紀の建築物が建ち並び、玉石敷の通りが美しく、中世の雰囲気が広がる。レストランやカフェ、土産屋、ギャラリーなどが軒を連ね、町並みは活気に溢れている。また橋で繋がる周囲の新市街には、ノーベル賞の祝賀晩餐会が行われ、街のシンボルにもなっている市庁舎や、1628年の処女航海によって沈没した戦艦ヴァーサ号の博物館、歩行者天国となっているメインストリート"ドロットニング通り"など見所も多い。郊外へと足を延ばせば、北のベルサイユとの異名を持つ壮麗なドロットニングホルム宮殿なども。水の都とも呼ばれているだけに船で運河を巡り、水の上からの風景を楽しむクルーズもオススメのアクティビティだ。どこを見渡しても洗練された北欧デザインを楽しめる街、ストックホルムへ。

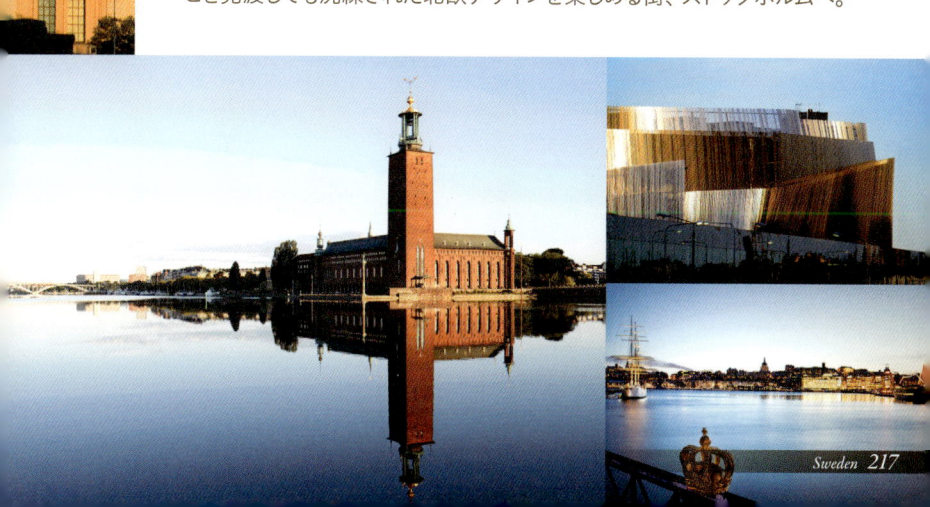

Travel Information:33

北欧の水の都
ストックホルム
🇸🇪 Sweden／スウェーデン

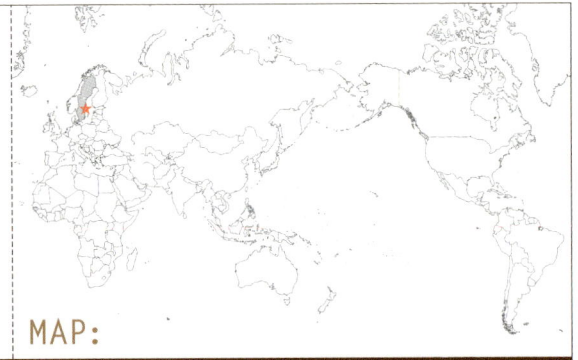

MAP:

いくらかかる？
How much?
16万円〜
〈大人1名分の総予算〉

「旅の予算」は右頁「PLAN」の目安料金です。
内訳：
- 飛行機代
- 宿泊費
- 現地送迎
- 食事(朝2回)

※燃油サーチャージ除く

どうやって行く？
How to get there
約11.5時間
〈片道の移動時間〉
※空港等での待機時間含ます

日本からスウェーデンまで直行便は運行していない。スウェーデンのストックホルムへはフィンランドの首都ヘルシンキなどで乗り継いで行くのが一般的だ。成田〜ヘルシンキは約10時間30分、ヘルシンキ〜ストックホルムは約1時間。

いつがオススメ？
Best Season
6月〜8月
〈街歩きに適した時期〉

6〜8月の夏にあたる期間が街歩きに最適なシーズン。その間は22時過ぎに日没を迎え、深夜3時頃には日が出始める。日照時間が長い為、夜まで街の散策を楽しめることができるのだ。また冬の間は逆に日照時間が短い為、街歩きにはあまり向いていない。

この旅のヒント
Hint!
ローカルな移動手段が一番リーズナブルだが、苦手な人はタクシーを。

●見所がそれぞれ少々離れているので、移動にはトラムや地下鉄、バスなどを利用するのが一番リーズナブルな方法だ。ローカルな移動手段が苦手な人はタクシーがオススメ。

PLAN 例えばこんな旅

この旅のプラン例／5日間

1日目	終日	成田発〜ヘルシンキ乗り継ぎ〜ストックホルム着【ストックホルム泊】
2日目	終日	ストックホルム【ストックホルム泊】
3日目	終日	ストックホルム【ストックホルム泊】
4日目	終日	ストックホルム発〜ヘルシンキ乗り継ぎ〜成田へ【機内泊】
5日目	午前	成田着

CHECK! この旅の要チェック！

✓ 市庁舎
チェックポイント

平和賞を除く5部門のノーベル賞晩餐会が行われることで知られる市庁舎。建築物自体も素晴らしく見応えがあり、また夏期には塔に登り市内を一望することも可能だ。ストックホルムを訪れたからには絶対に外せないスポット。

✓ ノーベル博物館
チェックポイント

ノーベル賞にまつわる様々なものを展示しているノーベル博物館がある。施設内にあるカフェでは晩餐会で供されるものと同様のアイスクリームを食べることができるので、散策に疲れたら、是非。

✓ ヴァーサ号博物館
チェックポイント

スウェーデンがバルト海沿岸を支配していた時代に建造された全長68mもの戦艦ヴァーサ号。1628年の処女航海で沈没してしまったが、その後20世紀中頃に引き上げられた。海の状態がよく、ほとんど腐食がなかったお陰で、貴重な当時の姿を見ることができる。

+1 ヴィスビー
プラス1日あったら？

ストックホルムから飛行機で約45分に位置するゴットランド島のヴィスビー。映画「魔女の宅急便」の舞台と言われる港町で、古い町並みが残り世界遺産に登録されている。連なる赤褐色の屋根や石畳、軒先に植えられた花々など映画同様の世界が広がっている。

+1 ヘルシンキ
プラス1日あったら？

バルト海に面した隣国フィンランドの首都。「バルト海の乙女」との別名を持つ。街中には北欧らしく洗練されたデパートやアンティークショップなど、バラエティに富んだ店が所狭しと並ぶ。乗り継ぎ地をヘルシンキとする場合は、是非立ち寄りたい。

旅の相談と手配先は？

［フィンツアー］ ▶ www.nordic.co.jp

北欧一筋30年以上もの歴史を持つ旅行会社。北欧のプロフェッショナルなので、パッケージツアーも個人手配も得意としている。現地滞在時には24時間日本語電話サポートを用意するなど、北欧に行く際はとても頼りになる存在だ。

Myanmar
Inle Lake

ミャンマー「インレー湖」

湖の民が築いた水上世界
世界的にも珍しい水に浮かぶ町

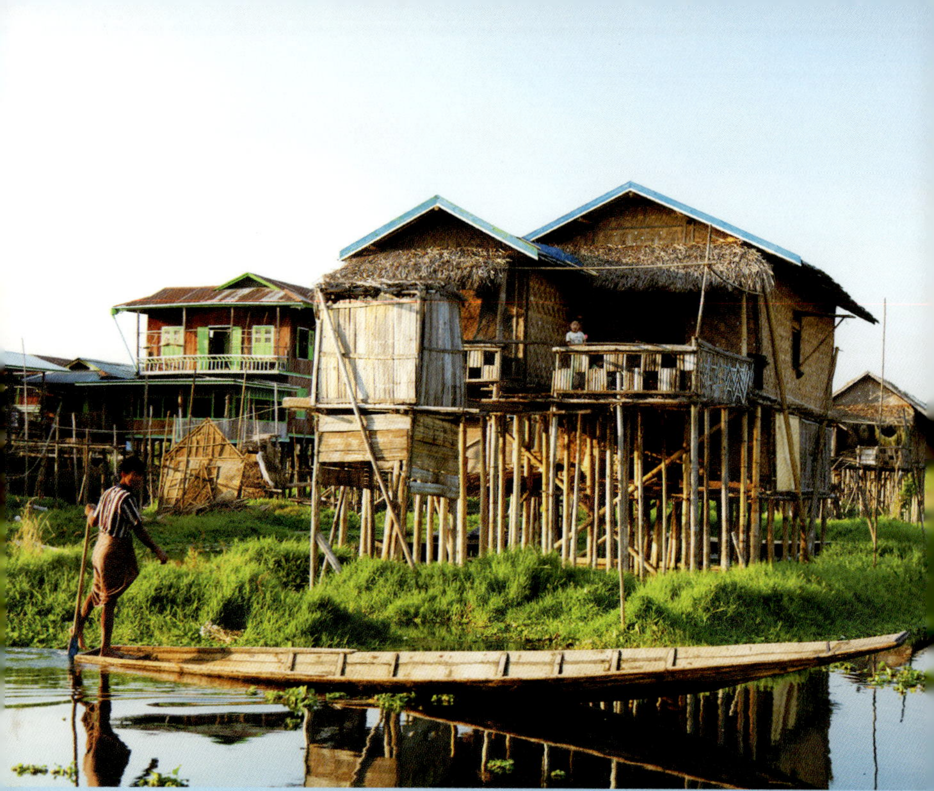

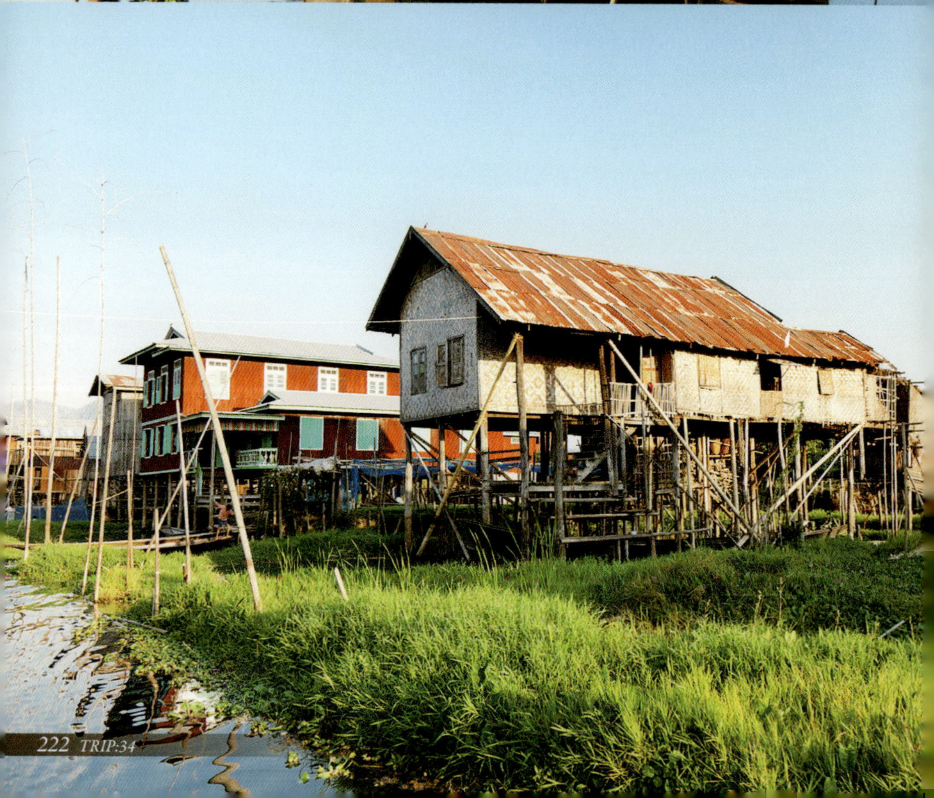

湖の民が築いた水上世界
「インレー湖」

中国、インド、タイなど複数の国と国境を接する国、ミャンマー。長期に及ぶ軍事政権下にあった為、閉鎖的な環境だったが、2011年に新政府が発足し、観光が自由化されてきた。すなわち開かれたばかりの国だ。ミャンマー南部に位置するのが、植民地時代の町並みを残す首都のヤンゴン。その北約450km、海抜1,300mのシャン高原に、豊かな水を湛えたインレー湖はある。南北約22km、東西約12kmと細長い湖で、水深は平均して3mほどだが、雨期には6m近くになる。その湖に、世界的にも珍しい水上に浮かぶ町がある。湖面に水上家屋が建ち並び、車ではなく小舟が町を行き交う光景が広がっている。また家だけでなく寺院やマーケットも水上にあり、驚くべきことに、畑までもが浮かんでいる。片足で器用に櫂(かい)を操り小舟を漕ぐ地元の人々や、水遊びしている子ども達、野菜を湖で洗うお母さん…少数民族インダー族が暮らすこの町を、ボートに乗って巡ろう。そして、湖畔に聳えるパゴダ(仏塔)や遠くに望む山稜の眺めなども楽しみのひとつ。水上、そしてその周辺に15万人が暮らしていると言われているインレー湖。ミャンマーを代表する風光明媚な町へと漕ぎ出そう。

Travel Information:34

湖の民が築いた水上世界
インレー湖

Myanmar／ミャンマー

MAP:

いくらかかる？
How much?
15万円〜
<大人1名分の総予算>

「旅の予算」は右頁「PLAN」の目安料金です。
内訳：
- ●飛行機代
- ●宿泊費
- ●現地送迎
- ●食事(朝3回)

※燃油サーチャージ除く

どうやって行く？
How to get there
約10.5時間
<片道の移動時間>
※空港等での待機時間含みます

成田からミャンマーの首都ヤンゴンまで直行便が運行している。そこからインレー湖近隣のヘイホー空港まで国内線で移動することになる。成田〜ヤンゴンは**約7時間30分**、ヤンゴン〜ヘイホーは**約2時間**。ヘイホーからインレー湖の玄関口ニャウンシュエまでは車で**約1時間**。

いつがオススメ？
Best Season
11月〜4月
<街歩きに適した時期>

北部の山岳地帯を除き熱帯気候なので一年を通して暖かい。しかし、5〜10月の雨期はどんよりとした曇天が続き、時々強い雨が降る。その為、乾期である11〜4月がオススメのシーズンだ。

この旅のヒント
Hint!
インレー湖の宿泊は、レイクビューの部屋がオススメ！

●インレー湖北部の東西に水上ホテルや、陸上ホテルが建ち並ぶ。ここでは水上ホテル、特に湖が見えるレイクビューの部屋がオススメ。落ち着いた環境の中でゆっくりと滞在ができる。

PLAN ／例えばこんな旅
この旅のプラン例／5日間

1日目	終日	成田発～ヤンゴン着【ヤンゴン泊】
2日目	午前	ヤンゴン発～ヘイホー着、インレー湖に移動
	午後	インレー湖【インレー湖泊】
3日目	終日	インレー湖【インレー湖泊】
4日目	午前	ヘイホーに移動
	午後	ヘイホー発～ヤンゴン着
	夜	ヤンゴン発～成田へ【機内泊】
5日目	午前	成田着

CHECK! ／この旅の要チェック!

✓ 織物工房　　チェックポイント
インレー湖に暮らすインダー族に伝わる伝統的な織物工房を見学しよう。蓮の茎から繊維を取り丁寧に編み上げていくもので、ひとつの布を作るのに数十万本もの蓮が必要と言われている。その為、非常に高価なので仏像に着せるものがほとんどとなっている。

✓ ファウンドーウーパゴダ　　チェックポイント
インレー湖上にそびえるパゴダ。聖地として崇められ、多くの人々が参拝に訪れている。祭壇に安置されている仏像は元々普通の姿形をしていたが、信仰心の強い人々が金箔を張り続けた現在、仏像とは分からないぐらいの形になっている。

✗ ミャンマー料理　　食事
インドと中国の影響を受けながら、地元の人にアレンジされたのがミャンマー料理。油が多めで、牛肉や豚肉、鶏、魚、豆など多用な食材を使うのが特徴。カレー風煮込みの「ヒン」が代名詞となっている。また、地産の魚料理も美味だ。

+1 インテイン遺跡　　プラス1日あったら?
インレー湖の西に位置する遺跡で、1,000以上もの仏塔が建ち並ぶ。その多くが手つかずのまま現代に残されているので、崩れかかっている物も多い。歴史を垣間見ることもできるので、足を運んでみよう。また遺跡の近くの船着き場ではマーケットが開かれていることも。

+1 ヤンゴン　　プラス1日あったら?
ミャンマーの首都で、パゴタ(仏塔)、博物館、マーケットなど見所満載。国内外から参拝者が絶えないシュエダゴン・パゴダの中心には、美しい金色の塔がそびえ立っている。

旅の相談と手配先は?

[ファイブスタークラブ]　▶ www.fivestar-club.jp

世界中を手配範囲とする旅行会社。多種多様なテーマでのパッケージツアーに加え、オーダーメイドももちろん手配OK。ファイブスタークラブがプロデュースするこだわりの旅は、とても魅力的。まずは、気軽に相談するところから始めてみよう。

Montenegro
Kotor

モンテネグロ 「コトル」

モンテネグロの秘宝
アドリア海最奥部の港湾都市

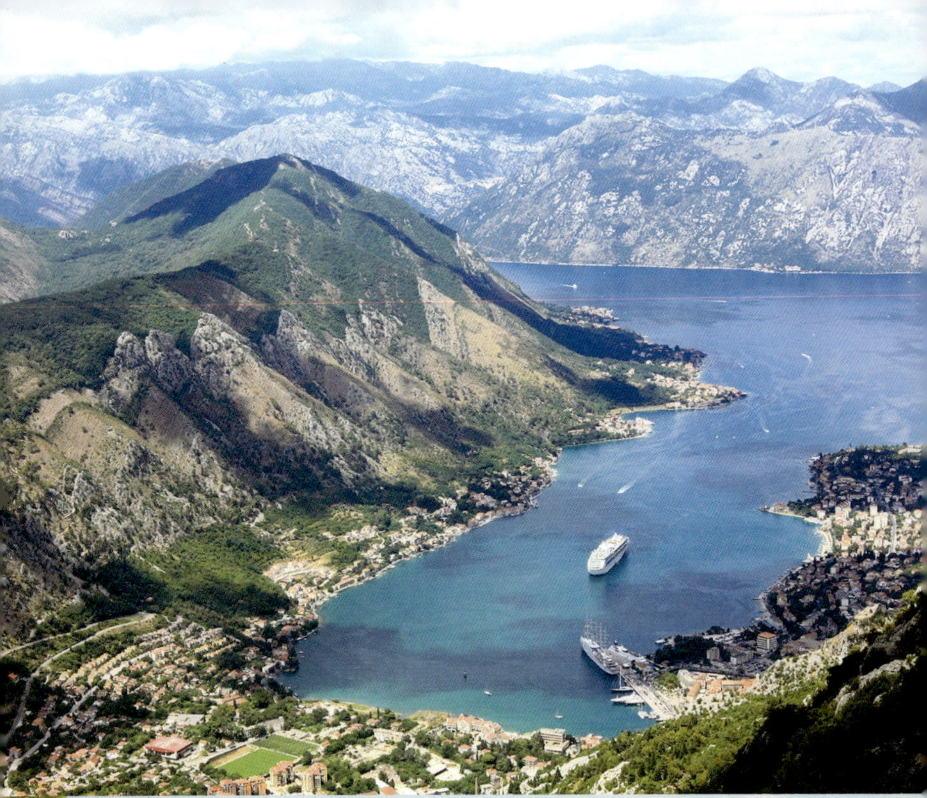

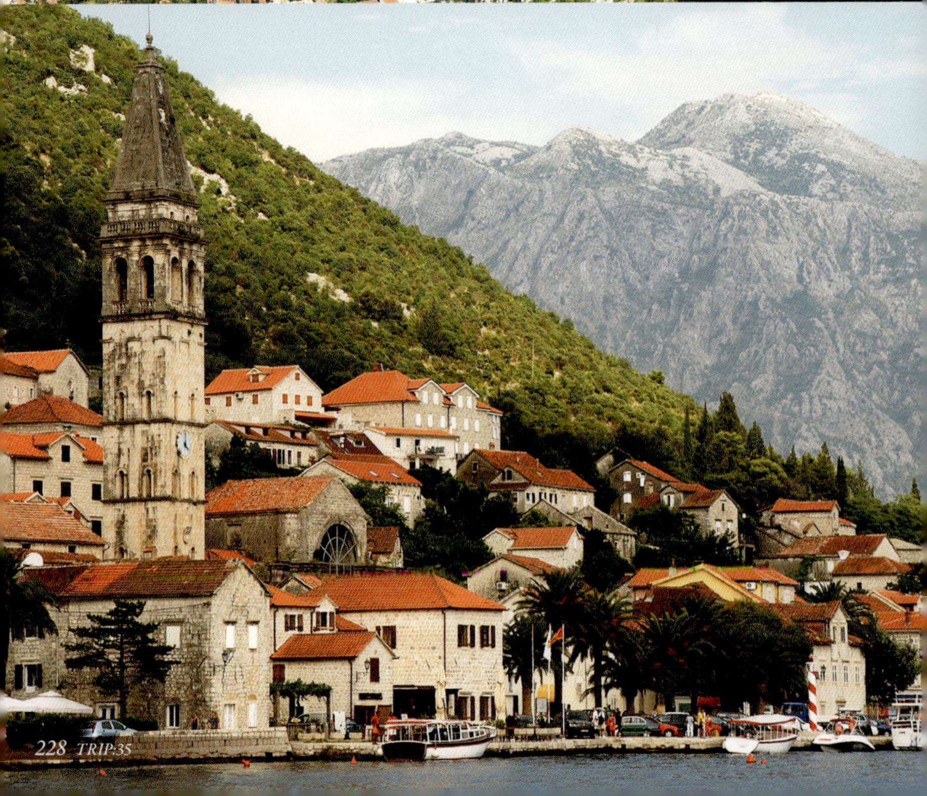

モンテネグロの秘宝
「コトル」

バルカン半島中西部、クロアチアの南に位置するモンテネグロ。その西部、アドリア海を湛えるリアス式海岸の最奥部、世界一美しい湾とも称されるコトル湾にコトルはある。「黒い山」という意味を持つ国名モンテネグロ。その名の通りの黒い山々と、複雑に入り組んだ海岸線に囲まれた港湾都市だ。世界遺産に登録されている旧市街を囲む城壁は、かつてのベネチア共和国によって築かれたもの。その影響が街の随所にも見られることから「水路のないベネチア」とも呼ばれている。中世の趣がそのまま残る旧市街の背後には、険しい山が聳え、斜面には約5kmもの城壁が続く。山頂へと続く城壁を登りきれば、コトル湾に落ち込んでゆく山々、景色を映す穏やかな海面、そして淡いオレンジ色の屋根を抱く旧市街を一望できる。昼間も息を呑むほどの絶景が広がるが、夜間にも再度登りたい。複雑な海岸線に沿って連なる家々の灯りと、旧市街から放たれる暖色の光が、美しい光景を見せてくれるのだ。また、石畳が敷かれた街の小道を歩きながら、建ち並ぶバロック様式の建築物にふれたり、アンティーク雑貨店を覗いてみたりするのも楽しい。モンテネグロの秘宝と謳われる、海、山、街が織り成す美しい世界へ。

Montenegro 229

Travel Information:35

モンテネグロの秘宝
コトル

Montenegro／モンテネグロ

MAP：

いくらかかる？
How much?
18万円〜
〈大人1名分の総予算〉

「旅の予算」は右頁「PLAN」の目安料金です。
内訳：
- ●飛行機代
- ●宿泊費
- ●食事（朝3回）

※現地送迎、燃油サーチャージ除く

どうやって行く？
How to get there
約16時間
〈片道の移動時間〉
※空港等での待機時間含みます

日本からモンテネグロまで直行便は運行していない。フランクフルトなどヨーロッパ1、2都市を乗り継いでクロアチアのドブロブニクに行き、そこから陸路で国境を越えることが一般的だ。羽田〜フランクフルトは約12時間10分、フランクフルト〜ドブロブニクは約1時間50分、ドブロブニクからコトルまでは車で約2時間。

いつがオススメ？
Best Season
4月〜10月
〈街歩きに適した時期〉

4〜10月が観光に最も適したシーズン。7、8月の最高気温は30℃を超えるが、海遊びができる時期でもある。街歩きは少々暑いかもしれないが、海を楽しみたい人はその時期に行こう。

この旅のヒント
Hint!
ドブロブニクから陸路で行けば、どちらも同時に楽しめるのでオススメ。

- ●コトル近郊にも空港はあるが、日本からだと乗り継ぎが不便ということに加え、便数も多くないので、ドブロブニクから陸路でコトルへ行くことをオススメ。コトルの滞在時間によってはドブロブニクも一緒に楽しむことができる。
- ●コトルの旧市街は大規模なものではないので、すべて徒歩で回ることが可能。街中のホテルを拠点としてゆったり散策しよう。

PLAN 例えばこんな旅

この旅のプラン例／5日間

1日目	終日	羽田発〜フランクフルト乗り継ぎ〜ドブロブニク着
2日目	午前	コトルに移動【ドブロブニク泊】
	午後	コトル【コトル泊】
3日目	午前	コトル
	午後	ドブロブニクに移動【ドブロブニク泊】
4日目	終日	ドブロブニク発〜フランクフルト乗り継ぎ〜羽田へ【機内泊】
5日目	朝	羽田着

CHECK! この旅の要チェック!

✓ コトル　　チェックポイント

アドリア海周辺で最も美しいと称される聖トリプン大聖堂をはじめとした大小の教会や、街のシンボルの時計塔、海洋都市として栄えたコトルの歴史が展示されている海洋博物館、公共の井戸跡など、街中の至る所でコトルが歩んできた歴史を垣間見ることができる。

✓ ドブロブニク　　チェックポイント

コトルから北へ約60km、アドリア海の真珠と謳われるドブロブニクがある。映画『紅の豚』の舞台になったとも言われている街だ。コトル同様に旧市街は城壁で囲まれ、また遊歩道にもなっているので、景色を楽しみながら一周することができる。

✗ アドリア海の料理　　食事

海に面した街なので、やはりシーフードがオススメ。レモンやオリーブオイル、バジルなどで味付けされたものも多く、口に合いやすい。タコやイカ、牡蠣、ムール貝、白身魚のスープにシーフードリゾットなど新鮮なアドリア海の幸を堪能しよう。

+1 ドブロブニク　　プラス1日あったら?

+1日あれば、旧市街の裏手にあるスルジ山に登りたい。山頂からは旧市街の全景とアドリア海が奏でる美しい絶景を一望することができる。また、旧市街から徒歩で10分の位置にある白砂のバニェビーチでは海水浴も楽しめる。

+1 モスタル　　プラス1日あったら?

ドブロブニクから約3時間の場所に位置する、隣国ボスニア・ヘルツェゴビナの街。モスタル旧市街に架かる古い橋周辺は世界遺産に登録されている。オスマン帝国やオーストリアやハンガリーなど東西文化の影響を受けた街並みはエキゾチックな雰囲気に溢れている。

[H.I.S.]　▶www.his-j.com

旅の相談と手配先は?

広範囲に渡って世界中に支店を持つ旅行会社。その手配範囲の広さとリーズナブルな金額設定が魅力的だ。日本全国にあるH.I.S.の営業所にて旅の相談や手配が可能なので、まずは気軽に問い合わせしてみよう。

Tunisia
Sidi Bou Said

チュニジア 「シディブサイド」

白と青の小さな楽園
チュニジアンブルーが輝く街

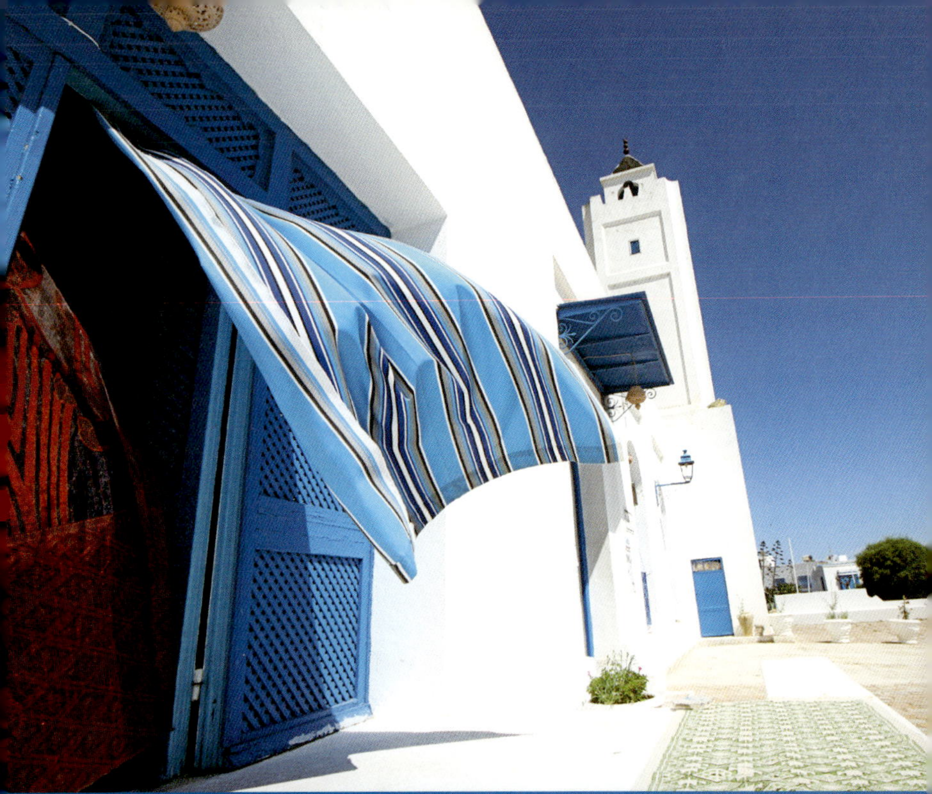

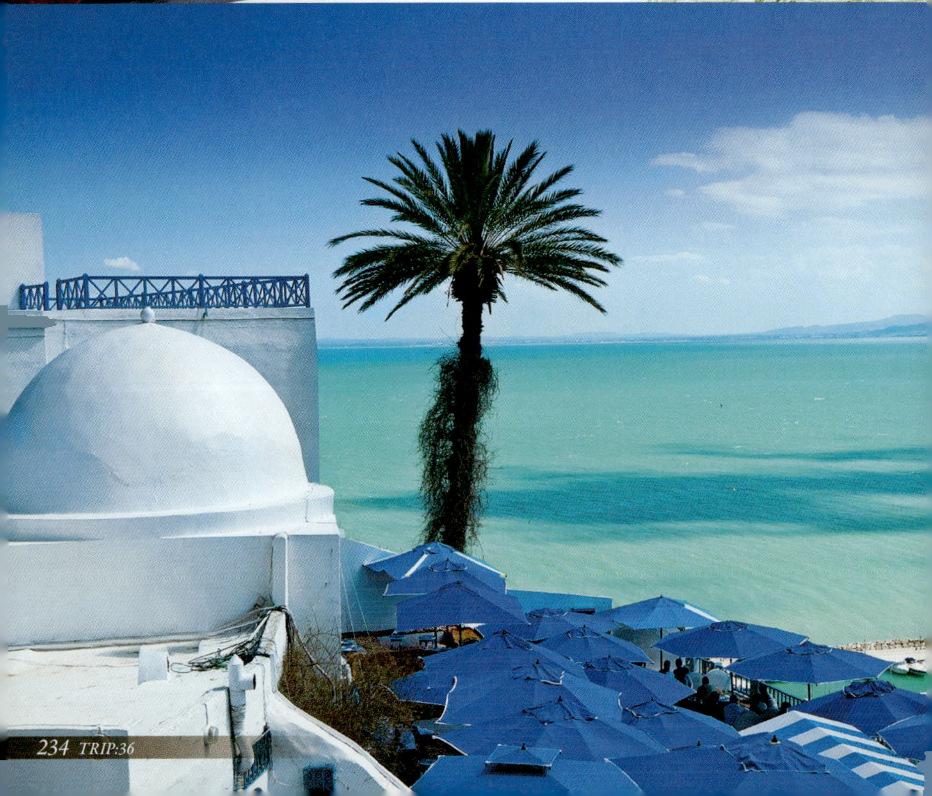

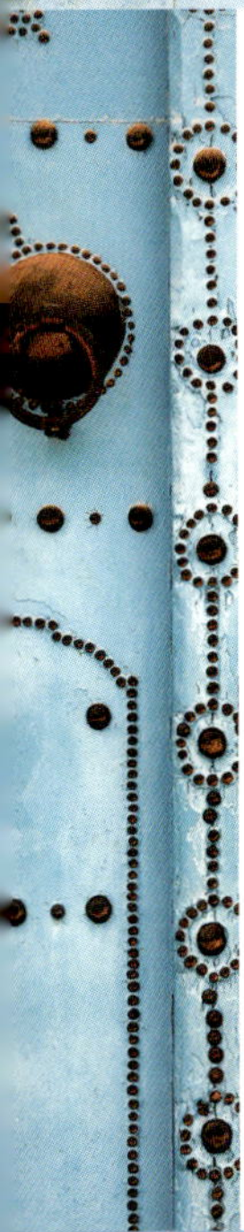

白と青の小さな楽園
「シディブサイド」

アフリカ北部に位置する国、チュニジア。その一部は紀元前にカルタゴと呼ばれた国が存在していた地であり、古代の遺跡が数多く残る。首都は北部に位置するチュニスで、その旧市街も世界遺産に登録されている。その北東約20km、チュニス湾に面した高台に「白と青の小さな楽園」と称される街、シディブサイドはある。アラブ建築とスペインのアンダルシア建築が融合した家々が連なる街だ。建ち並ぶ家の外壁は白を基調とし、窓枠や扉はチュニジアンブルーと呼ばれる鮮やかな青に塗られている。それらが奏でる風景はまるでお伽噺のような世界で、特に晴天時には眩しいばかりの輝きを放つ。街を歩けば、彩りを加える家の軒先に飾られた花々やカラフルな土産に目が引かれ、紺碧の地中海へと目を向ければ停泊するヨットや、ビーチを望むことができる。また、メインストリート（ハビブ・タムール通り）の突き当たりには、街のシンボルであり、世界最古のカフェと言われる「カフェ・デ・ナット」があるので、名物の松の実入りのミントティーを飲みながら、優雅なひと時を楽しもう。まさに楽園とも呼べる街、シディブサイド。地中海から吹く風を頬に感じながら、白と青の別世界を旅しよう。

Travel Information:36

白と青の小さな楽園
シディブサイド

Tunisia／チュニジア

MAP:

いくらかかる?
How much?
12万円〜
＜大人1名分の総予算＞

「旅の予算」は
右頁「PLAN」の目安料金です。
内訳：
● 飛行機代
● 宿泊費
● 現地送迎
● 食事(朝2回)
※燃油サーチャージ除く

どうやって行く?
How to get there
約15.5時間
＜片道の移動時間＞
※空港等での待機時間除きます

日本からチュニジアまで直行便は運行していない。チュニジアの玄関口チュニスへはフランスのパリやアラブ首長国連邦のドバイなどで乗り継いで行くことが一般的だ。成田〜パリは約12時間30分。パリ〜チュニスは約2時間30分。チュニスからシディブサイドまでは車で約30分。

いつがオススメ?
Best Season
4月〜6月
＜街歩きに適した時期＞

夏は乾燥しているがとても暑くなり、冬は温暖な気候だが雨が多くなる。その為、初夏にあたる4〜6月が街歩きのベストシーズンと言える。この時期であれば日射しが強くともカラッとした気候なので、日陰に入れば涼しく快適に過ごせる。

この旅のヒント
Hint!
観光の拠点となるチュニスの街からはTMGという電車で約30分。

● チュニスからシディブサイドへはTMGという電車で訪れることも可能だ。所要時間は約30分。便利だが、海外の電車に自信がない人は旅行会社に送迎をお願いするのが安心だろう。またシディブサイド内は徒歩で充分散策できるが、近郊の遺跡などに行く場合はタクシーや送迎車を利用しよう。

例えばこんな旅 PLAN この旅のプラン例／5日間

1日目	終日	成田発～パリ乗り継ぎ～チュニス着【チュニス泊】
2日目	午前	シディブサイドに移動
	午後	シディブサイド【シディブサイド泊】
3日目	終日	シディブサイド【シディブサイド泊】
4日目	午前	チュニスに移動
	午後	チュニス発～パリ乗り継ぎ～成田へ【機内泊】
5日目	夜	成田着

この旅の要チェック！ CHECK!

✓ チュニス　　　　　　　　　　　チェックポイント
ヨーロッパの薫りが漂う新市街と、古くからのアラブ様式で築かれた旧市街という2つの顔を持つ。カルタゴ遺跡やシディブサイドなどの観光の拠点になる街でもあるが、時間が許せば世界遺産の旧市街を歩き、喧噪に満ちたスーク（市場）やグランドモスクを訪れたい。

✓ シディブサイド　　　　　　　　チェックポイント
1～2時間ほどで街を一巡りできるが、ただ見るだけでなく何日でも滞在してしまいたくなる街でもある。多くの観光客が訪れる所でもあるが、雰囲気は落ち着いていてゆっくりとした滞在ができる。

🛒 チュニジア土産　　　　　　　　ショッピング
名産でもあるオリーブオイルやアラビックデザインの陶器、魔除け効果のあるファティマの手を模したキーホルダー、煌びやかな貴金属、帽子、スリッパなど多種多様な物が揃う。中でもカラフルに色づけされた鳥カゴの雑貨はチュニジアならでは。お気に入りの一品を見つけよう。

+1 ボン岬半島　　　　　　　　　　プラス1日あったら？
地中海に突き出している半島。陶器で有名なナブールの街、カルタゴ遺跡の一部が残る世界遺産ケルクアン遺跡、大部分が石灰岩で埋め尽くされ洞窟が点在する岬、樹齢2,800年のオリーブの木など見所が多い。チュニスから1日で巡ることが可能だ。

+1 カルタゴ遺跡　　　　　　　　　プラス1日あったら？
シディブサイドから車で10分ほど。一度はローマとの衝突によって完全に破壊されてしまったものの、後に再びローマによって再建された歴史を持つ。現存するものはほぼローマ時代のもので、当時の共同浴場や住居跡を見ることができる。

旅の相談と手配先は？　【ファイブスタークラブ】　▶ www.fivestar-club.jp
世界中を手配範囲とする旅行会社。多種多様なテーマでのパッケージツアーに加え、オーダーメイドももちろん手配OK。ファイブスタークラブがプロデュースするこだわりの旅は、とても魅力的。まずは、気軽に相談するところから始めてみよう。

Czech Republic
Prague

チェコ「プラハ」

幾多の言葉が捧げられた街
世界有数のロマンチックタウン

240 TRIP:37

世界有数のロマンチック街
「プラハ」

ドイツ、ポーランド、スロバキア、オーストリアに囲まれた内陸国、チェコ。その首都が、黄金の都・北のローマ・百塔の街・建築博物館など幾多の言葉が捧げられているプラハだ。ロマネスク、ゴシック、ルネッサンス、バロック、アールヌーヴォーからモダンまで、様々な建築様式の建物が建ち並び、世界でも有数の"ロマンチックな街"として知られている。ブルタバ川沿いにそびえ建つプラハのシンボル・プラハ城にはじまり、その城下町であるマラーストラナ地区、プラハに現存する中で最古のカレル橋、活気溢れる旧市街…と、見所には事欠かない。また、道の多くには石畳が敷かれ、より一層ヨーロッパの古都への旅情をそそる。日中は見所満載の街を歩き、オープンテラスのカフェでコーヒーブレイク。夜は淡くライトアップされたプラハ城や、暖色の光が窓から漏れる家々を眺め、安価で美味なビールが揃うホスポダと呼ばれるビアホールで乾杯。あるチェコ人は言う。「チェコ人は常に恋をしていたいんだよ。恋愛は自分たちのスピリットの一部だからね」と。このロマンチックな街で暮らしていると、自然とそうなるのかもしれない。中世の空気と、ロマンが溢れる街へ。

Travel Information:37

世界有数のロマンチック街
プラハ

Czech Republic ／チェコ

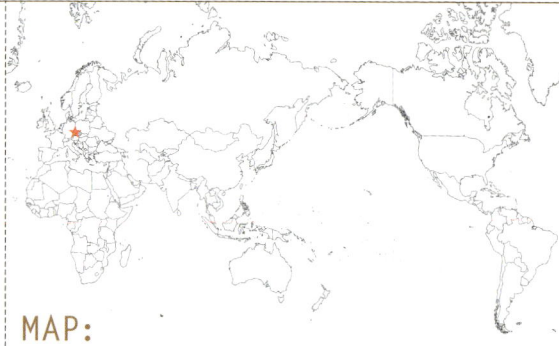

MAP:

いくらかかる？
How much?
18万円〜
＜大人1名分の総予算＞

「旅の予算」は右頁「PLAN」の目安料金です。
内訳：
- ●飛行機代
- ●宿泊費
- ●現地送迎
- ●食事

※燃油サーチャージ除く

どうやって行く？
How to get there
約13時間
＜片道の移動時間＞
※空港等での待機時間含みます

日本からチェコまで直行便は運行していない。プラハへはフランクフルトなどヨーロッパ1都市を乗り継いで行くことが一般的だ。成田〜フランクフルトは**約11時間45分**、フランクフルト〜プラハは**約1時間**。

いつがオススメ？
Best Season
4月〜9月
＜街歩きに適した時期＞

1年を通して楽しめる街だが、日が長くなる春、夏のハイシーズンに訪れるのがオススメ。しかしながら、ヨーロッパならではの冬景色が広がる11〜2月もオススメしたい。雪景色に染まる街並みや人気が少なくなる通り、煙突から白く立ち上る煙など、また違った一面を見ることができる。

この旅のヒント
Hint!
プラハとチェスキー・クルムロフの2カ所を一気に巡るのもオススメ。

●本書ではプラハを2日間半かけて満喫するプランを紹介しているが、うち1日を、「＋1日あったら」で紹介しているチェコの古都、チェスキー・クルムロフへも行くのもあり。ゆっくり1ヶ所滞在よりも2ヶ所を一気に巡りたい人はぜひ。

例えばこんな旅 PLAN この旅のプラン例／5日間

1日目	終日	成田発〜フランクフルト乗り継ぎ〜プラハ着【プラハ泊】
2日目	終日	プラハ【プラハ泊】
3日目	終日	プラハ【プラハ泊】
4日目	午前	プラハ
	午後	プラハ発〜フランクフルト着
	夜	フランクフルト発〜成田へ【機内泊】
5日目	午後	成田着

この旅の要チェック! CHECK!

✓ プラハ チェックポイント
プラハでは、市街を見下ろすプラハ城、橋の欄干に30体の聖人の彫像が並ぶカレル橋、飲食店が集中する旧市街広場はもちろん、壮麗な外観を持つ聖ヴィート教会内部の色彩豊かなステンドグラスや聖イジー教会奥の黄金小路なども訪れたい。

✓ プラハのロマンチックスポット チェックポイント
マラーストラナ地区のすぐ近くのカンパ広場から、ベルコプシェヴォルスケー・ナーミェスティという地域へ向かう途中に、恋人たちが愛を誓い南京錠を付けるスポットがある。愛を誓いながら鍵をかければ、永遠に一緒に過ごせると言われている。カップルで行く際はぜひ!

✗ ビール 食事
世界中で主流となっているピルスターと呼ばれる黄金色のビール。これは、19世紀にプラハ近郊の町プルゼニで誕生した。ホスポダを訪れ、地元の人々と共に元祖とも言うべきビール「ピルスター・ウルケル」を飲む。そんなチェコの夜を過ごそう。

+1 チェスキー・クルムロフ プラス1日あったら?
プラハから南へ車で約3時間に位置する、プラハ以上に中世の町並みがそのまま残る町。S字型に流れるブルタバ川に沿って建ち並ぶ、オレンジ色の屋根を乗せた家々が美しい。どこを切り撮っても絵になる素敵な町だ。

+1 ウィーン プラス1日あったら?
プラハから車で約3時間30分に位置する隣国オーストリアの首都。モーツァルトやベートーベンなど歴史的音楽家を輩出した芸術溢れる華麗なる都。オーストリア皇帝ハプスブルク家の夏の離宮「シェーンブルン宮殿」と「ウィーン歴史地区」は必見。

旅の相談と手配先は? 【株式会社ボイス】 ▶www.voice.ne.jp
TVの番組やCM、広告など広範囲に渡って海外手配を行ってきた。もちろん海外の撮影や取材でなく、一般の観光も手配可能だ。チェコも得意とする手配先のひとつなので、細かな質問も気軽にでき、とても頼りになる。

Italy
Siena

イタリア 「シエナ」

赤レンガが伝える中世の記憶
世界一美しい広場を抱く街

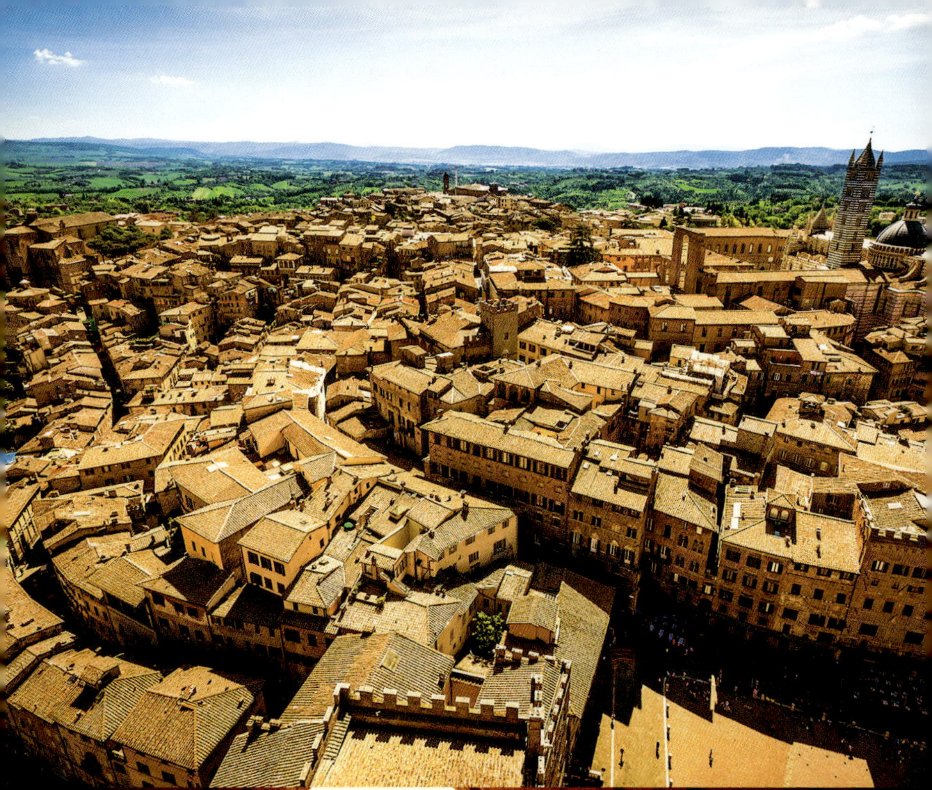

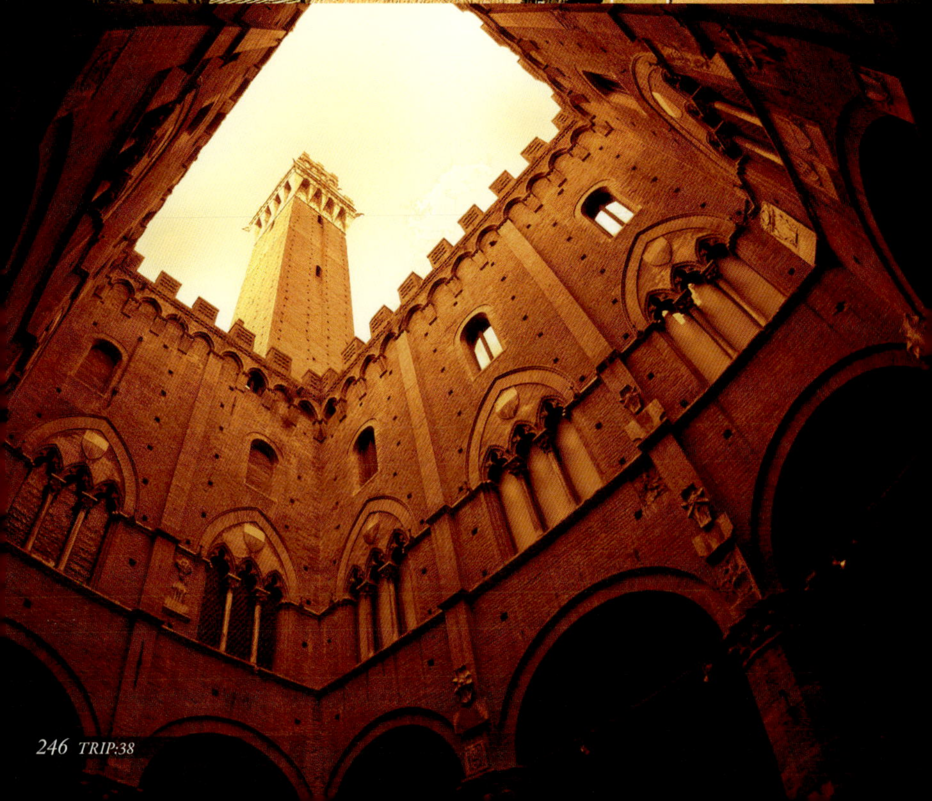

世界一美しい広場を抱く街
「シエナ」

イタリアの首都ローマの北西に位置するトスカーナ州。なだらかな丘陵に葡萄畑やオリーブ畑が広がる美しい田園地帯だ。またフィレンツェやシエナなどの古都が点在することでも知られ、中世より幾多の芸術が花開いた土地でもある。「花の都」と呼ばれ、優雅な街並みを残すフィレンツェはルネッサンス発祥の地でもあり、歴史的建造物が多く残る。彫金細工店が並ぶベッキオ橋や巨大なドーム型天井が特徴的なドゥオーモをはじめ、「天井のない美術館」とも呼ばれているほどの美しさを持つ。一方、そこから約50km南に位置するシエナは、フィレンツェとの覇権争いに敗れた町として歴史を歩んできた。結果、いたずらに開発がされることがなく、中世の趣そのままの町並みが、今も抜群の保存状態で残っている。シエナカラーとも呼ばれる多くの建造物に使われた赤レンガが醸し出す雰囲気や、世界で最も美しいと称されるカンポ広場、小さな路地や窓、扉の表情まですべてが揃うことによって、訪れる者をミッドセンチュリーの世界へと誘ってくれる。シエナ旧市街を一望できるマンジャの塔からは、絶景と呼ぶべき光景にも出逢えるだろう。のどかな田園地帯に囲まれた中世へ、タイムスリップしよう。

Travel Information:38

世界一美しい広場を抱く街
シエナ
Italy ／イタリア

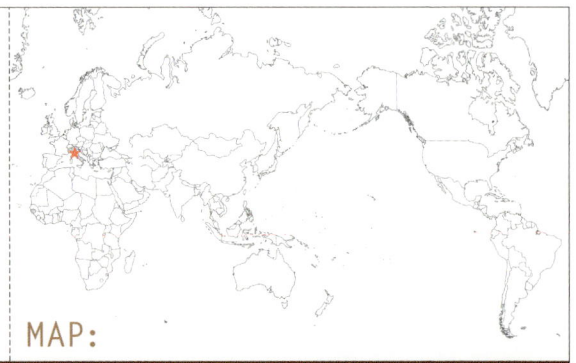

MAP:

いくらかかる?
How much?
14万円～
<大人1名分の総予算>

「旅の予算」は右頁「PLAN」の目安料金です。
内訳:
- 飛行機代
- 宿泊費
- 現地送迎
- 食事(朝3回)
※燃油サーチャージ除く

どうやって行く?
How to get there
約15時間
<片道の移動時間>
※空港等での待機時間含みます

成田からイタリアの首都ローマまで直行便が運行している。そこからシエナ最寄りの空港があるフィレンツェまで国内線で移動することになる。成田～ローマは約12時間50分、ローマ～フィレンツェは約1時間。フィレンツェからシエナまでは車で約1時間15分。

いつがオススメ?
Best Season
4月～6月
10月～11月
<街歩きに適した時期>

ベストシーズンは4～6月と10、11月。晴れると日射しが強くなるが、乾燥した気候の為、日陰に入れば涼しく快適だ。真夏に当たる7、8月は日本と比べれば湿気が少なく過ごしやすいが、多くの観光客が訪れる為、避けた方が無難。

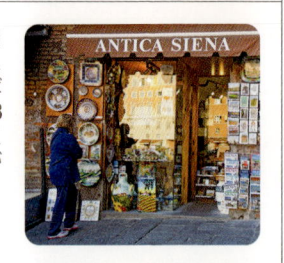

この旅のヒント
Hint!
賑やかなフィレンツェ、静かなシエナ、好みに合わせてどちらも満喫できる。

● シエナは1日で巡ることができる規模の町だ。名物が点在している訳ではないので、基本は徒歩で散策できる。本書ではフィレンツェからの日帰りで紹介したが、フィレンツェに時間を割かなければシエナでの宿泊ももちろん可能。シエナとフィレンツェ、どちらに比重を置くかで決めよう。

例えばこんな旅 PLAN / この旅のプラン例／5日間

1日目	終日	成田発〜ローマ乗り継ぎ〜フィレンツェ着【フィレンツェ泊】
2日目	終日	シエナ【フィレンツェ泊】
3日目	午前	フィレンツェ
	午後	列車にてフィレンツェ発〜ローマ着【ローマ泊】
4日目	終日	ローマ発〜成田へ【機内泊】
5日目	午前	成田着

この旅の要チェック！ CHECK!

✓ シエナ
チェックポイント

フィレンツェと比較すると観光客が少ない為、ゆっくりと散策ができる。カンポ広場でコーヒーを飲みながらシエナの空気に溶け込んだり、マンジャの塔から街を一望したり。心ゆくまで中世の雰囲気を堪能したい。

✓ フィレンツェ
チェックポイント

レオナルド・ダ・ヴィンチやミケランジェロなど多くの芸術家を輩出した街で、街中の至る所にアートが溢れている。ベッキオ橋やドゥオーモ以外にも美術館など見所も多いが、歩いているだけでも楽しむことができる。革製品も有名なので、土産用に手袋などを探すのも面白い。

+1 ローマ
プラス1日あったら？

映画「ローマの休日」のロケ地としても知られるスペイン広場やトレビの泉、真実の口などの有名観光地は、半日もあれば巡ることができる。名物のジェラートを片手にローマの石畳を歩こう。

+1 ベネチア
プラス1日あったら？

ラグーナ（潟）の上に築かれた水上都市、ベネチア。170を超える島々から構成されている水の都だ。街の縦横に通る水路と歴史的な街並みが共演する類い希な景観を求め、世界中から旅人が集まっている。見所も多いオススメの街だ。

+1 ピサ
プラス1日あったら？

フィレンツェから電車で約1時間。傾いていることであまりにも有名になったピサの斜塔がある町へ行くことができる。地盤沈下によって傾いたこの8層の塔は、世界遺産にも登録されている。一生に一度は見ておきたい塔だ。

旅の相談と手配先は？ [エス・ティー・ワールド] ▶ stworld.jp

日本を拠点としながらも、世界中にネットワークを持つ旅行会社。旅の日数や宿も含め、色々とアレンジできるので、まずは気軽に相談してみよう。豊富な種類のパッケージ旅行も魅力だ。

Italy 249

China
Fenghuang Ancient City

中国「鳳凰古城」

山間に生きる鳳凰
中国で最も美しい町

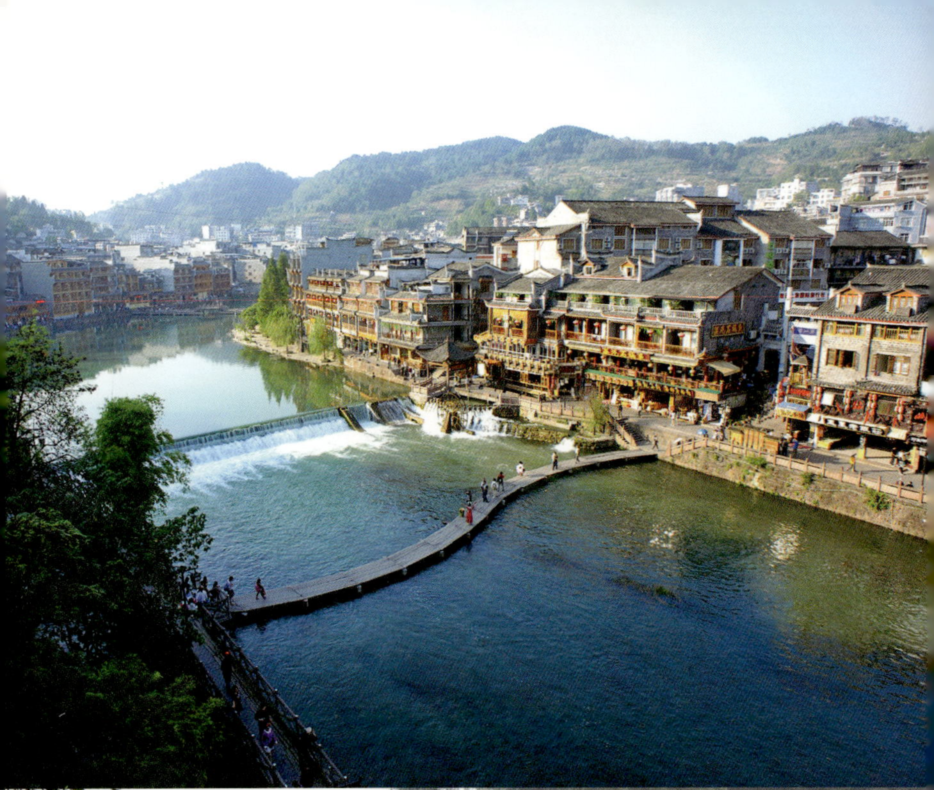

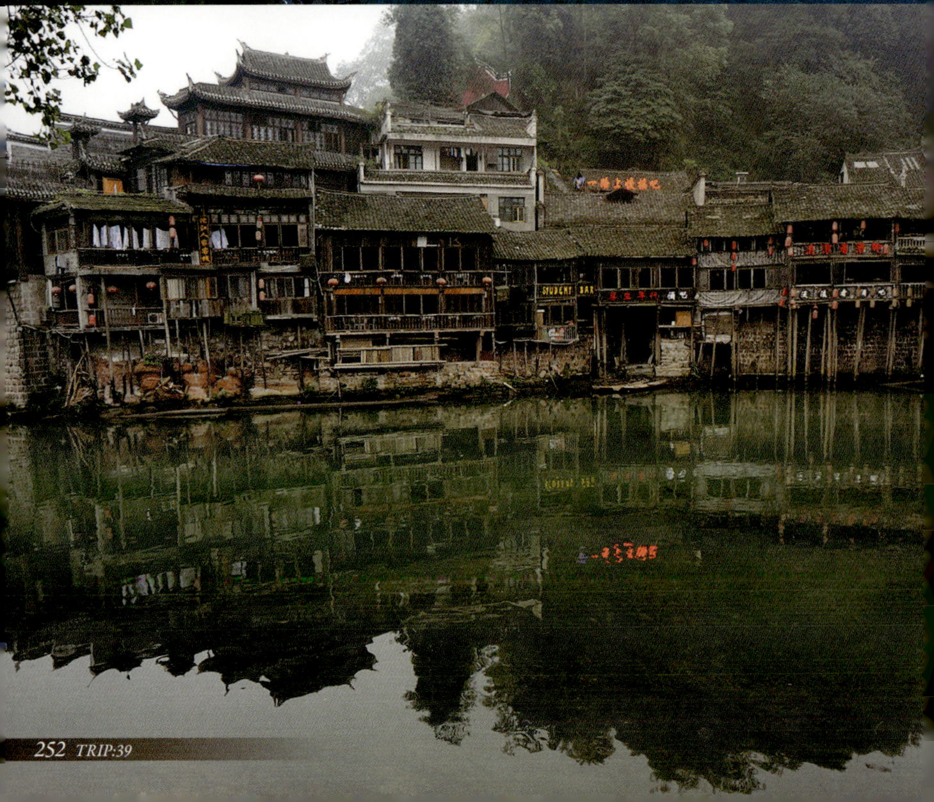
STUDENT BAR

中国で最も美しい町
「鳳凰古城」

中国は湖南省西部、山々に囲まれた緑豊かな場所に鳳凰古城はある。中国に幾つも残る古鎮（古い町並み）のひとつで、春秋戦国時代（紀元前770～同221年）に土家族と苗族の集落として開拓され、清の時代に入り、軍事、政治の中心として繁栄した歴史を持つ。当時そのままの姿が現在に残る貴重なこの町は、中国で最も美しい町と称されている。町には城壁に沿って沱江河が穏やかに流れ、南北を2分している。その両岸には川面に張り出す吊脚楼と呼ばれる伝統的な建築様式の家屋が連なる。1階部分は家畜や薪の貯蔵、2階は住居、3階は食物庫として使用されてきたものだ。そして鳳凰古城の風景に欠かせないのが、南北に架かる虹橋。町のシンボル的存在でもある2階建ての橋で、1階には銀細工をはじめとした土産屋が並び、2階からは沱江河を展望できる。また虹橋と並んで必ず渡りたいのが跳橋。欄干もなく、水面から顔を出した石が、対岸に向けてただ並んでいるだけの非常に珍しい橋なのだ。町並みを眺めながら烏篷船と呼ばれる小舟に乗って川を遊覧したり、吊脚楼とはまた異なる風情を持つ石造りの町を歩いたり。中国に伝わる古都を散策しよう。

Travel Information:39

中国で最も美しい町
鳳凰古城

China ／中国

MAP:

いくらかかる?
How much?

19万円〜
<大人1名分の総予算>

「旅の予算」は右頁「PLAN」の目安料金です。
内訳:
- ●飛行機代
- ●宿泊費
- ●現地送迎
- ●食事(朝4回)

※燃油サーチャージ除く

どうやって行く?
How to get there

約9時間
<片道の移動時間>
※空港等での待機時間含ます

成田から上海まで直行便が運行している。そこから鳳凰古城最寄りの空港、張家界(ちょうかかい)までは国内線で移動することになる。成田〜上海は**約3時間30分**、上海〜張家界は**約1時間45分**。到着する張家界から鳳凰古城までは車で**約4時間**。

いつがオススメ?
Best Season

4月〜6月
9月〜10月
<街歩きに適した時期>

日本と同様に四季がはっきりしているが、比較的夏は涼しく、冬は暖かい。しかし夏は涼しいといっても最高気温が30度を超えることもあり、冬も最低気温が一桁になるので、観光するには**4〜6月、9、10月頃**が適している。

この旅のヒント
Hint!

鳳凰古城の滞在時間を減らせば、世界遺産の武陵源にも行くことが可能。

●本書では鳳凰古城滞在をメインとしたが、1日を割いて、「+1日あったら」で紹介している張家界からほど近い世界遺産、武陵源を訪れることも可能だ。ゆっくり1ヶ所滞在よりも2ヶ所を一気に巡りたい人は是非。

例えばこんな旅 PLAN　この旅のプラン例／5日間

1日目	終日	成田発～上海乗り継ぎ～張家界着【張家界泊】
2日目	午前	鳳凰古城に移動
	午後	鳳凰古城【鳳凰古城泊】
3日目	終日	鳳凰古城【鳳凰古城泊】
4日目	午前	鳳凰古城
	午後	張家界に移動
	夜	張家界発～上海着【上海泊】
5日目	午前	上海
	午後	上海発～成田着

この旅の要チェック！ CHECK!

✓ 張家界　　チェックポイント
「＋1日あったら？」で紹介している武陵源や鳳凰古城の玄関口となる町。空港周辺の町には見所はなく、多くの人々は武陵源や鳳凰古城へと向かう。2日目の長距離移動に備えて、到着した日はゆっくり休もう。

✓ 鳳凰古城　　チェックポイント
近郊にそびえる山が、鳳凰の形に似ていることからその名がついた。石造りの町並み、軒下に吊された赤い提灯、鳳凰を模した飾り瓦、活気に満ちた露天商、町を囲むように延びる城壁…至る所で目を奪われる。また夜間のライトアップされた町並みも素晴らしい。

✓ 上海　　チェックポイント
この旅の乗り継ぎ地となる、中国を代表する都市。ここではまず食を堪能したい。点心や上海ガニなどの食べ歩きがオススメだ。また、歴史的建造物も多く残っているので、町歩きも面白い。エステやマッサージ、ショッピングも楽しめる。

🛍 生姜飴　　ショッピング
鳳凰古城の名物土産は、生姜飴。その名の通り生姜を使用した飴で、甘辛いのが特徴。古くから地元の人々の間で健康食品として愛されてきた。飴作りの実演をしている店舗も多いので、町中を歩けばすぐに見つけられるだろう。

+1 武陵源　　プラス1日あったら？
張家界から車で約1時間。ゆうに200mを超える巨大な石柱が3,000本も立つ武陵源自然風景区。そこに広がるスケールの大きな景色は、まさに絶景。映画「アバター」のモデルにもなったと言われている世界遺産だ。

旅の相談と手配先は？　【日中平和観光】　▶ www.nicchu.co.jp
50年の歴史を持ち、日中の友好に貢献してきた中国専門の旅行会社。経験豊富で、文化や歴史、経済など中国の最新情報にも詳しく、安心で安全な旅を提供している。

India
Varanasi

インド 「バラナシ」

生と死を見つめる
聖なる川に寄り添う街

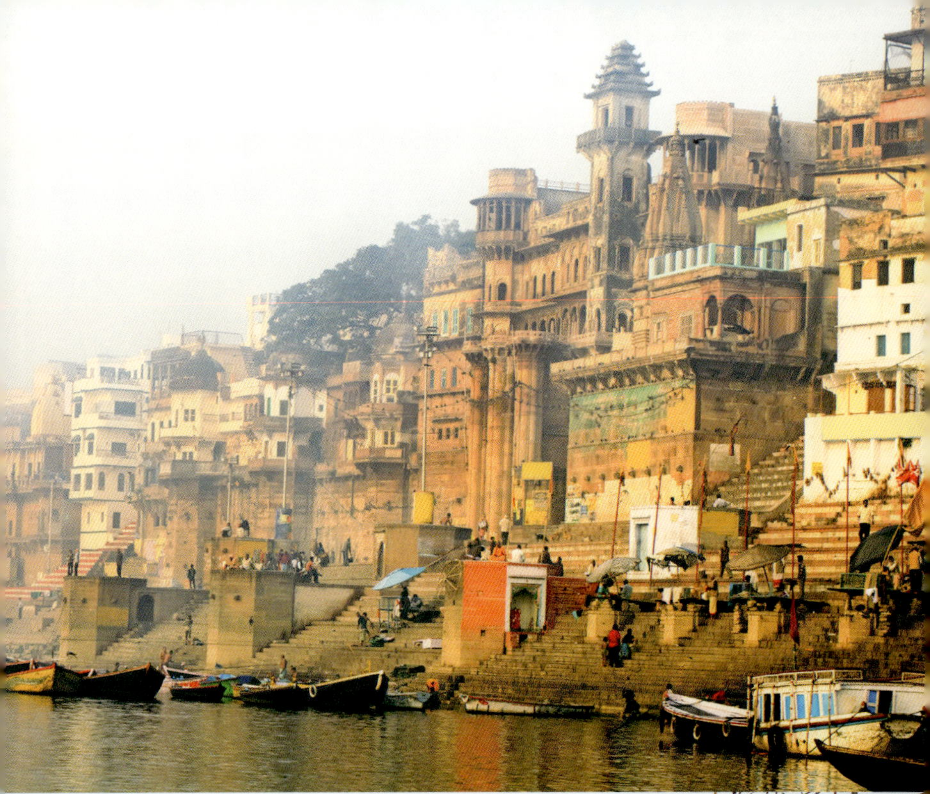

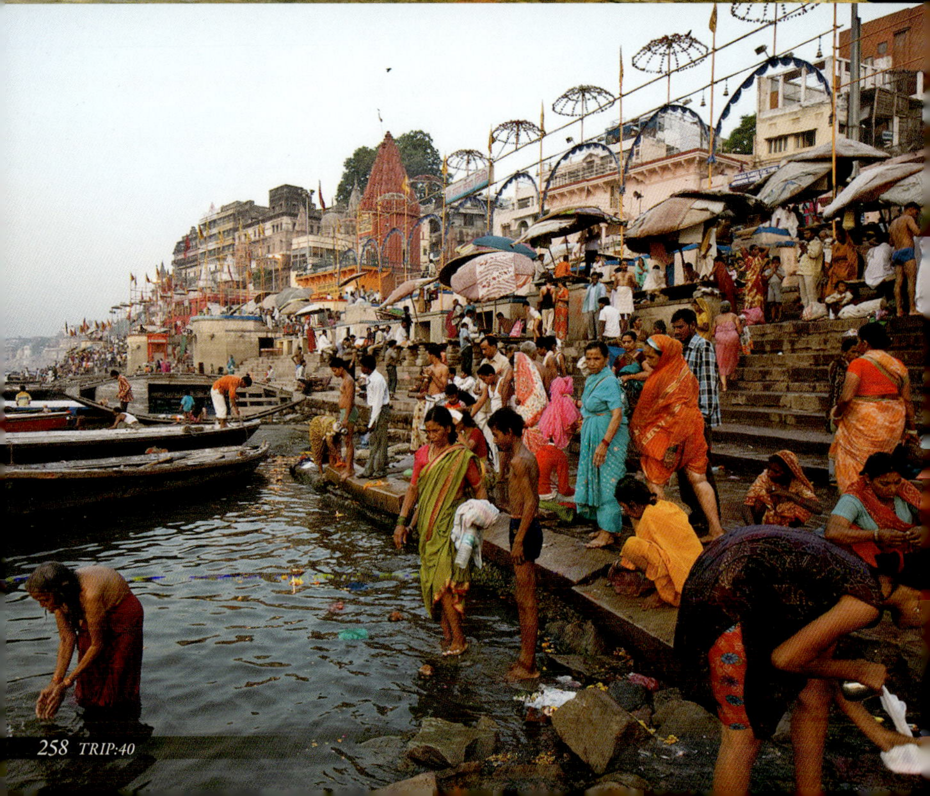

聖なる川に寄り添う街
「バラナシ」

インド北部に位置する首都デリーの南東約820km。そこには、ヒマラヤ山脈の南麓に端を発し、ベンガル湾へと続くガンジス川が流れている。その川沿いに広がる街が、紀元前からの歴史を持つバラナシだ。18世紀に築かれた建造物が建ち並ぶこの街には、ガートと呼ばれる岸辺から川へと続く階段がいくつもある。ヒンドゥー教徒にとって聖なる川「ガンジス」で沐浴することは、すべての罪が浄められることとされている為、夜明けと共に多くの人々がガートに集まってくる。ガンジス川西岸に並ぶガートは84ほどあり、中でもダシャシュワメード・ガートが一番賑わっている。早朝にボートに乗って、神々しい朝日の光で赤く染まったバラナシの街並みと沐浴する人々が紡ぐ光景を眺めよう。そして、街中を歩けば、多くの人々や物売り、バイク、さらに牛までが行き交い、静寂とは無縁の雰囲気に満ちている。同時に「大いなる火葬場」との別名を持つ街でもあるバラナシでは、遺灰をガンジス川に流せば輪廻から解脱できると信じられているため、絶えず死者が焼かれ、荼毘に付されている。死が身近に存在するバラナシ。異国情緒溢れる街を歩きながら、人生最大のテーマとも言える生と死を見つめる旅をしよう。

India 259

Travel Information:40

聖なる川に寄り添う街
バラナシ
India / インド

MAP:

いくらかかる?
How much?
19万円〜
<大人1名分の総予算>

「旅の予算」は
右頁「PLAN」の目安料金です。
内訳:
- ●飛行機代
- ●宿泊費
- ●現地送迎
- ●食事(朝3回)
※燃油サーチャージ除く

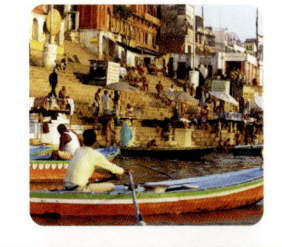

どうやって行く?
How to get there
約11.5時間
<片道の移動時間>
※空港等での待機時間含ます

成田からインドのデリーまで直行便が運行している。そこからバラナシまで国内線で移動することになる。成田〜デリーは約10時間、デリー〜バラナシは約1時間15分。

いつがオススメ?
Best Season
10月〜3月
<街歩きに適した時期>

50度近くまで上昇することもある4〜6月と雨量が多い7〜9月は避けたい。一方で10〜3月は乾期にあたる為、快適に気持ちよく過ごすことができる。バラナシにはこの期間に訪れよう。

この旅のヒント
Hint!
飛び込みたくなるガンジス川だが感染症の恐れもあるので本人の判断で。

●すべての罪が浄められるガンジス川の沐浴だが、一方で水質の汚染も報告されている。その為、感染症などの危険も。沐浴するかしないかは本人の判断となるが、特に体力が低下している場合や、免疫力のない人は避けた方が無難だ。
●火葬場での写真撮影は厳禁だ。カメラが見つかると思わぬトラブルに発展することもある。例えカメラを所持していても、バッグの中から出さないようにしよう。

例えばこんな旅
PLAN
この旅のプラン例／5日間

1日目	終日	成田発～デリー着【デリー泊】
2日目	午前	デリー発～バラナシ着
	午後	バラナシ【バラナシ泊】
3日目	終日	バラナシ【バラナシ泊】
4日目	午前	バラナシ
	午後	バラナシ発～デリー乗り継ぎ～成田へ【機内泊】
5日目	午前	成田着

この旅の要チェック！
CHECK!

✓ 旧市街
チェックポイント

迷路のように複雑に小路が張り巡らされている旧市街。古ぼけた壁の色や、そこに住まう人々、スパイスの香りなどが異国情緒を盛り上げている。土産屋が軒を連ねるヴィシュヴァナート寺院(ゴールデンテンプル)周辺は特に活気に満ち、旅人も多い。

✓ プジャ
チェックポイント

ダシャシュワ・ガートで日没後に行われる礼拝。プジャと呼ばれるそれは、供物を神像に捧げるなどして神に祈るというものだ。艶やかにライトアップされる中で進行していくプジャは一見の価値あり。毎晩行われているので、いずれかの夜に訪れよう。

✓ 火葬場
チェックポイント

街の中心の近くに位置するマニカルニカ・ガート。24時間、死者が荼毘に付されている所だ。ガンジス川の水に浸された後に、薪の上に乗せられて火が付けられ、灰となりガンジス川に流される。一連の様子を見ることができるそれは、生と死について考える機会となるだろう。

+1 デリー
プラス1日あったら？

インドの首都ニューデリーを含む都市、デリー。世界遺産である世界で最も高いミナレットを持つクトゥブミナールやタージマハルのモデルになったフユマーン廟、パリの凱旋門を基に築かれたインド門など見所が多い街でもある。

+1 サールナート
プラス1日あったら？

仏教の四大聖地のひとつで、仏陀が初めて説法(初転法輪)をした場所。その説法を聞いた5人の修行僧が、世界中に仏陀の言葉を広めたと言われている。仏像の最高傑作のひとつと言われる初転法輪像を博物館で見ることができる。バラナシから日帰りで行くことが可能だ。

旅の相談と手配先は？

［西遊旅行］ ▶ www.saiyu.co.jp

シルクロード、ブータン、アフリカ、海外登山…と、幾つもの魅力的なツアーを扱う、秘境ツアーのパイオニア、西遊旅行。パッケージ旅行も魅力だが、オーダーメイドも手配OK。最新の現地の情報も教えてくれるので、気軽に連絡してみよう。

Japan

● 日本

日本ならではの風景
世界に誇る伝統美

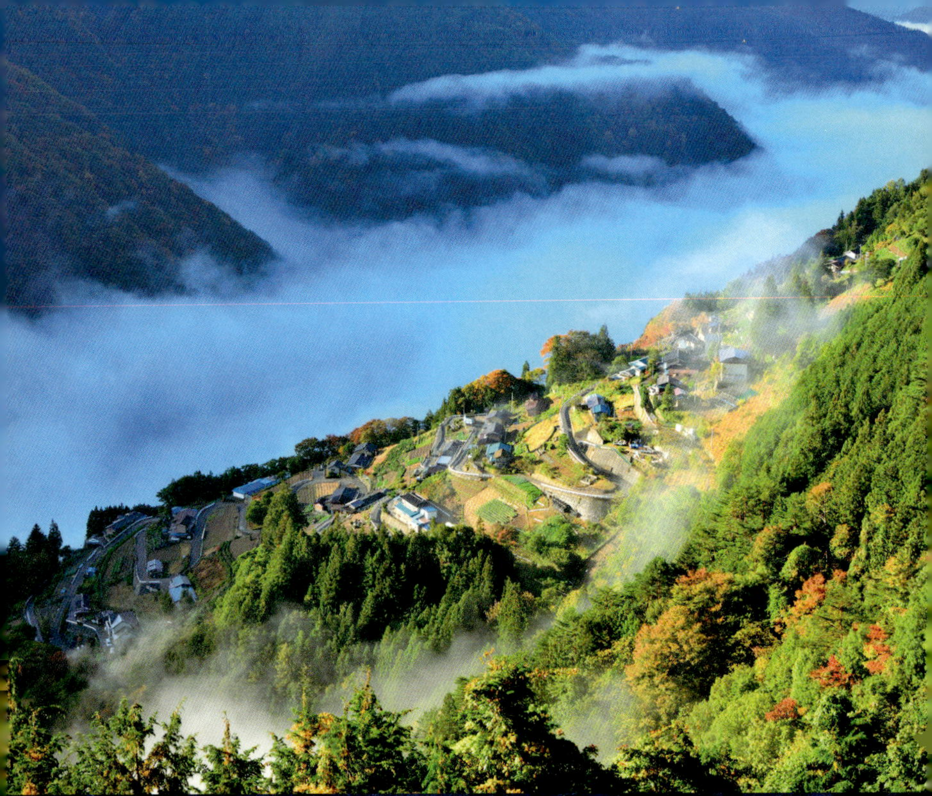

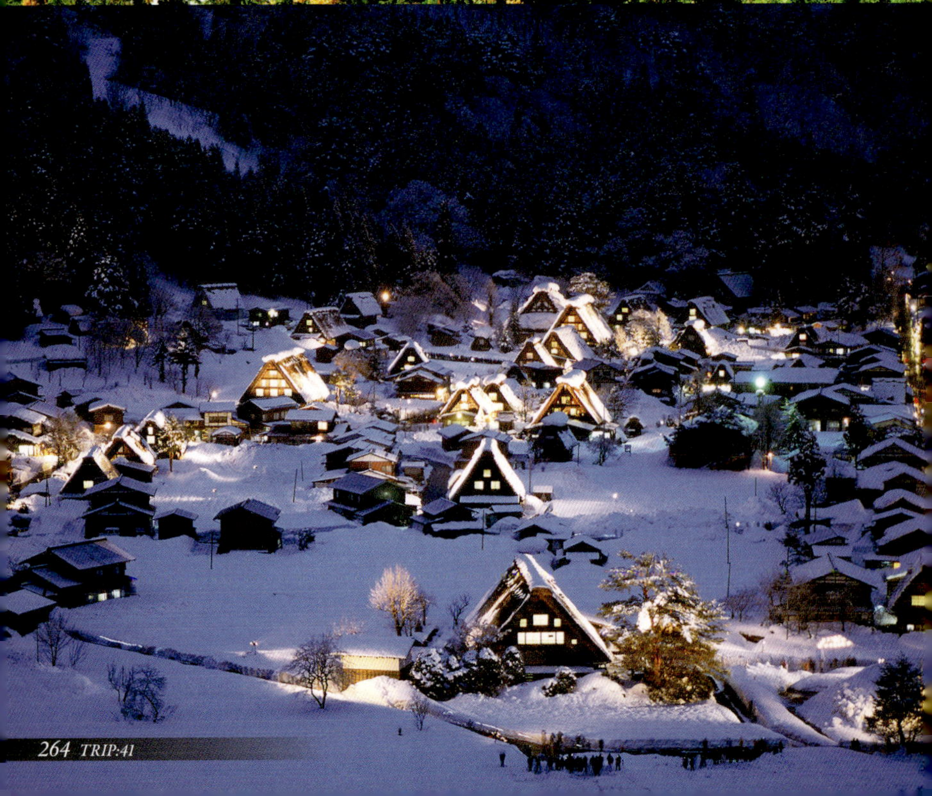

世界に誇る伝統美
「日本」

世界に点在する、ため息が漏れるほど美しい街や目を疑うほどの驚きの光景が広がる街。しかし、日本にだって世界に誇る街がたくさんある。本章では、そのうちの幾つかを紹介。比較的知名度の高い所だが、まだ訪れたことがない人もいるのでは？ 国内なので、5日と言わず日帰りで行ける場所だってきっとある。世界を見る前に日本も今一度見つめ直してみよう！

秋田県「角館(かくのだて)」

秋田県東部に位置する仙北市角館。武家屋敷と桜並木が美しい城下町だ。「みちのくの小京都」とも呼ばれ、その風情漂う町並みは、映画「たそがれ清兵衛」や「隠し剣鬼の爪」などのロケ地としても使われたほど。春には武家屋敷通りに植えられた162本ものしだれ桜が町を彩り、桧木内川(ひのきないがわ)沿いでは、全長約2kmものソメイヨシノのトンネルを楽しめる。

41-1

福島県「大内宿(おおうちじゅく)」

福島県南会津にある大内宿は、会津城下と下野の国(現在の日光市今市(いまいち))を結ぶ街道の宿駅として繁栄した宿場町だ。450m続く道沿いには、道路側に妻(長方形の建物の短辺の壁面)が面した萱葺き屋根の家が建ち並んでいる。均等に整然と並ぶその江戸時代の情緒を残した町並みは、大河ドラマ「新撰組！」ロケ地としても使われたことも。冬には雪の灯籠に明かりが灯り、一層雪国の温もりに満ちた町になる。

41-2

長野県「下栗の里(しもぐり)」

長野県飯田市にある山肌に築かれた遠山郷・下栗の里。標高は800〜1,000m、最大傾斜38度もの急斜面に築かれたこの里には、現在も20軒ほどの家が建っている。坂とカーブがきつく、対向車とのすれ違いが難しいほどの道を経て、辿り着ける里だ。最大の見所は、住民が作ったビューポイント。山肌に沿うように作られた家々と畑、そして周囲を囲む山々を一望できる。「秘境」「天空の里」と呼ばれるにふさわしい絶景を眺めたい。

41-3

岐阜／富山「白川郷／五箇山の合掌造り集落」

雪深い地域ゆえに、外界からの影響を受けてこなかった岐阜県の白川郷と富山県の五箇山。両地域には、代々住み継がれてきた萱葺き屋根の合掌造り集落がある。日照時間と風向きを考慮して同一方向に建てられた家々には、冬の豪雪に備える為の工夫が多く詰まっている。白銀の世界に包まれる冬には、家々が浮かび上がるようにライトアップされ、その幻想的な風景で人々を魅了している。世界遺産に登録された集落を歩いてみよう。

41-4

岡山県「倉敷」

漆喰で塗られた白壁の町並みと赤煉瓦の建物が印象的な歴史とアートの町、倉敷。大原美術館をはじめとした5つの美術館や、米蔵を改装したギャラリーなど、アートを楽しめる場が多くある町だ。また木綿の栽培が盛んだったことから、縫製技術が発展し、国内生産の約7割を占める「倉敷帆布」や日本のジーンズ発祥の地としても有名。ジーンズショップが立ち並ぶジーンズストリートやジーンズミュージアムなどにも足を運びたい。

山口県「萩」(はぎ)

1604年に毛利輝元が築いた萩城。その城下町として、その後260年にわたり栄えてきた萩。町には時代の面影を残す重厚な武家屋敷や、商屋などが今でも軒を連ねている。中には松田松陰や木戸孝允、高杉晋作、伊藤博文など歴史上の人物らの生家や邸宅、松下村塾など、特に歴史好きには堪らない見所も多い。また、「イカの女王」と呼ばれるケンサキイカや生ウニ、真ふぐなど、豊富な海の幸も楽しみのひとつだ。

福岡県「柳川」

詩人「北原白秋」が愛した町、柳川は福岡県南部に位置する水郷。この町には総延長約470kmにも及ぶ掘割(ほりわり)が網の目のように巡っている。そこを名物「どんこ舟」に乗って巡れば、柳や四季の花々、幾つもの水門や橋、赤煉瓦造りの倉や北原白秋にまつわる道や碑などを見ることができる。お堀巡りを楽しんだら、うなぎの「せいろ蒸し」や「柳川鍋」など有明の魚介に舌鼓を打とう。

沖縄県「竹富島」

石垣島から高速船で約10分の位置にある竹富島。赤瓦の屋根、白砂の路地、琉球石灰岩で出来た石垣に鮮やかなブーゲンビリア…。そんな沖縄の原風景が残る島だ。約30年前に島の伝統や文化を護ろうと「売らない・汚さない・乱さない」という竹富島憲章を制定。その思いと努力によって、豊かで魅力的な風景が今でも楽しめるのだ。水牛車や徒歩でゆっくりと町散策を楽しんだり、美しい沖縄の海を泳いだり。本土とはまた異なる文化が築いた南国の町を歩こう。また、時間が許せば他の八重山列島に行ってみるのもオススメだ。

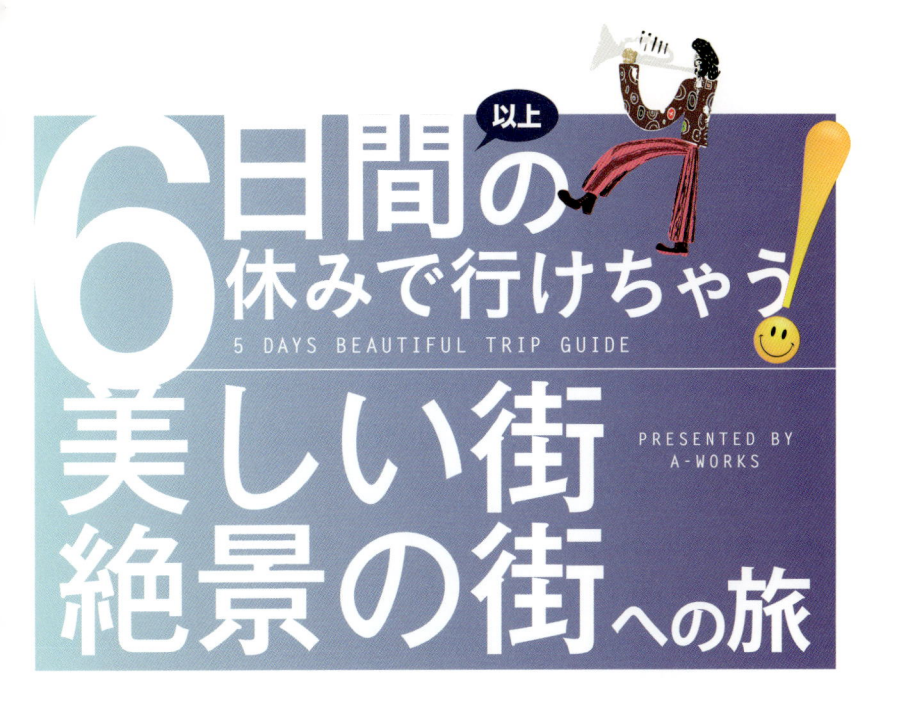

6日間以上の休みで行けちゃう！
5 DAYS BEAUTIFUL TRIP GUIDE

美しい街 絶景の街への旅

PRESENTED BY
A-WORKS

5日間+αの休みで行けちゃう
美しい街・絶景の街への旅
MORE THAN 6 DAYS BEAUTIFUL TRIP GUIDE

Morocco
Chefchaouen

モロッコ「シェフシャウエン」

柔らかく幻想的な青が広がる別世界
山の中腹に築かれたブルータウン

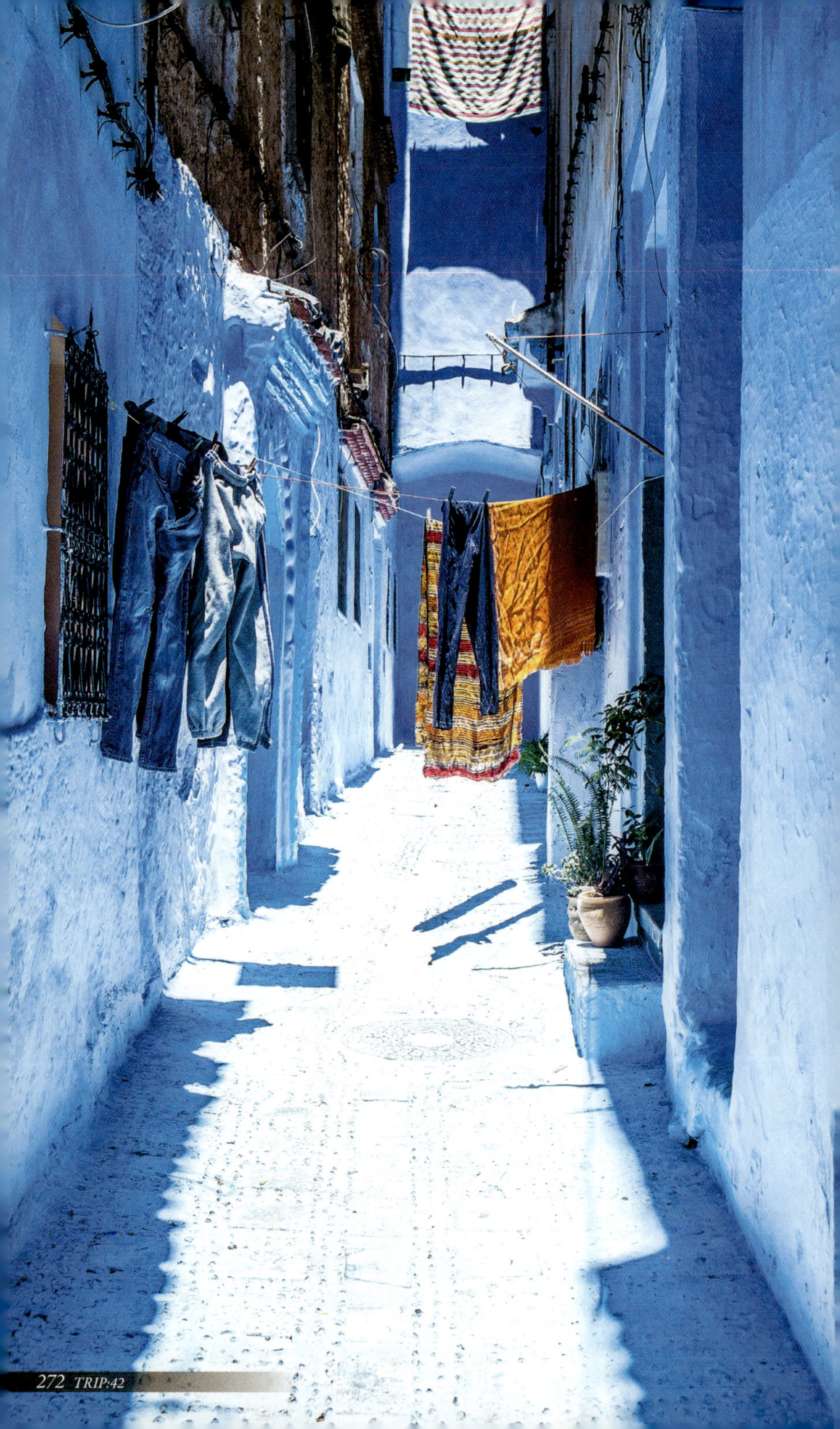

幻想的な青が広がる別世界
「シェフシャウエン」

アフリカ大陸の北西部、大西洋と地中海に面するモロッコ。北部には雄大な山脈が連なり、南部にはサハラ砂漠が広がる。ジブラルタル海峡を挟んでスペインに向き合っていることから、ヨーロッパの影響を強く受けてきた国だ。

その北部、リフ山脈に属する山の中腹にシェフシャウエンと呼ばれる町がある。一見すると"普通"の町並みだが、メディナという旧市街に足を踏み入れると、青で彩られた別世界に息を呑むだろう。それは家々の壁から、扉、窓枠、路地に至るまで、すべてが柔らかな青で彩られた町なのだ。一口に「青」と言っても濃い青から、淡い青まで様々な「青」が存在する。町中に張り巡らされた細い路地、山の斜面にあるが故に多い階段。「青」にそれらが加わることで、世界でも類い希な幻想的な町となっている。

路地を歩き、青に映えるカラフルな雑貨や土産、遊ぶ子ども達や優雅に散歩する多くの猫に出会う度に、足を止め見入ってしまうだろう。町自体は2,3時間もあればすべて巡ることができるほど、こぢんまりとしているが、何時間でも、何日でも滞在してしまいたくなる魅力に溢れている。

Travel Information:42

幻想的な青が広がる別世界
シェフシャウエン

Morocco
／モロッコ

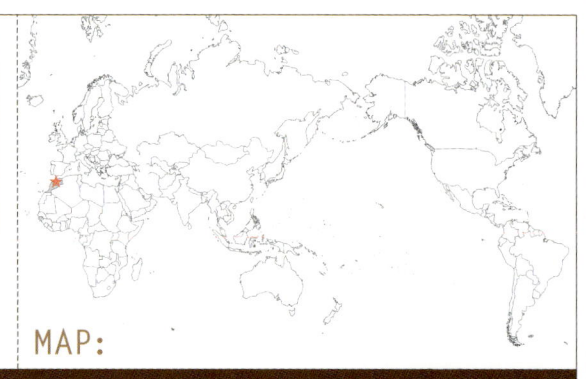

MAP:

いくらかかる?
How much?

18万円〜
＜大人1名分の総予算＞

「旅の予算」は右頁「PLAN」の目安料金です。
内訳：
- ●飛行機代
- ●宿泊費
- ●現地送迎
- ●食事(朝3回)

※燃油サーチャージ除く

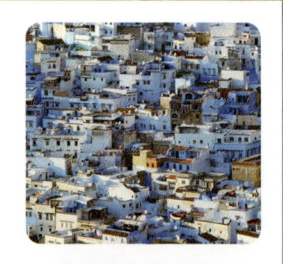

どうやって行く?
How to get there

約23時間
＜片道の移動時間＞
※空港等での待機時間含ます

日本からモロッコまで直行便は運行していない。モロッコの玄関口カサブランカへはトルコのイスタンブールやアラブ首長国連邦のドバイなどで乗り継いで行くことが一般的だ。成田〜イスタンブールは約12時間。イスタンブール〜カサブランカは約5時間。カサブランカからシェフシャウエンまでは車で約6時間。

いつがオススメ?
Best Season

4月〜6月
9月〜11月
＜街歩きに適した時期＞

町の散策には、暑い時期や寒い時期を避けた4〜6月、9〜11月が適している。他の都市に寄ることを考えても、真夏や真冬は避けた方が無難なので、上記の時期に訪れるのがオススメ。

この旅のヒント
Hint!

他にも見所が多いモロッコを滞在日数の許す限り満喫しよう。

- ●モロッコはアラビア語とベルベル語が公用語だ。またフランス語が広い範囲で通じるが、シェフシャウエンはスペイン統治の歴史を持つ為、スペイン語が通じやすい。
- ●モロッコは大道芸人の街マラケシュや世界遺産の街フェズ、サハラ砂漠などシェフシャウエン以外にも見所が多い。日数を多く取れるのならば、一度に巡るのもオススメ。

例えばこんな旅 PLAN　この旅のプラン例／6日間

1日目	夜	成田発〜イスタンブールへ【機内泊】
2日目	午前	イスタンブール乗り継ぎ〜カサブランカ着
	午後	シェフシャウエンに移動【シェフシャウエン泊】
3日目	終日	シェフシャウエン【シェフシャウエン泊】
4日目	午前	カサブランカに移動
	午後	カサブランカ【カサブランカ泊】
5日目	午後	カサブランカ発〜イスタンブール乗り継ぎ〜成田へ【機内泊】
6日目	夜	成田着

この旅の要チェック！ CHECK！

✓ カサブランカ　　チェックポイント

モロッコの首都はラバトだが、最大の都市はカサブランカ。モロッコ最大で200mものミナレット（塔）を持つハッサン2世モスクが最大の見所。また、ベリーダンスショー観賞やビーチで海水浴も楽しめる。モロッコに点在する様々なスポットの拠点になる街だ。

✓ シェフシャウエン　　チェックポイント

ウタエルハマン広場を中心にメディナが広がっている。車が通れないほどの細い路地が張り巡らされているが、規模は小さいのでまず迷うことはないだろう。また裏手にある丘からは町を一望することができるので、その全景を見に行こう。

+1 マラケシュ　　プラス1日あったら？

カサブランカから車で約3時間の距離に位置する、モロッコ第3の街。城壁に囲まれたジャマエルフナ広場は多くの屋台と大道芸人が集まり、賑やかな雰囲気に満ちている。古くから文化と交易の中心となっていたこともあり、2009年に無形文化遺産に登録されている。

+1 フェズ　　プラス1日あったら？

シェフシャウエンから車で約3時間30分。世界遺産に登録されているメディナと呼ばれる旧市街には、迷路のように路地が複雑に張り巡らされている。そのことから「迷宮都市」とも呼ばれている。古くから革製品を扱ってきた街なので、皮のなめし工場も見所のひとつだ。

+2 メルズーガ　　プラス2日あったら？

フェズから南へ車で約8時間。サラサラとした赤茶の砂、朝日、夕陽、ラクダ、地平線まで連なる砂丘、テント泊…と、絵に描いたような砂漠地帯、サハラ砂漠がある。長距離移動となるが、時間に余裕のある人にはオススメのスポット。

旅の相談と手配先は？ ［西遊旅行］　▶ www.saiyu.co.jp

シルクロード、ブータン、アフリカ、海外登山…と、幾つもの魅力的なツアーを扱う、秘境ツアーのパイオニア、西遊旅行。パッケージ旅行も魅力だが、オーダーメイドも手配OK。最新の現地の情報も教えてくれるので、気軽に連絡してみよう。

India
Jaisalmer

インド「ジャイサルメール」

中世インドのオアシス
夕陽に輝く黄金の街

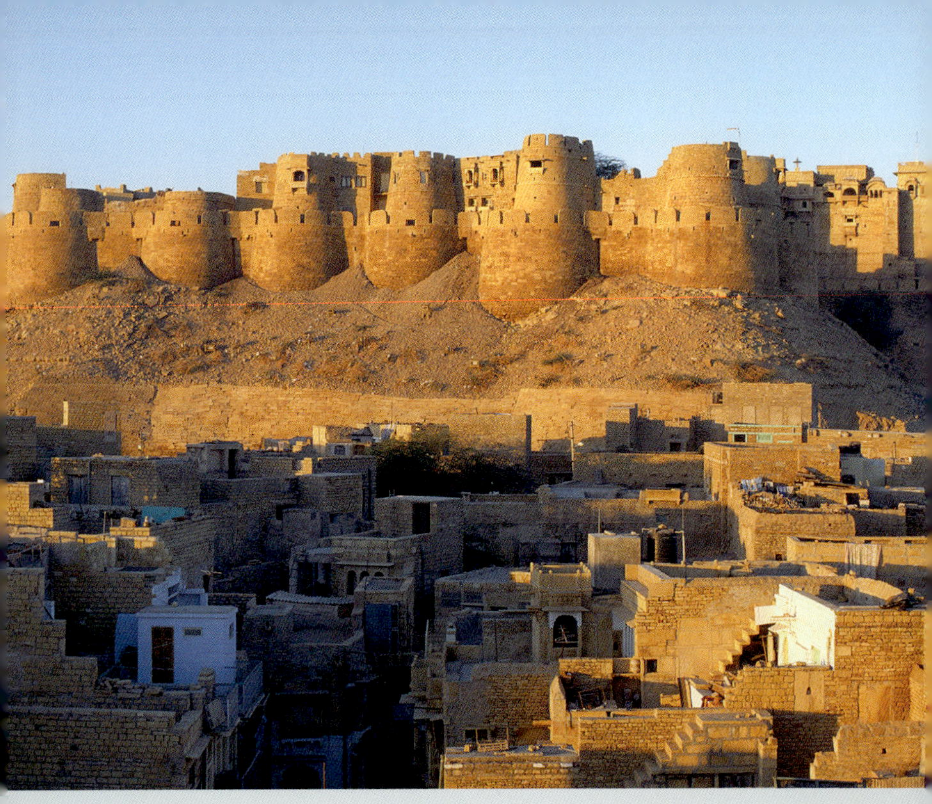

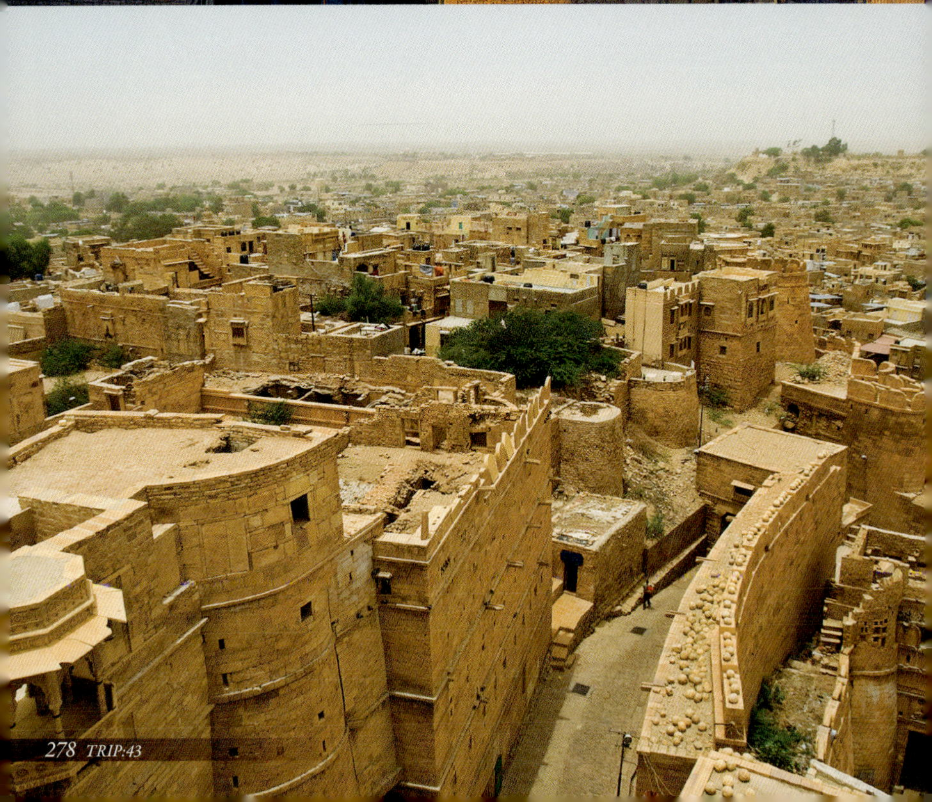

黄金の街
「ジャイサルメール」

インド北西部と隣国パキスタンにかけて広がるタール砂漠。そのほぼ中央、パキスタンから約100kmの位置にジャイサルメールはある。古くからインドと中央アジアの交易路として繁栄したオアシスの街だ。一時は栄華を極め、豪華な装飾が施された建物が競うように築かれたが、他の交易路の発展により衰退していった歴史を持つ。しかし現在では、保存状態の良い中世そのままの街並みが世界に知れ渡り、インドの新しい観光スポットになった。また2013年には世界遺産に登録されたことでも知られている。見所は、現在も人々が暮らす12世紀に築かれたジャイサルメール城塞、ハヴェリーと呼ばれる貴族や富豪商人が建てた壁面の彫刻が美しい邸宅、市街北西部の丘から一望するジャイサルメールの全景など。特に夕陽に染まる街は黄金色に光るとも言われ、そのことからゴールデンシティー、黄金の街とも呼ばれているのだ。また、ジャイサルメールから車で1時間30分走れば、風紋が美しいサム砂丘へ行くことが可能だ。ラクダに乗って朝日や夕陽に照られた砂漠を堪能しよう。国内外からのアクセスが容易ではない為、秘境とも呼べる街ジャイサルメール。中世インドの砂漠都市へ。

Travel Information:43

黄金の街
ジャイサルメール

India／インド

MAP:

いくらかかる？
How much?
13万円〜
〈大人1名分の総予算〉

「旅の予算」は
右頁「PLAN」の目安料金です。
内訳：
- 飛行機代
- 宿泊費
- 現地送迎
- 食事(朝2回)

※燃油サーチャージ除く

どうやって行く？
How to get there
約16.5時間
〈片道の移動時間〉
※空港等での待機時間含まず

成田からインドのデリーまで直行便が運行している。そこからジャイサルメール最寄りのジョードプール空港まで国内線で移動することになる。成田〜デリーは約10時間、デリー〜ジョードプールは約1時間。ジョードプールからジャイサルメールまでは車で約5時間30分。

いつがオススメ？
Best Season
11月〜3月
〈街歩きに適した時期〉

乾期にあたる11〜3月がベストシーズン。他の時期はとても暑く、また雨が降る日も多い為、散策には適していない。また11〜3月は朝晩冷え込むことがあるので、薄手の防寒着を持参しよう。

この旅のヒント
Hint!
ツアーにするか、オーダーメイドにするかは日程と相談しながら決めよう。

●ジャイサルメールへ行くツアーは、青の街ジョードプールやピンクシティジャイプールなども一緒に周遊するものが多く、ツアーによってはデリーから電車に乗ってジャイサルメールに行くものもある。そういったものは移動時間が長くなるので、余裕があればいいがそうでない場合はオーダーメイドで手配を依頼した方がベターだ。

例えばこんな旅 PLAN
この旅のプラン例／6日間

1日目	終日	成田発～デリー着【デリー泊】
2日目	午前	デリー発～ジョードプール着
	午後	ジャイサルメールに移動【ジャイサルメール泊】
3日目	終日	ジャイサルメール【ジャイサルメール泊】
4日目	午前	ジャイサルメール
	午後	ジョードプールに移動【ジョードプール泊】
5日目	午前	ジョードプール
	午後	ジョードプール発～デリー乗り継ぎ～成田へ【機内泊】
6日目	午前	成田着

この旅の要チェック！ CHECK!

✓ ジャイサルメール城塞
チェックポイント

高さ約80mの丘の上に築かれた街のシンボルとなっている城塞。城壁内には当時のマハラジャ（王様）の宮殿とその家来の邸宅、それにホテルやレストラン、カフェなどが建ち並ぶ。決して大規模ではないが、城壁の中で「ひとつの町」と言えるほど様々なものが揃っている。

✓ ハヴェリー
チェックポイント

ジャイサルメール要塞の周囲に築かれた城下町と呼べる旧市街。そこに幾つものハヴェリーという邸宅がある。せり出した窓や柱、壁に至るまで精緻な装飾が施されている。中でも19世紀初頭に築かれたパトフォンのハヴェリーは最も豪華な造りと言われている。

✓ キャメルサファリ
チェックポイント

ジャイサルメールに訪れるからにはトライしたいアクティビティ。近郊のサム砂丘に車で移動した後に、ラクダの背にゆられながら砂漠を巡る。朝日や夕陽の時間帯に合わせて出発するツアーが多い。砂漠の民体験を楽しもう。

🛒 革製品
ショッピング

ジャイサルメールの名産は革製品。ラクダやヤギの皮で作られた鞄や小物などが城壁内外で売られている。また、ジャイサルメールを含むラジャスタン州の特有の布を使った製品などもオススメだ。

+1 デリー
プラス1日あったら？

インドの首都ニューデリーを含む都市、デリー。世界遺産でもある世界で最も高いミナレット（塔）を持つクトゥブミナールやタージマハルのモデルになったフユマーン廟、パリの凱旋門を基に築かれたインド門など、見所が多い街だ。乗り継ぎ地で1泊して楽しもう。

旅の相談と手配先は？ 【ファイブスタークラブ】 ▶ www.fivestar-club.jp

世界中を手配範囲とする旅行会社。多種多様なテーマでのパッケージツアーに加え、オーダーメイドももちろん手配OK。ファイブスタークラブがプロデュースするこだわりの旅は、とても魅力的。まずは、気軽に相談するところから始めてみよう。

Tanzania
Zanzibar

🇹🇿 タンザニア 「ザンジバル」

インド洋に浮かぶ島
世界の文化が出会った街

Tanzania 283

284 TRIP:44

世界の文化が出会った街
「ザンジバル」

アフリカ大陸東部に位置する、インド洋に面した国タンザニア。その東端にあるのが、同国最大の都市ダルエスサラームだ。その北の沖合約75kmに、ザンジバル海峡によって隔てられた島、ザンジバル島はある。18世紀から、この地に移住してきたアラブの商人によって、香辛料や奴隷、象牙などの貿易拠点として繁栄した島だ。その中心となったのが、島の西部にあるストーンタウン。アフリカはもちろんアラブやヨーロッパ、インドなど、貿易活動によって様々な文化が流入したことでできたエキゾチックな雰囲気に満ちた街だ。その歴史的背景から世界遺産に登録されている街でもあり、往時に富を得た商人が築いた3階建て以上の家が並ぶ美しい街並みにふれることができる。またこの島を囲むインド洋も魅力のひとつ。特に島東部には真っ白な砂浜と遠浅でエメラルドグリーンに輝く極上の海が広がっている。世界でも有数の美しさを誇ることから「インド洋の宝石」とも呼ばれ、また夕陽の名所としても知られている島なのだ。

世界の文化が融合して築かれた街を歩き、眩しいほどに輝く海で泳ぐ、ザンジバルの旅へ。

Travel Information:44

世界の文化が出会った街
ザンジバル
Tanzania／タンザニア 

MAP:

いくらかかる？
How much?
17万円～
<大人1名分の総予算>

「旅の予算」は右頁「PLAN」の目安料金です。
内訳：
- 飛行機代
- 宿泊費
- 現地送迎
- 食事(朝2回)

※燃油サーチャージ除く

どうやって行く？
How to get there
約17.5時間
<片道の移動時間>
※空港等での待機時間含ます

日本からタンザニアまで直行便は運行していない。タンザニアの玄関口ダルエスサラームへはアラブ首長国連邦のドバイなどで乗り継いで行くことが一般的だ。成田～ドバイは**約11時間15分**、ドバイ～ダルエスサラームは**約5時間40分**。ダルエスサラームからザンジバルまでは国内線で**約30分**。

いつがオススメ？
Best Season
6月～9月
1月～2月
<街歩きに適した時期>

1年中温暖な気候が特徴で、5～9月の最高気温は30度近くまで上がり、10～4月は30度を超える。また、3～5、10～12月は雨が多いシーズンだ。街歩きを考えると6～9月、海水浴を考えると1、2月がオススメ。

この旅のヒント
Hint!
海もサファリも同時に楽しみたい人は事前に旅行会社に相談しよう。

● 本書で紹介したプラン例では3日目に街、4日目に海を楽しむことができる。もちろんどちらか片方だけでもOKだし、日数を増やすのもあり。だが同時に「＋1、2日あったら？」で紹介しているサファリにも行ってみたい人は、それらも含めて検討する必要がある。旅行会社に相談しながら、一番自分にあったスケジュールを組み立ててみよう。

例えばこんな旅 PLAN この旅のプラン例／6日間

1日目	夜	成田発〜ドバイへ【機内泊】
2日目	終日	ドバイ、ダルエスサラーム乗り継ぎ〜ザンジバル着【ザンジバル泊】
3日目	終日	ザンジバル【ザンジバル泊】
4日目	終日	ザンジバル【ザンジバル泊】
5日目	午前	ザンジバル
	午後	ザンジバル発〜ダルエスサラーム、ドバイ乗り継ぎ〜成田へ【機内泊】
6日目	午後	成田着

この旅の要チェック！ CHECK!

✓ ダルエスサラーム
チェックポイント

インド洋に面する港湾都市。タンザニアの空の玄関口として知られているが、ザンジバルへの船も出ている(所要約1時間30分)。ドイツに植民地支配されていた過去を持ち、駅や教会にその歴史を見ることができる。基本的には観光する街というよりも拠点の街となる。

✓ ストーンタウン
チェックポイント

アラブの薫りが特に濃く、アフリカとは思えない街。入り組んだ細い路地を歩けば、日用品や軽食を販売している小さなお店や、アクセサリーなどを扱う雑貨屋などもある。またストーンタウンを一望できる「驚嘆の家」は必ず行っておきたい。

✓ ザンジバル
チェックポイント

珊瑚が息づくザンジバルの海は、場所によって異なる楽しみ方ができる。静かな海を堪能できる島の北部、一方でマリンアクティビティが盛んな南部。そしてリゾートホテルが並ぶ南東部に最も美しいとされる東部。小さな離島も点在しているので、街も海も満喫できる島なのだ。

+2 サファリ
プラス2日あったら？

タンザニアは野生動物の王国だ。火山のクレーター内にあるンゴロンゴロ自然保護区では、ライオンやサイ、シマウマ、ヌーなど、多くの動物を見ることができる。タンザニアを訪れるなら、サファリ体験もオススメだ。

+1 ドバイ
プラス1日あったら？

乗り継ぎ地点であるアラブ首長国連邦のドバイで一休みするのもオススメ。中東の中でも開放的な雰囲気を持ち、高級ホテルも多数ある。世界一高いビルとして知られるブルジュハリファドバイや、高級ブランド店が軒を連ねる巨大ショッピングモールなど見所満載。

旅の相談と手配先は？ 〔ファイブスタークラブ〕　▶ www.fivestar-club.jp

世界中を手配範囲とする旅行会社。多種多様なテーマでのパッケージツアーに加え、オーダーメイドももちろん手配OK。ファイブスタークラブがプロデュースするこだわりの旅は、とても魅力的。まずは、気軽に相談するところから始めてみよう。

Peru
Uros Island

ペルー「ウロス島」

神秘に満ちた古代湖
水上に浮かぶ集落

45

Peru 289

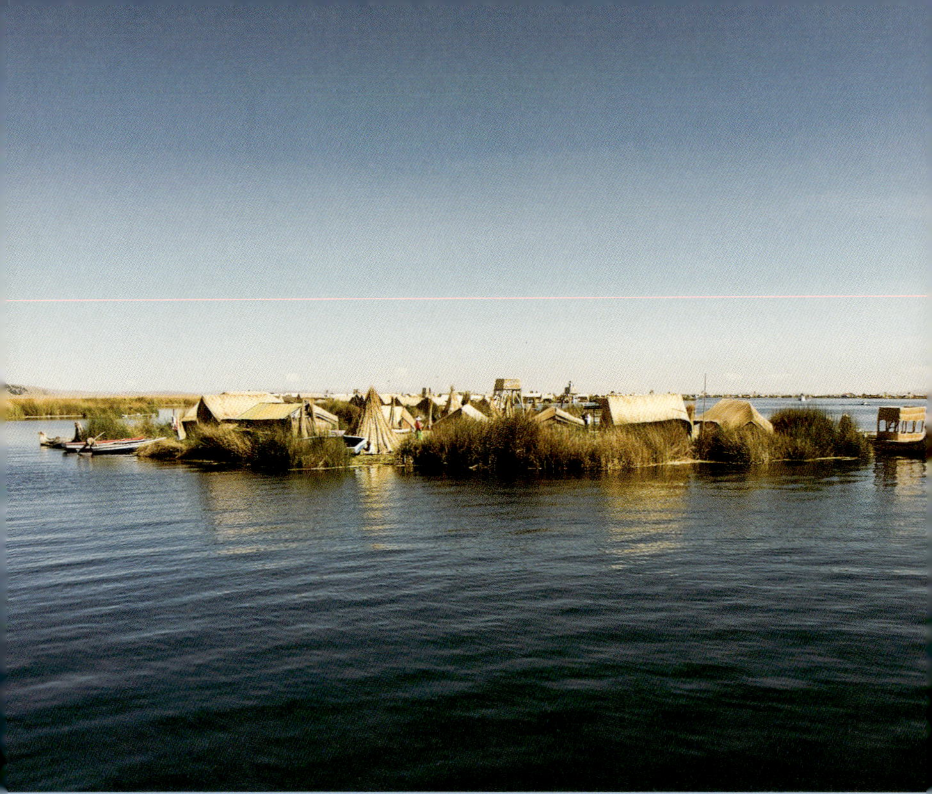

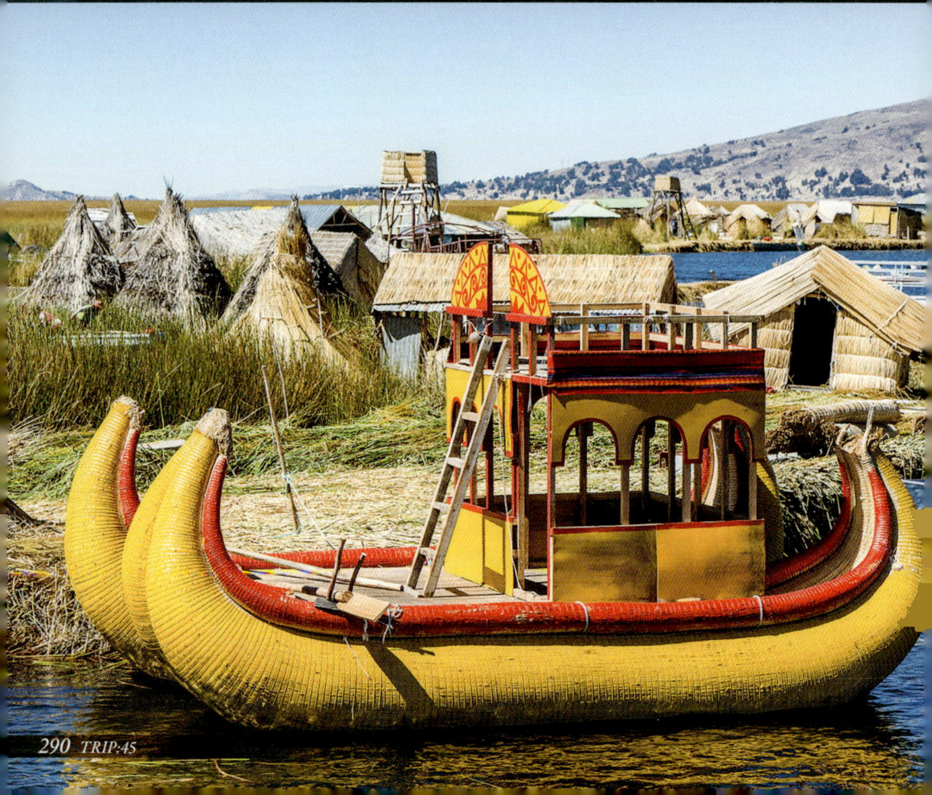

湖に浮かぶ集落
ウロス島

南米西部に位置する太平洋に面した国、ペルー。その首都リマの遥か南東、標高約3,800mもの高地に"汽船などが航行できる最高所の湖"として知られるチチカカ湖はある。琵琶湖の12倍もの面積を持ち、6割がペルー、残りの4割が隣国ボリビアにまたがっている。

そこには大小25の島と45もの人工島が浮かぶ。その人工島は総称してウロス島と呼ばれ、この地に生えるトトラという葦で作られたもの。島の寿命は10〜15年と言われ、定期的に作り直したり、修繕を繰り返しながら現代に受け継がれてきた伝統ある島なのだ。島の上を歩いてみるとフワフワとした感触こそあるものの、沈む気配を全く感じないほど頑丈に作られている。そこに暮らすのはカラフルな民族衣装を纏う先住民ウル族の人々。彼らは湖上に浮かぶ島の上に家を築き、湖で魚を捕り、畑を作り、家畜を放牧しながら営みを続けてきた。そして現在では観光客の受け入れも行っており、トトラで作った伝統的な船の小さな模型などのお土産も揃えている。先住の民と出会い、水上に築かれた集落を歩く。世界的にも類い希なる風景が広がる湖に出会う旅へ。

Peru 291

Travel Information:45

湖に浮かぶ集落
ウロス島

Peru ／ペルー

MAP:

いくらかかる?
How much?

30万円～
〈大人1名分の総予算〉

「旅の予算」は右頁「PLAN」の目安料金です。
内訳：
- 飛行機代
- 宿泊費
- 現地送迎

※食事、燃油サーチャージ除く

どうやって行く?
How to get there

約21時間
〈片道の移動時間〉
※空港等での待機時間含みます

日本からペルーまで直行便は運行していない。ペルーの玄関口リマへはアメリカのヒューストンやアトランタ、ダラスなど、いずれかの都市で乗り継いで行くことが一般的だ。リマからは国内線でチチカカ湖最寄りの空港フリアカへ。そこからプーノの町まで車で約30分、プーノからウロス島まではボートで約30分。成田～ヒューストンは約11時間45分、ヒューストン～リマは約6時間30分、リマ～フリアカは約1時間40分。

いつがオススメ?
Best Season

5月～9月
〈街歩きに適した時期〉

高地にある為、1年を通じて涼しい。大きく分けると乾期(5～9月)と雨期(10～4月)に分かれている。比較的暖かく好天に恵まれる乾期に訪れるのがオススメだ。朝晩は冷え込むので、防寒具を一枚持参しよう。

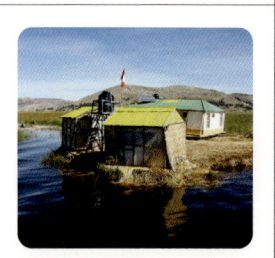

この旅のヒント
Hint!

時間が許すのであればチチカカ湖周辺にも足を運んでみたい場所が多い。

- 高山病を防ぐ為、水分補給による新陳代謝の促進と充分な保温が大切。軽度の高山病は、高山病予防薬で防げるが、重度になると命を落とす場合もあるので、具合が悪いと思ったら早めにガイドに伝えよう。
- チチカカ湖周辺は「+1～3日あったら?」で紹介しているマチュピチュやナスカの地上絵、ウユニ塩湖などの見所もある。それらの位置関係は近距離とは言えないが、南米まで往復するだけでも航空券は高額になるので、時間が許せば兼ねて行くことをオススメする。

例えばこんな旅
PLAN
この旅のプラン例／6日間

1日目	終日	成田発〜アメリカ1都市乗り継ぎ〜リマ着【リマ泊】
2日目	午前	リマ発〜フリアカ着
	午後	チチカカ湖【プーノ泊】
3日目	終日	チチカカ湖【プーノ泊】
4日目	午前	フリアカ発〜リマ着
	午後	リマ
	深夜	リマ発〜アメリカ1都市乗り継ぎ〜成田へ【機内泊】
6日目	午後	成田着

この旅の要チェック！
CHECK!

✓ リマ　　チェックポイント
かつて南米に存在していたインカ帝国を滅亡させた、スペインの植民地支配の拠点になった街で、現在は南米各所への玄関口のひとつにもなっている。歴史を感じさせるコロニアル様式の建築物が多く残る旧市街は、世界遺産に登録されている。

✓ チチカカ湖　　チェックポイント
展望台から望むチチカカ湖が素晴らしい。編み物の文化が発達したタキーレ島や、チチカカ湖最大の島でインカの初代帝王が生まれた伝説を持つ太陽の島、神官に使える少女達がインカ文化を学んでいた月の島など見所も多い。ウロス島と共に訪れたい。

+1 マチュピチュ　　プラス1日あったら？
リマから国内線でクスコへ行き（所要約1時間20分）、そこから更に車や列車で約4時間の所に位置する憧れの世界遺産。カミソリの刃一枚すら入らない精巧な石造りの建築物が謎めきながら残るその姿は必見。インカ帝国の失われた都市を旅しよう。

+1 ナスカの地上絵　　プラス1日あったら？
謎の巨大地上絵。コンドルやハチドリ、クジラ、宇宙飛行士、リル、クモなど様々な絵柄をセスナ機に乗って上空から見ることができる。リマから車で片道約7時間と長距離移動となるが、日帰りで行くことも可能だ。

+3 ウユニ塩湖　　プラス3日あったら？
ここまできたら、真っ白な世界が広がるウユニ塩湖も訪れたい。純白の大地以外にも「魚の島」と名付けられた巨大サボテンが生えている島や、数十年前に廃棄された列車が眠る「鉄道墓場」、そして少し離れるが「荒野の温泉」もある。是非立ち寄ってみよう。

旅の相談と手配先は？ [ism]
▶ shogai-kando.com

北米、南米、オーストラリアなど多くの地域をカバーしている旅行会社ism。パッケージ旅行はもちろん、オーダーメイドにも対応している。一生に一度の感動の旅をプロデュースしてくれる頼れる存在。まずは気軽に問い合わせてみよう。

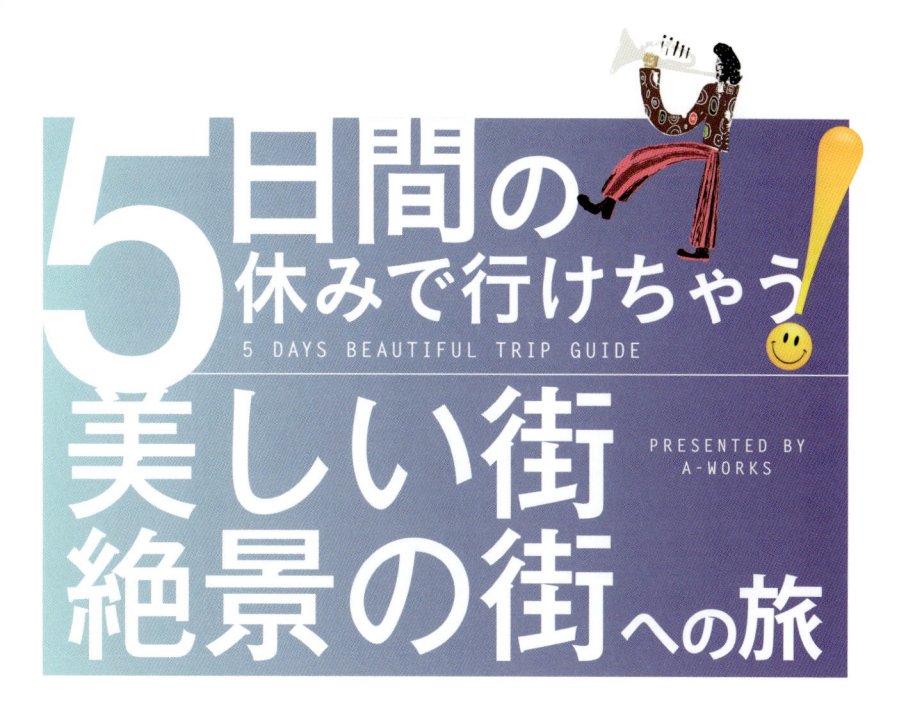

5日間の休みで行けちゃう！
美しい街・絶景の街への旅

5 DAYS BEAUTIFUL TRIP GUIDE

PRESENTED BY
A-WORKS

「5日間の休みで行けちゃう！ 美しい街・絶景の街への旅」
素敵な旅作りの為のヒント集
5 DAYS BEAUTIFUL TRIP GUIDE

HINT 旅行会社と相談する上で欠かせないポイント！

旅先や時期が決まったら、いよいよ旅行会社に相談だ。本書で紹介した旅を、問い合わせ先として記載した旅行会社に依頼したり、様々な旅行会社が募集している「パッケージツアー」への申込をしたりするのであれば、もちろん話は早い。しかし、どちらも"旅を構成するすべての条件が希望通り"ということが前提となる。では、希望条件が大なり小なり合わない場合はどうすればいいのだろうか？ そんなときは、パッケージをちょっと変更する「セミオーダーメイド」や、1から旅を作る「完全オーダーメイド」で希望の旅に変えてしまおう！ もちろんこだわる部分によっては金額が上がる場合もあるが、そんなに追加費用をかけなくても、希望の旅を作ることが可能だ。まずは旅行会社にイメージできる限りの要望を伝えて、見積もりをもらうところから。それが予算以下であれば何かをグレードアップしてもいいし、予算以上であれば何かを削るなどの検討を。

海外旅行が初めての人でも、旅慣れた人でも。旅を作る上でかかせないチェック事項を紹介するので、ぜひとも参考にしてほしい。YES が多いほど、旅行会社との相談はスムーズに進むが、もちろん少なくてもOK。せっかく時間を割いてお金を使うのだから、希望を詰め込んだ自分だけの旅を作ろう。

□ 人数は決まっていますか？

YES ホテルや飛行機など、様々な部分の手配を始めよう。

NO まずは人数を決めることから。もちろん後から追加したり減らしたりすることも可能だが、人数が確定している方が、より正確に旅の見積もりをとることができる。また、小児や幼児も一緒の場合、飛行機やホテルの料金も大幅に変わることがほとんど。航空会社やホテルによっても条件が異なるので、子どもと一緒の場合はあらかじめ伝えておこう。

□ 日数は決まっていますか？

YES 5日間で固まっていれば、旅行会社とのやりとりを始めよう。

NO 本書では5日間の旅を提案したけど、もっと日数が取れる場合は、ゆっくりする時間を取れたり、他の場所へも行くことができるようになる。逆に近場であれば、5日と言わず4日で行けるところもあるので、そこで「何を見たいか？」「何を体験したいか？」を考えながら必要日数を計算してみよう。

□ ホテルの希望はありますか？

YES 希望が決まっているのであれば、後は金額を確認するだけ。

NO 希望を決めるにあたり、金額やロケーション、ホテルや客室からの眺め[1]、バスタブの有無（シャワーのみというホテルも多い）、部屋のタイプ（1人部屋や2人部屋、コネクティングルーム[2]やツーベッドルーム[3]など）、日本語対応可能なスタッフの有無など確認すべきことが多い。まずは、こだわりたい要素を決めて、旅行会社にオススメを聞くのが得策。

[1] 海に面したホテルでは、一般的に海側にある客室の方が金額が高くなる。「ホテルは夜寝るだけ」というスケジュールであれば、海側じゃない客室にした方が料金を抑えられることも。 [2] 隣合う部屋に専用のドアがあるもの。簡単に行き来できるのが特徴。 [3] 1つの客室の中にベッドルームが2つあるもの。リビングがついているものが多く、家族団欒しやすいのが特徴。

☐ ガイドを付けるかどうか決まっていますか？

YES　空港到着時やホテルチェックイン時、観光時など、どの部分に付けるかも決めておこう。また、英語ガイドなのか日本語ガイドなのかも確認を忘れずに。

NO　ガイドを付けた方がもちろん安心感は高まる。一方、同行区間が多くなればなるほど金額も上がっていく。また同様に英語よりも日本語ガイドの方が料金は高くなることがほとんど。でも、できることなら言語の心配なく行きたいところ。必要な区間、不要な区間の見極めは、旅行会社と相談して決めるのがベストだろう。

☐ 送迎を付けるかどうか決まっていますか？

YES　空港からホテルへ、ホテルから観光地へなど、どの部分に送迎を付けるかも決めておこう。また、英語又は現地語ドライバーなのか日本語ドライバーなのかも確認を忘れずに。

NO　現地での移動手段は、タクシーや電車、バスなども考えられるが、一番安心できるのは、旅行会社に手配を依頼する専用の送迎車。基本的にドライバーの言語は、現地語や英語がほとんど。日本語が話せるドライバーを手配できたとしても、高額になる場合が多いので、ガイド付きの場合は不要だろう。また、短い距離であればタクシーもオススメ。その場合は流しのタクシーよりも、ホテルで呼んでもらう方が安心だ。簡単にタクシーを呼べる場所であれば、タクシーの方がリーズナブルになるので、手配が必要な区間、不要な区間を旅行会社と相談して見極めよう。

☐ 希望の飛行機の便はありますか？

YES　希望が決まっているのであれば、後は金額を確認するだけ。

NO　1日1便であれば選択の余地はないが、朝から夜まで複数あるものは、飛行機の発着時間帯も気にしたいところ。現地到着時間によっては、1日、半日が無駄になってしまうことも。一方で、効率的に行くことができる便ほど金額は上がっていくのが一般的。しかしながら、ほんの数千円だけで、現地滞在時間が大幅に変わり、満足度が変わる場合も。複数の便の見積もりを出してもらい、ベストなものを選ぼう。

☐ 絶対に外せない、現地でのこだわり条件はありますか？

YES　こだわりの条件を中心として、その他の部分を固めていこう。

NO　「ここだけは絶対に行きたい！」「そこには3時間滞在したい！」というものがあれば、それを中心に移動時間などを考え、他の部分が固まっていく。もちろんなくても問題ないが、こだわりを満たす為に削らなければならないものも出てくるので、旅行会社と相談する際には最初に伝えておこう。

☐ 絶対に食べたい食事はありますか？

YES　同じ料理でもレストランによって、評判がマチマチなことも。レストランが決まっていなければ、旅行会社にオススメを聞くのも得策だ。

NO　せっかく旅に行くのであれば、そこの名物料理もぜひ堪能しよう。旅行会社にオススメの料理やレストランなどを聞いてみれば、いろいろ教えてくれるだろう。もちろん、全てを高級レストランにする必要はない。繁華街を歩き、ローカルなレストランに入ってみるのも面白い。地元の人が多く集まっている所ほど、おいしい可能性は大だ。また、メニューが読めない場合は他の人が食べているものと同じものをオーダーするという方法もアリだろう。

旅をリーズナブルにするヒント！

高い費用を支払えば、いくらでも快適にできる。飛行機だって、ビジネスクラスやファーストクラスにすれば、格段に快適な旅ができるというもの。しかし、無駄に高くなっても意味がないので、本当に必要な"快適さ"かどうかは、よく検討した方がいい。本当にかけるべき部分とそうでない部分を見極めるには、以下のポイントを抑えておこう。

☐ 航空券

予定が明確に決まっているのであれば、予約が早ければ早いほど安くなる。また、直行便を乗り継ぎ便にしたり、キャンセル条件が厳しいものにしたりすることなどでも安くなる。また、格安航空会社を利用するのも手だ。しかし、安さを追求するあまり満足できない旅程に…ということもあるので、希望の便と金額のバランスに気をつけよう。

☐ ホテル

星の数や、ホテル・客室からの眺めや、ロケーション、設備、接客… 様々な要素が良ければ良いほど金額が上がるのが常識。まずは全ての希望を満たすようなホテルを選び、その値段が高いと感じれば、少しずつ条件を落としていこう。特に寝るだけで充分という場合は、3つ星クラスでも充分に満足できるものも多くある。

☐ 食事

やはり現地の大衆食堂が一番安い。しかも、地元の人々が集まるような所では、外れも少なく、驚くほど美味しいものに出逢えることも。たまには高級レストランも楽しみたいけど、極力ローカルな所をセレクトすることを心がけるとリーズナブルになる。また、ホテルの食事は近くて便利だけど、割高な所がほとんど。今日は疲れたので外に行くのはちょっと面倒…というような時に利用するのがいいだろう。

☐ ガイド、送迎車…

ガイドも送迎車も、付ければ付けるほど金額は上がる。特に先進諸国では驚くような金額になることも。しかし物価の安い国では意外と安いことも事実。国の物価にもよるが、自分達で行ける自信がある所なら、ガイドも送迎もカットすれば、リーズナブルにできる。自分達で行ける＆楽しめるかどうかの判断は、旅行会社に相談してみよう。

memo:

HINT 想い出を形に！

旅は、人生に特別な時間をもたらしてくれるもの。その"特別な時間"は、目に焼き付き、心に在り続ける。そんな想い出をいつでも蘇らせてくれるもの… それが写真だろう。写真が残ることによって、帰国後も楽しめ、一生残る宝にもなる。現地の風景から何気ないふとした瞬間、記念撮影まで…どんな瞬間も美しく残したいもの。ここでは、カメラの種類や、形として残す方法を紹介。旅立つ前に"撮影した写真"を帰国後どうするかイメージしてみよう。

☐ カメラの種類

フィルムカメラと異なり、枚数を気にせず気軽に撮れるデジタルカメラ。その場で撮ったものをすぐに見ることができるので、とても便利だ。カメラによって撮影スタイルも変わってくる。またカメラの重量も旅を楽しむための重要チェックポイントだ。自分の旅のスタイルに合ったカメラを選ぼう。

1. コンパクトカメラ　値段：1〜6万円前後
ポケットに入るほど小さく、移動にはとても便利。100g台という驚きの軽さながら、写真＆動画が撮れ、液晶モニターもキレイ。フラッシュ、セルフタイマーも付いているから夜の記念撮影までカバーできる。広角撮影が苦手なのと、ボケを活かす撮影が難しいのが難点。

2. ミラーレス一眼カメラ　値段：5〜15万円前後
軽いのにクオリティの高い写真が撮れるカメラ。コンパクトカメラと一眼レフカメラの中間で、いいとこ取りのカメラだ。マクロから望遠まで、レンズを交換することもでき、一眼レフの写真までとはいかないものの、こだわりの写真を撮影できる。軽量化が進み、持ち運びにも便利だ。

3. 一眼レフカメラ　値段：7〜100万円前後
圧倒的なクオリティの写真を撮ったり、カメラという機械の操作を楽しみたければ、やっぱり一眼レフ。重量もあり、操作も覚えることが多くあるが、旅で最高の写真を撮りたいなら苦にならない。カメラを保護するカメラバッグや、交換レンズなど多少かさばるのが難点。

☐ おすすめ記録方法

旅先で写真を撮ったら、次は形に。写真集にしたり、スライドショーにしたりと方法は様々。あらかじめどのような形にしたいかイメージしておくと、旅先で撮る写真も変わってくるかも。下記にいくつかサイトを紹介するので、ぜひ参考にしてほしい。写真の楽しみ方は日進月歩を続けている。最新情報はインターネットや電気屋さんで入手しよう。

1. 写真集にするには？
- マイブック　http://www.mybook.co.jp/
- 富士フィルム　http://fujiphoto.co.jp/

2. インターネット上にあげて、家族と共有するには？
- picasa (Googleアカウント取得が必要)　https://picasaweb.google.com/home
- LUMIX CLUB　http://lumixclub.panasonic.net/jpn/

3. プリントしてアルバムにするには？
- しまうまプリント　http://n-pri.jp/
- ネットプリントジャパン　https://netprint.co.jp/

※ネットで注文すれば格安になることが多い。

☐ 撮影時はここに注意を

- カメラは高価なもの。旅中に盗難にあう可能性もあるので、外出時は肌身離さず、注意しよう。
- 誰だって急に撮影されるとあまり気分はいいものではない。人を撮影する際は、必ず事前に一言確認しよう。現地の言葉ができなくても、仕草などで確認を。
- 国によっては、撮影した後お金を請求される場合も。あらかじめ確認の上、撮影しよう。
- 軍事施設はもちろん、空港や駅、美術館、教会など撮影不可な場所がある。罰金やカメラの没収もあり得るので、撮影禁止サインに気をつけよう。
- 旅に行くと予想よりも多く撮ってしまうもの。メモリーカードは、余分に持って行こう。

編集後記

『5日間の休みで行けちゃう！ 美しい街・絶景の街への旅』を、最後までご覧いただき、ありがとうございました。

『5日間の休みで行けちゃう！ 絶景・秘境への旅』、『5日間の休みで行けちゃう！ 楽園・南の島への旅』に続くシリーズ第3弾となった本書。既刊2冊では、地球が創造した素晴らしい"自然"を紹介しましたが、今作は人類が創造した地球上のアートとも言える"街"を紹介しました。

実は『5日間の休みで行けちゃう！ 楽園・南の島への旅』の発売時には、既に本書の企画は決定済みでした。編集スタッフみんな、絶景や秘境、楽園、南の島という「自然」も大好きですが、同時に一生に一度は歩いてみたくなるような素敵な街にも強い思い入れがあり、1冊にまとめて紹介したいと思っていたのです。

自分たちの経験からコンテンツを集めてみると、非常に多くの旅先候補が集まってしまいました。そして取捨選択の作業へ突入。「この街、可愛い！」、「この街は綺麗だね！」、「この街並は色彩が最高」、「これは不思議な感じが素敵だよね」などなど、好き勝手に意見を言いながら選んでいきました。最終的にはバランスの取れたコンテンツを掲載できたと思っています。

気の遠くなる程の年月をかけて地球が創造した「自然」とはまた異なる魅力を放つ街。それは、人類の想像力や歴史が密に絡み合って築かれ、そして現在に残るもの。そういった街並を歩くという経験は、きっと人生を豊かにしてくれることでしょう。本書を通じて、読者の皆様に旅先の選択肢を多く知って頂くと共に、お気に入りの"街"を見つけて頂ければ幸いです。

ちなみに、「日数的に5日間では不可能だけど、紹介しないわけにはいかない！」という美しい街・絶景の街も「＋α」として紹介させていただきました。こちらもあわせて楽しんで頂ければと思います。

一生に一度は歩いてみたい、絵本のような別世界へ。
5日間の休みで、夢にまで見た素晴らしい世界にひとつでも多く出逢えることを祈っています。

A-Works 編集部

協力一覧（敬称略、順不同）

構成協力、写真提供：
エス・ティー・ワールド、西遊旅行、日中平和観光、フィンツアー、ボイス、Five Star Club、H.I.S.、ICC Travel、ism、JIC旅行センター

写真提供：

■ 西遊旅行

■ iStockphoto: ©iStockphoto.com/LuigiConsiglio、KarenMassier、izusek、Benjiecce、Tarzan9280、GorazdBertalanic、DavidCallan、LICreate、plastic_buddha、YuenWu、tanukiphoto、WEKWEK、Gim42、franckreporter、andrearoad、halbergman、Bennewitz、pappamaart、leezsnow、brankokosteski、rusm、brunette、Mlenny、1001nights、ivanmateev、picmov、olaser、Mlenny、WEKWEK、argalis、sack、pixelprof、double_p、dawnn、EdStock、Nikada、caracterdesign、Maica、stevenallan、MariaPavlova、christophe_cerisier、peeterv、laughingmango、hadynyah、Tarzan9280、LP7、Serega、loveguli、AleksandarGeorgiev、Angelafoto、annedehaas、xenotar、R-J-Seymour、meshaphoto、Pavliha、jjlim80、Richmatts、FredFroese、AarStudio、Gosiek-B、jcarillet、chapin31、JacobH、gehringj、Terraxplorer、helovi、JohanSjolander、buzbuzzer、NicolasMcComber、ferrantraite、MariaPavlova、lightkey、fototrav、ChrisHepburn、hanoded、Alatom、kodachrome25、cjaphoto、manx_in_the_world、o-che、juergen2008、EllenMoran、JohanSjolander、peeterv、AleksandarGeorgiev、JacobH、Tongshan、rzdeb、NicolasMcComber、ZoneCreative、robas、traveler1116、spooh、ph2212、buzbuzzer、sedmak、AndreyKrav、cinoby、timdeboeck、Creativaimage、stee365、imagedepotpro、Gannet77、DavorLovincic、Wolfgang、Steiner、Veni、ANTITESI、Renewer、petekarici、Kazakov、ibooo7、Dark_Eni、fotoVoyager、guvendemir、AlexanderDonchev、1001nights、mozcann、PickStock、FabioFilzi、macbibi、DavorLovincic、javarman3、zanskar、zanskar、christophe_cerisier、Crisma、bb_1、drmarkg、ronnybas、StephanHoerold、jerbarber、Csondy、Pi-Lens、andyKRAKOVSKI、rognar、benedek、Justinreznick、davemantel、catscandotcom、catscandotcom、powerofforever、Wolfgang_Steiner、Mableen、ChrisBoswell、FernandoAH、powerofforever、Pavliha、kojihirano、alexeys、kimhammar、kimhammar、dimon_houston、simonbradfield、oversnap、mrcmrc、Styve、miralex、kerriekerr、Focus_on_Nature、FernandoAH、powerofforever、lightkey、lightpix、kojihirano、eldong、franckreporter、gioadventures、gmalandra、epicurean、Grafissimo、gcoles、Agenturfotograf、hfrankWI、HendrikDB、Graffizone、JacobH、paulwongkwan、shinnji、BWBImages、LordRunar、Smintman、Gim42、dasbild、hanhanpeggy、piccaya、mkaminski、4X-image、MiniImpressions、06photo、hadynyah、Hanis、whoswho、caoge、JohnnyGreig、BigLip、javi_indy、Oks_Mit、TerryJLawrence、Linelds、jimkruger、PickStock、dspn、jonhortondesign、Rpsycho、YinYang、jhorrocks、HuoyiZhang、JonnyNoTrees、Vaara、kaywin、QualityShots、GoodOlga、kaywin、gioadventures、holgs、vichie81、Craigbuckland、Hofmeester、JohnCarnemolla、vichie81、Philartphace、Aurelie1、nstanev、FransDekkers、jfoltyn、greenmountainboy、arturbo、gserdyuk、pawel.gaul、kwiktor、benkrut、Sproetniek、antb、lilly3、Tashka、Wirepec、Ben185、mjunsworth、Wirepec、MonaSunshine、powerofforever、BWBImages、bonishphotography、RonaldHope、auleit、RWBrooks、clumpner、Tammy616、haveseen、monkeypics、byronwmoore、bbourdages、zinchik、Mak2662、rolenf、rolenf、richardmclarke、JoyfulThailand、tropicalpixsingapore、OSTILL、BIHAIBO、xenotar、robas、suc、Strannik、Xosan、BartCo、DaveBluck、Escaflowne、matteodestefano、alazor、mihailzhukov、Fenykepez、Andresr、ToniFlap、DavorLovincic、vandervelden、jonathandowney、collective91、zudin、corolanty、PaulCowan、yulkapopkova、Aspheric、argalis、Chalabala、jogonal、AlexandraChess、danyluis、lightkey、javarman3、davemantel、MichaelUtech、KateLeigh、EasyBuy4u、Terraxplorer、GordonBellPhotography、clodio、mbbirdy、sodafish、ChrisHepburn、

■ FOTOLIA-Fotolia.com: ©stevanzz、Tinnakorn Nukul、Hoang Giang Hai、massimosp3、dinosmichail、Konstantin Yolshin、Andrey Armyagov、Rostislav Ageev、Amy Nichole Harris、sehbaer_nrw、ines39、philipus、europhotos、ines39、Alexander Reitter、Klaus Rose、SeanPavonePhoto、SeanPavonePhoto、scaliger、feferoni、Sailorr、TTstudio、Kimpin、MasterLu、Sailorr、Kokhanchikov、Jan Schuler

■ dreamstime: © Typhoonski、Hiro1775、Darknightsky、Hiro1775、Peng Chen、Suronin

■ PIXTA: ©kj、keiko、ティエン、ぱび、トシ松、月空、TK.、hime、shira、yumikann、パレット

本書は制作時（2014年）のデータをもとに作られています。掲載した情報は現地の状況などに伴い変化することもありますので、ご注意ください。また、写真はあくまでもイメージです。必ずしも同じ光景が見られるとは限りません。あらかじめお知りおきください。

最後に、あらためて言うまでもありませんが、旅はあくまで自己責任です。本書で描いている旅の見解や解釈については、個人的な体験を基に書かれていますので、すべてご自身の責任でご判断のうえ、旅を楽しんでください。
万が一、本書を利用して旅をし、何か問題や不都合などが生じた場合も、弊社では責任を負いかわますので、ご了承ください。

では、また世界のどこかで逢いましょう。
Have a nice beautiful Trip！

2014年3月10日　株式会社 A-Works 編集部

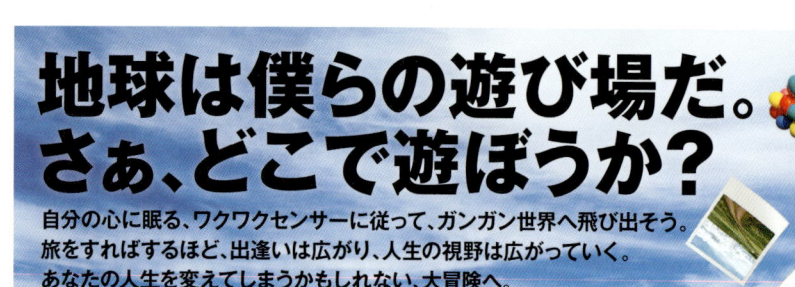

地球は僕らの遊び場だ。
さぁ、どこで遊ぼうか？

自分の心に眠る、ワクワクセンサーに従って、ガンガン世界へ飛び出そう。
旅をすればするほど、出逢いは広がり、人生の視野は広がっていく。
あなたの人生を変えてしまうかもしれない、大冒険へ。
Have a Nice Trip!

自由人・高橋歩プロデュース！

最強 旅ガイドシリーズ

行き先を決めてから読む旅ガイドではなく、
行き先を決めるために、ワクワクセンサーを全開にする旅ガイド

- 企業広告に縛られることなく自分たちの感性で自由に創るインディペンデント旅ガイド。
- 自由人・高橋歩をはじめとする、様々な旅人、旅のプロ、現地ガイドたちのナマ情報を集め、旅の予算から手配方法まで、丁寧に説明したガイド付き。
- 旅の準備にツカえる割引テクニック満載の情報ノートも充実！
- フルカラー、写真満載の豪華版。見ているだけでも楽しくなっちゃう！

【A-Works HP】 http://www.a-works.gr.jp/
【旅ガイド Facebook】 http://www.facebook.com/TRIPGUIDE

5日間の休みで行けちゃう！
絶景・秘境への旅
5DAYS WONDERFUL TRIP GUIDE
発行・発売：A-Works　ISBN978-4-902256-48-2　定価：1,500円＋税

一生の宝物になる最高の景色に出逢う旅へ。
5日間の休みで行けちゃう「絶景」、「秘境」を完全ガイド！
地球が創造した奇跡の別世界へ！

5日間の休みで行けちゃう！
楽園・南の島への旅
5DAYS PARADISE TRIP GUIDE
発行・発売：A-Works　ISBN978-4-902256-52-9　定価：1,500円＋税

究極の解放感＆癒しを求める旅に出よう！
5日間の休みで行けちゃう「楽園」、「南の島」を完全ガイド！
解放感溢れる夢のパラダイスへ！

地球を遊ぼう！ DREAM TRIP GUIDE
発行・発売:A-Works　ISBN978-4-902256-27-7／定価:1,500円＋税

人生で一度は行ってみたい…
そんな夢の旅に、手頃な値段で、本当に行けちゃう！
究極の旅ガイドが誕生。

**地球は僕らの遊び場だ。
さぁ、どこで遊ぼうか？**

7日間で人生を変える旅 7DAYS TRIP GUIDE
発行・発売:A-Works　ISBN978-4-902256-29-1／定価:1,500円＋税

脳みそがスパーク！する極上の地球旅行！
限られた休日でも行けちゃう！ 予算から交通手段、スケジュールまで、
リアルでツカえる情報満載の旅ガイド！

**この旅をきっかけに、人生が変わる。
きっと、新しい何かに出逢える。**

地球でデート！ LOVE TRIP GUIDE
発行・発売:A-Works　ISBN978-4-902256-34-3／定価:1,500円＋税

ふたりきりで、夢のような別世界へ。
旅を愛するふたりに贈る、究極のラブトリップ26選。
気軽に行ける週末旅行から、一生に一度の超豪華旅行まで、
愛の絆を深めるスペシャルトリップ！

世界中で、イチャイチャしちゃえば？

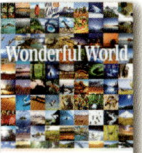

Wonderful World
冒険家のように激しく、セレブのように優雅な旅へ
発行・発売:A-Works　ISBN978-4-902256-38-3／定価:1,500円＋税

「冒険」と「優雅」が融合した、新しいスタイルのジャーニー。
さぁ、素晴らしきWonderful Worldへ。
世界中の"秘境"が、僕らを待っている。

さぁ、次は、どこに旅しようか？

両親に贈りたい旅
GUIDE BOOK FOR TRAVELLING WITH PARENTS
発行・発売:A-Works　ISBN978-4-902256-43-7／定価:1,500円＋税

一緒に旅をして、特別な時間を過ごすこと。
それこそが、最高の親孝行…。

**お父さん、お母さんに、
「夢の旅」を贈るためのガイドブック！**

人生で最高の1日 〜極上のハッピーに包まれる旅のストーリー88選〜
発行・発売:A-Works　ISBN978-4-902256-46-5／定価:1,400円＋税

旅に出て幸せを見つけよう！
自由人・高橋歩が選んだ「旅人88人の絶対に忘れられない旅物語」。

**一人旅から家族旅まで、素敵な街から秘境まで、
極上のハッピーに包まれる旅のストーリー。
旅に出ると、自分の幸せのカタチがハッキリと見えてくる。**

5 DAYS BEAUTIFUL TRIP GUIDE
PRESENTED BY A-WORKS

5日間の休みで行けちゃう！ 美しい街・絶景の街への旅

2014年3月10日　初版発行
2014年4月23日　第3刷発行

編集 A-Works

デザイン　高橋実
構成　高橋歩、多賀秀行、滝本洋平
A-Works staff　二瓶明

発行者　高橋歩

発行・発売　株式会社A-Works
東京都世田谷区玉川3-38-4 玉川グランドハイツ101　〒158-0094
URL：http://www.a-works.gr.jp/　　E-MAIL：info@a-works.gr.jp

営業　株式会社サンクチュアリ・パブリッシング
東京都渋谷区千駄ヶ谷2-38-1　〒151-0051
TEL：03-5775-5192　FAX：03-5775-5193

印刷・製本　中央精版印刷株式会社

ISBN978-4-902256-56-7
乱丁、落丁本は送料負担でお取り替えいたします。
本書の無断複写・複製・転載を禁じます。

©A-Works 2014　PRINTED IN JAPAN